T5-AGR-105

БОЛЬШАЯ
Н·А·У·К·А

I.

II.

КРИСТОФ ГАЛЬФАР

III.

IV.

ПРОСТАЯ СЛОЖНАЯ ВСЕЛЕННАЯ

V.

VI.

как открытия современной физики приближают нас к пониманию картины мира

VII.

VIII.

БОМБОРА™

Москва 2018

УДК 524
ББК 22.632
Г17

Christophe Galfard

THE UNIVERSE IN YOUR HAND:
A Journey Through Space, Time, and Beyond

Гальфар, Кристоф.

Г17 Простая сложная Вселенная / Кристоф Гальфар ; [пер. с англ. О.С. Шиловой]. — Москва : Издательство «Э», 2018. — 464 с. — (Большая наука).

ISBN 978-5-699-94902-1

Представьте, что вы оказались далеко в космосе рядом с умирающей звездой. Или сжались до размеров атома и отправились в невероятное приключение в крошечном мире.

Квантовая физика, черные дыры, теория струн, темная материя, параллельные вселенные — если мы хотим действительно понять эти явления, то нам проходится окунаться в мир чисел и жутких формул.

Кристоф Гальфар сделал все, чтобы вы не мучились с нереальными графиками и трехэтажными уравнениями. Простым языком он раскроет вам теории, которые объясняют, как устроена наша Вселенная. С помощью метафор из нашей обычной жизни и интересных историй вы познакомитесь с самыми поразительными и на первый взгляд непонятными явлениями во Вселенной.

УДК 524
ББК 22.632

ISBN 978-5-699-94902-1

СОДЕРЖАНИЕ

Предисловие 9

Часть 1. Космос 11

Взрыв в тишине – Луна – Солнце – Наша космическая семья – За пределами Солнечной системы – Космический монстр – Млечный Путь – Первая стена в конце Вселенной

Часть 2. Осмысление космического пространства 69

Закон и порядок – Беспокойный Меркурий – 1915 год – Слои прошлого – Расширение – Ощущение гравитации – Космология – За пределами космического горизонта – Неопровержимое доказательство Большого взрыва

Часть 3. В мире сверхскоростей 145

Сборы в дорогу – Необычный сон – Индивидуальное время – Как никогда не стареть

Часть 4. Погружение в квантовый мир 179

Слиток золота и магнит – Как рыба в воде – Вход в атом – Жестокий мир электронов – Последняя сила

Часть 5. У истоков пространства и времени 245

Уверенность – Нет такой вещи, как ничто – Антиматерия – Стена за стеной – Потерянные куски прошлого повсюду

Часть 6. Неожиданные тайны 311

Вселенная – Квантовая бесконечность – Быть и не быть одновременно – Темная материя – Темная энергия – Сингулярности – Серый – это новый черный

Часть 7. Шаг за пределы известного 397

Обратно к началу начал – Множество больших взрывов – Вселенная без границ – Неизведанная часть реальности – Теория струн

Эпилог 434

Слова признательности 445

Об источниках. 448

Список литературы 449

Глоссарий 450

Посвящается Мариусу

ПРЕДИСЛОВИЕ

Перед тем как мы приступим к делу, есть две вещи, которые я хотел бы с вами обсудить.

Первая – обещание, а вторая – амбиции.

Обещание, что в этой книге содержится только одно уравнение.

Вот оно:

$\mathbf{E = mc^2}$.

А что касается амбиций, моих собственных амбиций, то они заключаются в том, что я не оставлю никого из читателей равнодушным.

Вы – на пороге путешествия через Вселенную, такую, какой ее представляет современная наука. Я глубоко убежден, что мы все в состоянии понять ее взгляд.

И наше путешествие начнется очень далеко отсюда, на другом конце земного шара.

ЧАСТЬ 1 | КОСМОС

ГЛАВА 1

ВЗРЫВ В ТИШИНЕ

Представьте себя на каком-нибудь далеком вулканическом острове теплой, безоблачной летней ночью. Окружающий океан подобен спокойному озеру. Только легкие волны набегают на белый прибрежный песок. Тишина. Вы лежите на пляже. Ваши глаза закрыты. От теплой, нагретой солнцем земли исходит насыщенный сладкий, экзотический запах. Кругом царит покой.

Вдруг чей-то дикий вопль вдали заставляет вас вскочить и уставиться в темноту.

И вновь тишина.

Вопившее существо затихло. Пожалуй, бояться нечего. Остров может быть опасным для кого-то, но не для вас. Вы – человек, самое могущественное из всех хищных животных. Скоро придут ваши друзья, чтобы выпить с вами за компанию, к тому же вы в отпуске, так что вы снова опускаетесь на песок и сосредотачиваетесь на мыслях, достойных статуса homo sapiens.

Мириады крошечных огоньков мерцают на бескрайнем ночном небе. Звезды. Даже невооруженным глазом их видно повсюду. И вы вспоминаете вопросы, которые задавали, будучи еще ребенком: что такое звезды? почему они мерцают? насколько они далеко? А теперь вы спрашиваете себя: а *точно* ли мы узнаем когда-нибудь верные ответы? Вздохнув, вы вновь растягиваетесь на теплом песке и, гоня глупые мысли прочь, думаете: а не все ли равно?

Крошечная падающая звезда беззвучно скатывается с ночного неба, и как раз в тот момент, когда вы собираетесь загадать желание, происходит самая необычная вещь на свете. Словно в ответ на последний вопрос, перед вами за одно мгновенье пролетают пять миллиардов лет, и вдруг вы понимаете, что уже не находитесь на пляже, а парите в космическом пространстве. Вы можете видеть, слышать и ощущать, но ваше тело исчезло. Вы бесплотны. Вы – чистый разум. И даже нет времени задаться вопросом, что случилось, закричать или позвать на помощь в самой своеобразной из всех возможных ситуаций.

Перед вами на расстоянии сотен тысяч миль на фоне крошечных далеких звезд летит шар. Пылая темно-оранжевым светом, он, вращаясь, движется по направлению к вам. Не займет много времени, чтобы понять, что его поверхность представляет собой расплавленную массу и что перед вами – планета. Расплавленная планета.

Вам, потрясенному этой мыслью, приходит на ум вопрос: какой чудовищный источник энергии мог спалить целый *мир* вроде этого?

Но тут справа появляется огромная звезда. Ее исполинский по сравнению с планетой размер просто поражает. И она тоже вращается. Тоже перемещается в космическом пространстве. И, кажется, растет.

Планета, хоть и стала гораздо ближе, теперь похожа на крошечный оранжевый детский шарик рядом с гигантским шаром, продолжающим расти с невероятной скоростью. Он уже вдвое больше, чем минуту назад. Шар переливается красным огнем и яростно исторгает из себя струи разогретой до миллиона градусов плазмы, разносящейся по космическому пространству со скоростью, кажущейся близкой к скорости света.

Все, что вы способны видеть, – лишь его чудовищная красота. И действительно, вы присутствуете при одном из самых потрясающих событий, порождаемых Вселенной. И по-прежнему не слышно ни звука. Кругом полная тишина, ибо звук не распространяется в вакууме космоса.

Конечно, звезда не может увеличиваться бесконечно, и все-таки она растет. Она уже превысила все вообразимые размеры, а расплавленная планета, не способная сопротивляться уничтожающим ее силам, рассеивается в пыль. Звезда, не заметив этого, продолжает расти, увеличившись от первоначального размера в сотни раз, а затем совершенно неожиданно взрывается, разбрасывая свои внутренности по космическому пространству.

Ударная волна прокатывается сквозь вашу эфемерную сущность, а затем остается только рассеивающаяся во всех направлениях пыль. Звезды больше нет. Она превратилась в поразительное красочное облако, распространяющееся сейчас по межзвездному пространству со скоростью, которой позавидовали бы даже боги.

Медленно, очень медленно вы приходите в чувство, и после осознания только что случившегося ваш разум странным образом проясняет ужасающая истина. Погибшая звезда была не случайной. Это – Солнце. Наше Солнце. А расплавленная планета, исчезнувшая в его лучах, – Земля.

Наша планета. Ваш дом. Исчезнувший дом.

То, что вы наблюдали, было концом нашего мира. Не выдуманным, не каким-то сомнительным, дошедшим до наших дней пророчеством индейцев майя. Настоящим, реальным концом. Тем самым, о наступлении которого человечество знало с тех пор, как появилось на свет, за пять миллиардов лет до того, чему вы только что стали свидетелем.

Как только вы намереваетесь собрать эти мысли воедино, разум немедленно возвращается обратно в настоящее, внутрь тела, на пляж.

Сердце бешено колотится, и вы сидите и смотрите вокруг, словно очнувшись от странного сна. Деревья, песок, море и ветер – все на месте. Друзья на подходе. Вы уже можете разглядеть их. Что случилось? Вы задремали? Может быть, то, что вы видели, сон? По всему телу начинает распространяться жуткое чувство от шквала возникающих вопросов: мог ли сон быть реальностью? неужели в один прекрасный день Солнце взорвется? и если да, то что станет с человечеством? сможет кто-нибудь пережить такой апокалипсис? неужели даже сама память о нашем существовании исчезнет в космическом небытии?

Вновь подняв глаза к звездному небу, вы отчаянно пытаетесь понять, что же произошло. В глубине души вы знаете, что вам это не привиделось. Хоть ваш разум и вернулся обратно на пляж, в свое тело, вы понимаете, что *на самом деле* путешествовали за пределами своего времени, в далеком будущем, увидев то, что никому и никогда увидеть не суждено.

Медленно вдыхая и выдыхая воздух, чтобы успокоиться, вы вдруг различаете странные звуки, как будто ветер, волны, птицы и звезды нашептывают слышную лишь вам песню, и неожиданно вы понимаете, о чем они поют. Это одновременно предупреждение и приглашение. Из всех доступных возможных вариантов будущего, шепчут они, только один путь позволит человечеству пережить неизбежную гибель Солнца и большинство других катастроф.

Путь познания, путь науки.

Путешествие, доступное только людям.

Путешествие, которое вы собираетесь предпринять.

Еще один вопль пронзает ночь, но на этот раз вы вряд ли услышите его. Подобно посаженному и уже начинающему прорастать в вашем разуме семени, вы чувствуете страстное желание выяснить, что же известно о Вселенной.

ИЗ ЧЕГО СОЗДАНА ВСЕЛЕННАЯ? ЧТО НАХОДИТСЯ В НЕПОСРЕДСТВЕННОЙ БЛИЗОСТИ ОТ ЗЕМЛИ И ЗА ЕЕ ПРЕДЕЛАМИ? НАСКОЛЬКО ДАЛЕКО МОЖНО ЗАГЛЯНУТЬ В КОСМОС? ЧТО ИЗВЕСТНО ОБ ИСТОРИИ ВСЕЛЕННОЙ? И БЫЛА ЛИ ОНА?

Вновь смиренно поднимая взгляд в небо, теперь вы смотрите на звезды глазами ребенка.

Из чего создана Вселенная? Что находится в непосредственной близости от Земли? А за ее пределами? Насколько далеко можно заглянуть в космос? Что известно об истории Вселенной? И была ли она?

В то время как волны мягко омывают берег, а вы задаетесь вопросом, сможет ли кто-то когда-нибудь исследовать эти загадки космоса, мерцание звезд, кажется, вводит ваше тело в полубессознательное состояние. Вы слышите разговор приближающихся друзей, но, как ни странно, ощущаете мир уже иначе, чем несколько минут назад. Все кажется насыщенней, глубже, как если бы ваш разум и тело были частью чего-то большего, гораздо большего, чем все, о чем вы когда-либо думали прежде. Ваши руки, ноги, кожа... Материя... Время... Пространство... Переплетение силовых полей вокруг вас...

Завеса, о существовании которой вы даже не подозревали, поднялась над миром, чтобы обнажить таинственную и неожиданную реальность. Разум жаждет вернуться к звездам, и у вас появляется ощущение, что впереди ждет необычное путешествие, благодаря которому вы окажетесь очень далеко от привычного мира.

ГЛАВА 2

ЛУНА

Если вы читаете эти строки, значит, уже совершили путешествие на пять миллиардов лет в будущее. По любым меркам, хорошее начало. Итак, вы должны быть уверены, что ваше воображение работает хорошо, даже идеально, потому что воображение – это все, что потребуется для путешествий сквозь пространство и время, материю и энергию, чтобы выяснить то, что известно о нашей реальности с позиций начала двадцать первого века.

Вы не просили об этом, но вам повезло увидеть, какая судьба ожидает человечество и все живое на Земле, если не будет предпринято ничего, чтобы понять, как устроена природа. Чтобы выжить в долгосрочной перспективе, избежать проглатывания разъяренным умирающим Солнцем, наш единственный шанс — узнать, как взять наше будущее в свои руки. И для того чтобы это произошло, нужно разгадать законы самой природы, а также узнать, как найти им хорошее применение. Справедливости ради стоит сказать, у нас куча дел. Однако на последующих страницах вы найдете, пожалуй, все, что известно науке до сих пор.

Путешествуя по Вселенной, вы выясните, что такое гравитация и сколько атомов и частиц, не касаясь, взаимодействуют друг с другом. Вы обнаружите, что Вселенная в основном состоит из тайн и что эти тайны привели к появлению новых видов материи и энергии.

А потом, когда вы ознакомитесь со всем уже известным, то совершите прыжок в неизведанное и увидите, что кое-кто из самых заметных физиков-теоретиков сегодня работает над объяснением весьма странных реальностей, частью которых являемся и мы. Картину дополнят параллельные вселенные, мультивселенные и дополнительные пространственные измерения. После этого ваши глаза, вероятно, зажгутся светом знаний и мудрости, накапливаемых и используемых человечеством на протяжении тысячелетий. Но вам следует подготовиться. Открытия последних десятилетий изменили все до сих пор считавшееся правдой: Вселенная не только неизмеримо больше, чем ожидалось, она и безмерно красивее, чем мог себе представить любой из наших предков. И раз уж мы заговорили об этом, вот еще одна хорошая новость: вы выясните, насколько мы, люди, заставили себя отличаться от всех других форм жизни, когда-либо существовавших на Земле. И это отлично, если учесть, что большинство их уже вымерли. Динозавры правили нашей планетой около 200 миллионов лет, в то время как мы занимаемся тем же самым не больше нескольких сотен тысяч лет. У них было достаточно времени для начала исследований окружающей их среды и прояснения для себя некоторых вещей. Они не сделали этого. И вымерли. Сегодня мы, люди, можем по крайней мере надеяться заблаговременно обнаружить угрожающий планете астероид, чтобы попытаться изменить его траекторию. Таким образом, у нас уже есть некоторый потенциал, каким не обладали динозавры. Может быть, несправедливо так утверждать, но, оглядываясь назад, мы могли бы связать исчезновение динозавров с их недостаточной осведомленностью в теоретической физике.

ВСЕЛЕННАЯ В ОСНОВНОМ СОСТОИТ ИЗ ТАЙН. ЭТИ ТАЙНЫ ПРИВЕЛИ К ПОЯВЛЕНИЮ НОВЫХ ВИДОВ МАТЕРИИ И ЭНЕРГИИ.

В данный момент вы по-прежнему на пляже, но воспоминание об умирающем Солнце еще свежо в вашей памяти. У вас пока еще не так много специальных знаний, и, честно говоря, мерцающие точки в ночи, кажется, совершенно не обращают внимания на ваше существование. Жизнь и смерть земных существ не имеют для них ровно никакого значения. Похоже, что время в космическом пространстве работает в масштабах, которые ваш организм не в состоянии постигнуть. Все время существования жизни здесь, на Земле, вероятно, длится не более мгновения ока для далеких сияющих богов...

Триста лет назад один из самых известных и блестящих ученых всех времен, британский физик и математик Исаак Ньютон из Кембриджского университета, подаривший нам закон всемирного тяготения, занимался поиском определения времени. Для него существовало время обыденное, ощущаемое всеми нами и измеряемое часами, и абсолютное время, являющееся свойством Бога, неизменное и вечное. С точки зрения Бога Ньютона, безграничная линия человеческого времени, простирающаяся назад и вперед в бесконечность, – лишь миг. Он сразу разглядел это.

Хоть вы не Бог, но, когда вы смотрите на звезды, а друг молча наливает вам выпить, грандиозность предстоящей задачи начинает угнетать. Все как-то слишком велико, слишком далеко, слишком странно... С чего начать? Вы не физик-теоретик... но, с другой стороны, и не тот, кто сдается. У вас есть глаза и любопытный ум, так что вы ложитесь на песок и сосредоточиваетесь на том, что видите.

Небо, в основном темное.

И на нем звезды.

А между звездами невооруженным глазом заметна тускло светящаяся белесая полоса.

Какого бы происхождения ни был этот свет, вы знаете, что полоса носит название Млечного Пути. Его ширина примерно в десять раз больше диаметра полной Луны. В юности вы смотрели на него много раз, в последнее время, правда, уже не так часто. Разглядывая его теперь, вы понимаете, что он заметен настолько, что, наверное, был известен вашим предкам с незапамятных времен, и тут вы правы. Ирония в том, что люди веками обсуждали его природу, но только теперь мы знаем, что он собой представляет, хоть «засветка» ночного неба искусственными источниками освещения и делает Млечный Путь невидимым в большинстве населенных пунктов.

Однако на вашем тропическом острове его присутствие ошеломляет, и так же, как вращается Земля, как проходит ночь, Млечный Путь движется по небу с востока на запад, подобно дневному пути Солнца.

Возможность того, что будущее человечества лежит где-то там, за краями земного неба, начинает становиться в вашем уме реальной и завораживающей. Сосредоточившись, вы спрашиваете себя, возможно ли увидеть все, что есть во Вселенной, невооруженным глазом. И качаете головой. Вы знаете, что Солнце, Луна, некоторые планеты, такие как Венера, Марс или Юпитер, несколько сотен звезд* и расплывчатая полоска белесой пыли под названием Млечный Путь не укладываются в понятие Всё. Там, вне поля зрения, между звездами, скрываются тайны, которым просто не терпится, чтобы их разгадали... Если бы именно вам представилась такая возможность, то что бы вы

* Может показаться, что темной ночью на небе видны миллионы звезд, на самом деле, человеческий глаз в состоянии различить лишь несколько сотен в городе и 4000–6000 звезд на природе, вдали от светового загрязнения неба.

сделали? Конечно же, начали с окрестностей Земли, а потом... увлеклись и зашли как можно дальше, а потом... поможет разум!

Как бы удивительно это ни звучало, но тут разум действительно *начинает* отделяться от вашего тела, устремляясь вверх, к звездам.

Ощущение вращения, как при головокружении, захватывает вас и ваше тело, и остров остается внизу, быстро уменьшаясь в размерах. Ваш разум в виде эфемерной сущности поднимается и летит на восток.

Вы не имеете ни малейшего понятия, каким образом так вышло, но оказываетесь уже гораздо выше самой высокой горы. Появляется подвешенная над далеким горизонтом Луна насыщенного красного цвета, и за гораздо меньшее время, чем требуется на произнесение этой фразы, вы покидаете атмосферу Земли, пролетев 380 тысяч километров космического пространства, отделяющего нашу планету от единственного естественного спутника. Из космоса Луна кажется такой же белой, как Солнце.

Ваше путешествие по знаниям началось.

Как и десяток людей до вас, вы достигаете Луны. Ваше призрачное тело идет по ее поверхности. Земля исчезла за лунным горизонтом. Вы на так называемой *темной стороне*, которая никогда не видит нашу планету. Там нет ни голубого неба, ни ветра, и мало того, что вы видите гораздо больше звезд над головой, чем из любого места на Земле, они еще и не мерцают. Все это потому, что на Луне отсутствует атмосфера. Космос начинается в миллиметре от поверхности лунного грунта. Ни одна гроза или буря не смоет усеивающие ее поверхность шрамы. Кратеры повсюду, как застывшие воспоминания минувших ударов астероидов о бесплодную почву.

Приближаясь к обращенной к Земле стороне Луны, история ее рождения волшебным образом попадает в ваш нетерпеливый ум, и вы ошарашенно глядите на землю под ногами.

Какая жестокость!

Около четырех миллиардов лет назад наша молодая планета столкнулась с другой, размером с Марс, в результате чего от последней оторвался и улетел в космос огромный кусок. В течение последующих тысячелетий обломки произошедшей катастрофы постепенно сформировались в единый шар, движущийся по орбите вокруг нашего мира. Так родилась Луна, на которой вы сейчас стоите.

Если бы это случилось сейчас, то такого столкновения было бы более чем достаточно, чтобы уничтожить все формы жизни на Земле. Но в то время наш мир был мертв, и смешно даже подумать, что, не будь катастрофического удара, мы не имели бы ни Луны, освещающей наши ночи, ни постоянных приливов и отливов, да и сама жизнь, такая, какой мы ее знаем, вероятно, не существовала бы на нашей планете. Так что по мере того, как голубая Земля всплывает над лунным горизонтом впереди вас, вы понимаете, что катастрофы в космическом масштабе могут быть как к лучшему, так и к худшему.

Ваша родная планета, как видно отсюда, размером с четыре вместе взятые полные луны. Голубая жемчужина, плывущая на фоне черного, усеянного звездами неба.

Истинные масштабы нашего мира в космосе всегда были и будут приводящим в шок зрелищем.

Вы продолжаете свой путь, наблюдая, как Земля вырастает в лунном небе, и, хотя все кажется таким тихим и безопасным, вы уже прекрасно знаете, что доверять очевидному покою не стоит. Время имеет здесь другое значение, и, если принять во внимание продолжающуюся смену эр, жестокость Вселенной кажется неизбежной. Кратеры, словно шрамы покрывающие поверхность Луны, не что иное, как напоминание об этой жестокости. Сотни тысяч дрейфующих в космосе глыб размером с гору, вероятно, бомбили Луну на протяжении столетий. Они должны были поразить и Землю – но раны нашей планеты залечены, ибо она жива и скрывает свое прошлое глубоко под постоянно меняющейся почвой.

Тем не менее, находясь в космосе, вы внезапно ощущаете, как, несмотря на его способность исцеления, хрупок, почти беззащитен ваш родной мир...

Почти беззащитен.

Но не совсем. Теперь у него есть мы. Есть вы.

Столкновения, подобные тем, что привели к рождению Луны, в основном дело прошлого. Сегодня нет блуждающих планет, угрожающих нашему миру, остались только астероиды и кометы – и Луна частично защищает и прикрывает нас, как щитом, от таких напастей. Опасность, однако, таится везде и, пока вы смотрите на окрашенное в голубой цвет изображение Земли в темном небе, за вашей спиной внезапно вырастает необычайно ярко светящийся шар.

Обернувшись, вы оказываетесь лицом к лицу со звездой, самым ярким и самым жестоким объектом вблизи нашей родной планеты.

Мы назвали его *Солнцем.*

Оно расположено в 150 миллионах километров от нашего мира.

Оно является источником всей нашей энергии.

> СОЛНЦЕ — САМЫЙ ЯРКИЙ И САМЫЙ ЖЕСТОКИЙ ОБЪЕКТ ВБЛИЗИ НАШЕЙ РОДНОЙ ПЛАНЕТЫ.

И, когда ваш разум переполняется огромным количеством света, исходящего от этой необыкновенной космической лампы, вы оставляете Луну позади и летите к ней, нашей домашней звезде, Солнцу, чтобы выяснить, почему оно светит.

ГЛАВА 3

СОЛНЦЕ

Если бы человечество каким-то образом смогло собрать всю энергию, излучаемую Солнцем всего за одну секунду, ее было бы достаточно для обеспечения потребностей в энергии всего мира в течение примерно полумиллиарда лет.

Подлетая все ближе и ближе к звезде, вы тем не менее понимаете, что Солнце далеко не столь большое, каким вы видели его пять миллионов лет спустя, накануне гибели. Однако оно огромно. Для сравнения, если уподобить Солнце большому арбузу, то крошечная Земля будет лежать в 43 метрах от него, и, чтобы ее разглядеть, потребуется увеличительное стекло.

Вы уже в нескольких тысячах миль от поверхности Солнца. Позади вас Земля, уже лишь яркая точка. Солнце впереди вас заполняет полнеба. Повсюду вспыхивают пузыри плазмы. Миллиарды тонн сверхгорячей материи выбрасываются прямо перед вашими глазами, пролетая сквозь эфирное тело, а в магнитном поле Солнца обнаруживаются огромные, казалось бы, случайно возникшие петли. Картина, мягко говоря, необычная, и вам, воодушевленному ее величием, становится интересно, чего такого недостает Земле, что делает Солнце настолько особенным. Что делает звезду звездой? Откуда берется ее энергия? И какого черта Солнце должно в один прекрасный день погибнуть?

Чтобы выяснить ответы на эти вопросы, вы ныряете в самое неприятное место, которое себе можно представить, – в самое сердце Солнца, спрятанное в более чем полумиллионе километров под его поверхностью. У Земли, для сравнения, расстояние от поверхности до ядра составляет около 6500 километров.

Прыгая вниз головой в горящую печь, вы вспоминаете, что все, чем мы дышим, что видим, трогаем, чувствуем или исследуем, и даже ваше собственное тело состоит из атомов – строительных блоков всего на свете. Они – кирпичики конструктора лего вашей среды обитания, если хотите. Но в отличие от него атомы не имеют прямоугольной формы. В большинстве своем они круглые и состоят из плотного шаровидного ядра, окруженного крошечными вращающимися вокруг электронами. Однако, как и в лего, атомы можно классифицировать по размерам. Самый маленький атом у *водорода*, второй по величине – у *гелия*. Соединив эти два элемента вместе, вы получите около 98% всей известной материи Вселенной. Это, конечно, много, но все-таки меньше, чем в прошлом. Всего 13,8 миллиарда лет назад, как считалось, на эти два элемента приходилось практически 100% всей известной материи. Азот, углерод, кислород и серебро – примеры современных элементов, *не являющихся* ни водородом, ни гелием. Должно быть, они появились позже. Каким образом? Сейчас вы это узнаете.

Вы погружаетесь все глубже и глубже внутрь Солнца; температура неуклонно повышается и становится умопомрачительно высокой. В конце пути она достигает 16 миллионов градусов по Цельсию. А может быть, даже больше. Кругом – множество атомов водорода, хотя они оголены окружающей их энергией: их электроны отделились, оставив одни неприкрытые ядра. Они настолько плотно прилегают друг к другу из-за давления, оказываемого звездой на ее собственное сердце, что ядра не могут даже пошевелиться. Вместо этого они вынуждены сливаться друг с другом, образуя ядра большего размера. Вы наблюдаете происходящую прямо на ваших глазах *реакцию термоядерного синтеза* – создание крупных атомных ядер из более мелких.

Однажды созданные и покинувшие породившую их печь тяжелые ядра объединяются с одинокими, отделившимися от ядер водорода свободными электронами, становясь новыми, более тяжелыми элементами: азотом, углеродом, кислородом, серебром...

Для начала термоядерного синтеза (создания тяжелых ядер из легких) требуется громадное количество энергии, и она обеспечивается сокрушительным действием гравитации Солнца, которое фактически затягивает в себя, одновременно колоссально сжимая, все вокруг. Такая реакция не может происходить естественным образом на поверхности (или внутри) Земли. Наша планета слишком мала и недостаточно большой плотности, так что собственная гравитация не может заставить ядро Земли достигнуть температуры и давления, необходимых для запуска реакции термоядерного синтеза. По определению, это — главное различие между планетой и звездой. Обе — космические объекты округлой формы, но планеты, как правило, имеют каменные ядра небольших размеров, иногда окруженные газом. Звезды же можно рассматривать как огромные установки термоядерного синтеза. Их гравитационная энергия настолько велика, что они вынуждены по своей природе формировать материю в своих центрах. Все тяжелые атомы на Земле, все атомы необходимых для жизни химических элементов, а также атомы вашего тела были когда-то созданы в сердце звезд. Набирая в легкие воздух, вы вдыхаете их. Трогая свою или чью-то кожу, вы касаетесь звездной пыли. Раньше вы задавались вопросом, почему такие звезды, как Солнце, должны в конце жизни умереть и взорваться, и вот наш ответ: без такого конца кругом были бы лишь водрод и гелий. Составляющая нас материя навсегда оказалась бы заперта внутри бессмертных звезд. Земля не родилась бы. И жизнь, такая, какой мы ее знаем, просто не существовала бы.

Взглянув на это таким образом и понимая, что мы не состоим лишь из водорода и гелия, что наши тела, Земля, и все окружающее также содержат углерод, кислород и другие элементы, мы делаем вывод, что наше

Солнце — звезда второго или, может, даже третьего поколения. Одно или два поколения звезд должны были взорваться, прежде чем их пыль стала Солнцем, Землей и нами. Так что же вызвало их гибель? Почему звезды обречены завершить свои сияющие жизни эффектным взрывом?

Одним из удивительных свойств реакции ядерного синтеза является огромное количество энергии, необходимой для ее первичного запуска, — вес целой звезды! — и затем она выделяет еще *больше* энергии.

Причина может показаться удивительной, но, когда наблюдаешь происходящее прямо перед глазами, не остается иного выбора, кроме как принять ее: при слиянии двух атомных ядер в одно большее часть их массы исчезает. Получившееся ядро имеет меньшую массу, чем создавшие его два ядра. Это как если бы смесь килограмма ванильного мороженого с еще одним килограммом того же мороженого давала бы на выходе не два килограмма мороженого, а меньше.

В повседневной жизни такого не бывает. Но в ядерном мире это происходит все время. И, пожалуй, к счастью для нас, масса не теряется. Она превращается в энергию в результате обмена по знаменитому уравнению Эйнштейна $E = mc^2$*.

В обыденной жизни мы больше привыкли к обменным курсам по переводу одной валюты в другую, а не массы в энергию. Таким образом, чтобы понять, что E

---

* Вам, наверное, известно, но позвольте мне уточнить для верности, что в уравнении $E = mc^2$ E обозначает энергию, m — массу, а c — скорость света. Таким образом, единственное в книге уравнение буквально означает, что можно превратить массу в энергию, а энергию — в массу.

$= mc^2$ является выгодной сделкой для природы, представьте себе все тот же обменный курс в аэропорту им. Джона Ф. Кеннеди по переводу одного фунта стерлингов (начальная масса) в доллары США (полученная за нее энергия). Обменный курс здесь является c^2, где c – скорость света, а c^2 – скорость света, помноженная сама на себя. Так что за один фунт вы получите 90 миллионов миллиардов долларов. Позволю себе заметить, прекрасная сделка. По сути, это лучший обменный курс в природе.

Очевидно, что недостающая масса в каждой отдельной термоядерной реакции довольно мала. Но каждую секунду в сердце Солнца сливается так много атомов, что количество выделяемой энергии огромно, и она должна *куда-то* деваться. Так что она выталкивается в космос, подальше от ядра звезды, всеми возможными способами. В конце концов, энергия термоядерного синтеза уравновешивается гравитацией, возвращающей все выброшенное обратно в ядро, делая размер звезды стабильным. Будь гравитация единственным участником реакции, Солнце начало бы сжиматься.

Ядерный синтез сопровождается выделением огромного количества света и частиц, превращающих все вокруг в сияющий суп из ядер и электронов, называемый *плазмой*.

Этот выброс света, тепла и энергии и заставляет звезды сиять.

Солнце, будучи звездой, не является большим огненным шаром – для поддержания огня требуется кислород, и хотя Солнце и вырабатывает его наряду с другими тяжелыми элементами, но в безвоздушном космическом пространстве недостаточно свободного кислорода для производства огня любого рода. Чиркнув там спичкой о коробок, вы никогда не зажжете ее. Солнце, как и все звезды на небе, – просто яркий шар сияющей плазмы, горячей смеси электронов, атомов, лишенных *части* своих электронов (так называемых *ионов*), и атомов без электронов – оголенных атомных ядер.

До тех пор пока имеется достаточно мелких ядер для сжатия в сердце Солнца, его гравитация и термоядерная энергия будут оставаться в равновесии, и нам крупно повезло жить рядом со звездой, находящейся в таком состоянии.

На самом деле с удачей это не имеет ничего общего.

Если бы наше Солнце *не находилось* в таком состоянии, нас бы здесь не было.

И как вам теперь известно, Солнце не будет оставаться в состоянии равновесия всегда: в ядре нашей звезды когда-нибудь иссякнет запас атомного топлива. В тот же день прекратятся выбросы энергии из ядра Солнца наружу для уравновешивания гравитацией. Гравитация перевесит, запустив последний этап жизни звезды: Солнце начнет сжиматься и становиться все плотнее, пока реакция ядерного синтеза не запустится снова, но уже не в ядре, а ближе к поверхности. Эта возрожденная реакция синтеза не уравновесит гравитацию, а пересилит ее, и поверхность Солнца будет выталкиваться наружу, заставляя звезду расти. Вы наблюдали этот процесс во время путешествия в будущее. Окончательный выброс энергии станет предвестником виденной вами смерти, рассеяв по космосу все созданные Солнцем на протяжении жизни атомы,

одновременно создавая и другие — самые тяжелые, такие как золото. В конце концов эти атомы смешаются с остатками других умирающих звезд поблизости, сформировав огромные облака космической пыли, которая в отдаленном будущем, возможно, создаст другие миры.

Путем оценки количества оставшегося в ядре нашей звезды водорода ученые смогли определить, когда произойдет эта катастрофа, и результат показал, что Солнце взорвется примерно через пять миллиардов лет с сегодняшнего момента, в четверг, плюс-минус три дня.

ГЛАВА 4

НАША КОСМИЧЕСКАЯ СЕМЬЯ

Теперь ваши знания о Солнце делают вас более осведомленным, чем любого человека, жившего до середины двадцатого века. Весь ежедневно достигающий вас свет исходит от произведенных в самом сердце нашей звезды атомов, от части их массы, трансформировавшейся в энергию. Однако Земля — не единственный небесный объект, получающий выгоду от солнечной энергии.

В мгновение ока ваш разум покидает пузырящуюся раскаленную поверхность Солнца и, словно ястреб, осматривает окрестности. Восемь ярких точек движутся на фоне кажущихся неподвижными далеких звезд. Эти точки — планеты, их заполненные материей сферы слишком малы, чтобы мечтать в один прекрасный день стать звездой. Четыре из них, самые близкие к Солнцу, похожи на крошечные скалистые миры. Четыре дальние в основном состоят из газа. Они крошечные в сравнении с Солнцем, но гиганты рядом с Землей, самой большой из четырех небольших скалистых планет. Хоть все они и родились из того же облака пыли давно погибших звезд – но кроме Земли ни один из этих миров и ни один из сотен их спутников не является потенциальным прибежищем для будущего человечества. Все они связаны силой притяжения Солнца, и все исчезнут вместе с финальным взрывом нашей звезды. Спасение, если таковое существует, должно находиться гораздо дальше.

Осознав срочность поиска, ваш разум устремляется в бескрайнюю даль, чтобы взглянуть на то, что лежит за пределами влияния Солнца. А по пути вы навестите дальних родственников своей планеты, гигантов нашей космической семьи.

Вы уже в три раза дальше от Солнца, чем Земля. Меркурий, Венера, Земля и Марс, четыре небольшие скалистые планеты вблизи Солнца, остались позади. Отсюда наша звезда кажется сияющей точкой размером с полпенни, лежащей на расстоянии вытянутой руки. Если бы Земля располагалась именно тут, то типичный июльский полдень в Великобритании, например, в самый жаркий день в году ощущался бы здесь холоднее, чем самая морозная зима в Антарктиде*.

* В 2013 году один из метеорологических спутников НАСА зарегистрировал в Антарктиде температуру –94,7 °C – самую низкую за все времена на Земле. Там в космосе, где вы находитесь сейчас, было бы гораздо холоднее.

Солнечный свет меркнет все больше и больше по мере удаления от нашей звезды.

Вы проноситесь мимо кусков горных пород, оставшихся со времен первых дней формирования нашей планеты. В основном это напоминающие картошку астероиды, образующие вместе то, что среди астрономов принято называть *поясом астероидов*, – огромное кольцо опоясывающих Солнце обломков, отделяющих четыре маленькие планеты земной группы от мира гигантов. Астероиды сами по себе довольно разрозненны, и, пролетая сквозь их пояс, вы понимаете, что вряд ли есть шанс столкнуться с одним из них. Так что многие созданные человечеством спутники беспрепятственно его пересекали.

Оставив пояс астероидов позади, вы летите мимо Юпитера, Сатурна, Урана и Нептуна, газовых гигантов, огромных планет с относительно небольшими каменными ядрами, глубоко скрытыми под бурными атмосферами огромной величины. Все эти планеты кажутся великолепными благодаря наличию колец, хотя кольца Сатурна значительно превосходят все остальные по размеру и красоте.

Вы облетаете их, рассматривая с уважением, которого достойны гигантские миры, даже если они не подходят для жизни.

За Нептуном, самой дальней планетой, вращающейся вокруг Солнца, вы не ожидаете встретить ничего больше, но обнаруживаете еще один пояс, состоящий из комков грязного льда всех видов и размеров, являющихся опять-таки, по всей вероятности, побочными продуктами рождения нашей Солнечной системы, когда ее нынешние члены сформировались из остаточной пыли давно взорвавшихся звезд. Этот пояс называется *поясом Койпера*. Отсюда Солнце выглядит размером с булавочную головку, просто одной из звезд. Этих отдаленных областей вряд ли достигает какое-то тепло, но здесь происходит какое-то движение.

Периодически из-за столкновений или других пертурбаций один или несколько этих грязных «снежков» выталкивается со своей тихой далекой орбиты вокруг Солнца. Притягиваясь к нашей звезде, он медленно достигает более теплых областей и начинает испаряться по мере движения навстречу излучению Солнца, оставляя за собой длинные хвосты мелких ледяных скал, сверкающих в темноте; такой астероид становится одним из небесных чудес, называемых *кометами*. В ноябре 2014 года зонд Philae Европейского космического агентства приземлился на одну из комет для изучения ее поверхности. Доставивший его туда космический аппарат Rosetta в настоящее время отправлен вслед за ним, чтобы наблюдать за превращением внешних слоев кометы в газ по мере приближения к Солнцу...

Бедный Плутон, у которого недавно отобрали статус планеты, отправив его в разряд карликовых планет, теперь также стал частью ледяного пояса, вместе с по крайней мере двумя другими карликами по имени Хаумея и Макемаке. Забавно думать, что Плутон со своим спутником Хароном находится так далеко, а для совершения одного витка вокруг Солнца ему требуется преодолеть такое расстояние по космосу, что прошло меньше одного его собственного года с момента открытия Плутона в качестве планеты до момента потери этого титула спустя семьдесят шесть земных лет. Астрономам действительно потребовалось несколько десятилетий, чтобы увидеть, что его размер на самом деле составляет лишь четверть размера Луны. Самолюбия грязно-коричневого Плутона, мимо которого вы теперь пролетаете, его новая классификация, конечно, нисколько не задела, и вскоре вы оставляете его позади, направляясь все дальше от надежной защиты нашей сияющей звезды*. По пути встречается все больше карликов и комет и даже до сих пор не открытые замерзшие миры, но ваше внимание быстро целиком переключается на гигантскую сферу, включающую в себя все увиденное до сих пор.

Все рассмотренные вами планеты, карликовые планеты, астероиды и кометы располагаются внутри более-менее плоского диска, в центре которого светит Солнце. Но то, что вы наблюдаете сейчас, совершенно другого свойства. Обширная область из миллиардов, миллиардов и миллиардов потенциальных комет образует огромное сферическое облако, которое действительно кажется занимающим все существующее пространство между Солнцем и царством других звезд. Эта область называется *облаком Оорта.*

Его размеры поразительны.

Оно определяет границу владычества нашей звезды, включающую в себя всех членов космической семьи под названием *Солнечная система.*

Покинув ее, вы влетаете в неизведанные территории и нацеливаетесь на то, что считаете ближайшей

---

* Межпланетная станция НАСА New Horizons достигла Плутона в июле 2015 года, чтобы впервые в истории изучить его в непосредственной близости. Станция обнаружила необычные особенности, увидеть которые никто не ожидал, включая загадочные признаки сравнительно недавней поверхностной активности.

к нам звездой. Она была открыта в 1915 году. Сто лет назад. Как раз тогда, когда ученые начали понимать нашу Вселенную. Ее имя – *Проксима Центавра.*

ГЛАВА 5

ЗА ПРЕДЕЛАМИ СОЛНЕЧНОЙ СИСТЕМЫ

Ваше тело все еще отдыхает на пляже где-то на нашей планете, но разум теперь на таком расстоянии от Земли, которого еще не достигал ни один из созданных человеком объектов*. Как только вы пересекаете край облака Оорта, вы покидаете Солнечную систему, попадая в царство другой звезды. Миновав эту нечеткую линию, осознаваемую вами как граница, вы видите, как некоторые отдаленные от Солнечной системы кометы меняют свои орбиты, переходя с кривой вокруг Солнца на кривую вокруг другой звезды, звезды, к которой мы сейчас движемся, – Проксимы Центавра.

Проксима Центавра принадлежит к семейству звезд, называемых красными карликами. Она намного меньше

* Самым удаленным от Земли объектом, созданным человеком, является космический зонд НАСА «Вояджер-1». Запущенный в 1977 году, он достиг внешней границы Солнечной системы в 2013 году. Он до сих пор продолжает передавать на Землю данные и способен реагировать на новые команды. Запас его батарей рассчитан приблизительно до 2025 года. По состоянию на 2016 год посылаемому с «Вояджера-1» сигналу требуется 18 часов 40 минут, чтобы со скоростью света достигнуть Земли. В будущем это займет больше времени, так как зонд по-прежнему продолжает удаляться от Земли. Обновленные данные о его местонахождении можно найти на www.voyager.jpl.nasa.gov.

Солнца (около одной седьмой его размера и массы) и имеет насыщенный красный оттенок, отсюда и название. Красные карлики весьма распространены, ученые даже считают, что они составляют большинство звезд на небе, даже если мы не можем их видеть..

По мере приближения к ней вы непрерывно наблюдаете, как звезда претерпевает сильные изменения в яркости и выбрасывает огромные количества раскаленной материи довольно беспорядочным образом.

А теперь посмотрим, есть ли планеты вокруг злобного красного карлика? Вы не замечаете ни одной.

Какая жалость, отчасти потому, что хотя было бы непросто жить с комфортом на планете, вращающейся вокруг Проксимы, но у выросшей здесь цивилизации появилась бы возможность планировать весьма и весьма долгосрочное будущее. Когда наша звезда, Солнце, взорвется, Проксима не изменится ни на йоту. Насколько нам известно, она будет по-прежнему светить так, как сияет теперь, еще примерно в 300 раз дольше нынешнего возраста Вселенной. Долгое время по любым меркам.

На Проксиме, чей размер гораздо меньше Солнца, образующие ее крошечные атомные ядра сливаются в большие ядра во много-много раз медленнее. Размер, по звездным меркам, имеет значение: чем больше звезда, тем короче ее жизнь... А для вращающихся вокруг них планет решающим является расстояние. Для того чтобы иметь на своей поверхности жидкую воду (и быть в состоянии поддерживать жизнь, в нашем понимании), планета должна быть не слишком холодной и не слишком жаркой. Для этого ей необходимо находиться не слишком близко и не слишком далеко от звезды, вокруг которой она вращается. Зона обитаемости вокруг звезды, позволяющая жидкой воде оставаться на поверхности планеты, называется *зоной Златовласки**. А что если вам удастся обнаружить еще один красный карлик с планетой земного типа, вращающейся как раз на нужной дистанции? Тогда она могла бы походить на наш нежно любимый мир и существовать всегда...

Чувствуя некоторую вину за допущение подобной мысли, вы оборачиваетесь, чтобы взглянуть на родную Солнечную систему, свой мир, ожидая, что Солнце затмит все остальные яркие точки в небе, но это совершенно не соответствует истине, и колоссальность космических расстояний неожиданно ранит вас в самое сердце.

Если бы вы были не чистым разумом, а настоящим космическим путешественником, сколько времени, интересно, потребовалось бы, чтобы отправить отсюда весточку домой?

Если бы вы захватили с собой межзвездный мобильный телефон, то могли бы попытаться звонить друзьям с каждой из остановок, чтобы поделиться с ними своими открытиями. Мобильные телефоны превращают голос в передаваемый со скоростью света сигнал, что делает земную связь по ощущениям мгновенной. Однако в космическом пространстве расстояния обычно слишком велики, и ничто не кажется больше мгновенным. От Луны до Земли свет проходит приблизительно за одну секунду и еще столько

---

* В российской науке больше употребим термин «обитаемая зона» или «зона жизни». — *Прим. пер.*

же в обратном направлении. Так что, если бы вы, находясь там, спросили бы друга на Земле, видит ли он вас в бинокль, его ответ вернулся бы к вам через две секунды.

На Солнце дела обстояли бы хуже. Расстояние между Землей и Солнцем свет преодолевает уже за восемь минут и двадцать секунд. Общаться становится сложнее, так как ответа на вопрос придется ждать больше шестнадцати минут. Но Солнце, по космическим меркам, находится совсем рядом. Звонок оттуда, где вы находитесь, недалеко от Проксимы Центавра, придет на телефон на Земле приблизительно через четыре года и два месяца. Так что любой ответ на ваш вопрос достигнет вас не раньше чем через восемь лет и четыре месяца.

Вы добрались лишь до второй, ближайшей к Земле после Солнца звезды, но ощущаете себя так далеко от дома, что начинаете искать какой-нибудь ориентир, чтобы не заблудиться.

Вспомнив про прекрасный Млечный Путь, увиденный с пляжа тропического острова, вы оглядываетесь вокруг в поисках облачно-белой полоски света. К вашему удивлению, вы тут же обнаруживаете, что теперь он больше напоминает не широкую прямую полосу, а наклонное кольцо, и некоторые части его ярче других, а вы находитесь где-то внутри него. И понимаете, что если Млечный Путь выглядел с Земли как полоса, то это происходило потому, что его бо́льшую часть скрывала сама Земля под вашими ногами.

Недолго думая, так и не обнаружив никаких планет у Проксимы Центавра, вы держите курс прямо на самую яркую часть Млечного Пути.

Сами не зная того, в настоящее время вы движетесь к центру скопления около 300 миллиардов звезд. К скоплению, называемому *галактика.*

ГЛАВА 6

КОСМИЧЕСКИЙ МОНСТР

Если задуматься, то в центре скопления 300 миллиардов звезд должно оказаться что-то необычное. Возьмем Землю. Ее центр является самым плотным, горячим, агрессивным местом (в земных пределах). Возьмем Солнечную систему. В ее центре находится Солнце — самое плотное, горячее, агрессивное место (в пределах Солнечной системы). Это, может, ничего и не доказывает, но явно намекает, что, вероятно, и в центре Галактики существует что-то такое же большое. Что-то действительно очень большое.

Быстрее мысли вы пролетаете несколько десятков миллионов звезд. Некоторые из них гораздо больше Солнца, обреченные жить еще значительно меньше, а другие — крошечные, готовые излучать свет невообразимо долгое время. Вы пролетаете сквозь области звездообразования, облака пыли из остатков сотен взорвавшихся звезд и звездные кладбища, ждущие момента слияния, чтобы стать областями звездообразования. А теперь здесь еще и вы. Вблизи центра Галактики, каким бы он ни оказался. И тут вы внезапно останавливаетесь.

Прямо перед вами еще одно кольцо. Вращающееся красочное кольцо из рассеянной материи. Присмотревшись, вы замечаете, что оно образовано из газа и миллиардов осколков и комет, движущихся вокруг источника яркого, мощного света, напоминающего пухлый пончик.

Что здесь происходит? Что это за кружащиеся астероиды и ледяные глыбы? Посмотрев вокруг немного внимательнее, вы видите то, что кажется невозможным... По орбите кольца движутся не только осколки, но и звезды. Целые звезды. Не планеты. Сами звезды. Которые стремительно движутся.

По состоянию на 2015 год одна из них на самом деле является самым быстрым из всех известных объектов Вселенной. Она называется *S2,* или *Source 2*. С Земли ученые рассмотрели, что она совершает полный оборот вокруг «пончика» за пятнадцать с половиной лет. Принимая во внимание расстояние, это означает, что звезда летит с удивительной скоростью – 17,7 миллиона километров в час. Но как такое может быть? Какое чудовище обладает достаточно мощной гравитационной силой, чтобы удержать при себе такой молниеносный объект? И *возможно ли* создать такую силу?

Представьте себе мраморный шарик и миску.

Если вы слишком медленно будете раскручивать лежащий в миске шарик, он сразу же упадет на дно. Если крутить его слишком быстро, то он вылетит вверх по спирали и сломает что-нибудь на кухне. Но если раскручивать его правильно, то он будет некоторое время вращаться по кругу, на некотором расстоянии между нижней и верхней частью миски, не вылетая и не падая на дно, пока силы трения не превратят его скорость в тепло и не замедлят движение.

Теперь представьте, что мраморный шарик – супербыстрая звезда S2 и что существует невидимая миска, удерживающая ее на орбите вокруг того, что находится в светящемся пончике. В космосе не существует трения, поэтому у звезды нет никаких причин терять энергию*. Таким образом, исходя из скорости S2, мы можем представить себе форму миски, а значит, и то, какая масса лежит на ее дне.

Этот довольно простой расчет много раз был проделан учеными и всегда давал невероятный результат: для создания гравитационного поля необходимой для S2 мощности, чтобы ее не выбросило далеко в космическое пространство, требуется масса более четырех миллионов Солнц. Так что это была бы на самом деле огромная звезда.

Но у нас есть одна проблема: никаких видимых звезд внутри орбиты S2 нет. Вы можете искать их сколько угодно, но ничего не найдете.

Чтобы разглядеть с Земли, что за объект массой в 4 миллиона солнц удерживает S2 на месте, ученые сконструировали телескопы, способные обнаружить специфичные, невидимые нашему глазу виды излучения, а именно ультрафиолетовое излучение либо, для более впечатляющих снимков, второе по мощности из всех известных нам видов рентгеновское излучение. При использовании такого телескопа объект все равно не видно, но зато заметны всплески энергетического

* Для читающих эти строки коллег-ученых: на начальном этапе книги я умолчал о так называемых гравитационных волнах.

света, возникающие внутри кольца в каком-то крошечном месте. То, что удерживает S2 на орбите, не только не звезда, но и далеко не столь большое, каким должно быть. Так что, по сути, ученые имеют только одно объяснение того, что должно там скрываться: это — черная дыра. И к тому же сверхмассивная.

Ученые назвали ее *Стрелец А** (А* произносится как А-стар), но с Земли невозможно достоверно изучить черную дыру: ее скрывают находящиеся между ней и нашей планетой звезды, облака пыли и газа*.

В отличие от ученых, вы находитесь совсем рядом, и если вам интересно, что вызывает всплески энергетического света, обнаруженные наземными телескопами, то можно это выяснить.

Вполне понятно, что, очутившись рядом с невидимым монстром, чувствуешь себя не совсем в безопасности. Кто знает, на что способна такая черная дыра? Вдруг она проглотит ваш разум и тогда ему, возможно, никогда не придется воссоединиться с телом? А может, он застрянет внутри и будет обречен скитаться там, вдали от дома? А вдруг в ней на самом деле, как говорят, существует тайный проход, дверь, ведущая в другую Вселенную, в другую реальность?

В нерешительности вы разглядываете миллиарды крошечных частиц пыли и прочих мелких объектов, составляющих яркое кольцо.

Минуту спустя огромный, похожий на картофелину астероид пролетает мимо вас со скоростью один

---

* Для любителей истории: Стрелец А* впервые был обнаружен с помощью радиотелескопа в феврале 1974 года американскими астрономами Брюсом Баликом и Робертом Брауном.

миллион километров в час. Вы внимательно наблюдаете за ним. Промчавшись сквозь кольцо, он рассыпается на крошечные кусочки расплавленной материи, сожженный трением, обусловленным пылью кольца. Подобно тому как небольшие астероиды, попадая в атмосферу Земли, становятся падающими звездами и сгорают целиком, не добираясь до поверхности нашей планеты, так и астероид исчезает задолго до того, как достигнет того, что лежит внутри «пончика».

Пока вы смотрите по сторонам в поисках дальнейших событий, навстречу вам летит уже не просто крупный астероид, а звезда. Большая, сияющая, разъяренная звезда. Вроде S2. Но гораздо больше. Интересно, она тоже сгорит? Удастся ли ей пройти сквозь кольцо? Вы видите, как она мчится навстречу своей судьбе и под углом влетает в «пончик». Теперь она внутри кольца, вне поля зрения, но тут же появляется снова, пройдя половину орбиты, в странно искаженном виде, как будто некий мираж, вызванный какой-то потусторонней силой, заставил ее изменить форму. Она продолжает лететь вниз. Похоже, на нее действует колоссальное давление. Куски размером с планету отрываются от ее поверхности. Вы пытаетесь сохранять спокойствие, говоря себе, что бояться нечего, но не можете удержаться, и ваш разум вдруг ощущает себя таким усталым и тяжелым в преддверии катастроф умопомрачительных масштабов...

До сих пор вы были бестелесным существом, безразличным к тому, какие силы управляют Вселенной, но теперь это больше не так. Поддавшись тяжелым мыслям, вы подвергаетесь воздействию гравитации и целиком оказываетесь в ее власти. Против вашей воли вас затягивает внутрь, засасывает в глубину, как будто вы скользите по еще невидимому, но скользкому склону. Вы пересекаете кольцо горячей материи и приближаетесь к упавшей внутрь звезде, разрываемой в клочья и наконец вспыхнувшей пылающим снопом искр раскаленной добела плазмы, по спирали падающей вниз и увлекающей вас за собой, навстречу еще невидимой черной дыре.

Излишне говорить, что худшие опасения оправдываются. Сотни миллиардов и миллиардов тонн плазмы падают вместе с вами. Ваше сердце бьется, как сумасшедшее, в то время как вы несетесь по спирали вниз все быстрее, быстрее и быстрее... пока смерч огромной силы не выталкивает вас наружу. Остатки звезды превращаются в чрезвычайно мощные потоки того, что кажется чистой энергией. Вам, сбитому с толку, становится интересно, не проскользнули ли вы только что в параллельный мир внутри черной дыры, но скоро вы понимаете, что нет и что вы отдаляетесь от массивного монстра, выброшенные или отторгнутые им. Гигантское кольцо Млечного Пути появляется снова, уже вдали.

Как и слишком быстро вращающийся в миске шарик, вы и пыль разорванной звезды были выброшены из черной дыры, так и не достигнув ее глубин... Вы падали внутрь слишком быстро, и вас выкинуло наружу, как из рогатки, задолго до достижения невидимого монстра, то же произошло и со звездой. Ее материя превратилась в две струи самого мощного энергетического излучения, известного человечеству: рентгеновские и гамма-лучи. Одна струя выстреливает вверх, а другая – вниз, словно два маяка, посылающие свет не только в зияющее пространство между звездами Млечного Пути, но и гораздо дальше, в сторону крупных космических пустот.

Скорость этих струй поразительна настолько же, насколько и ваша. Одна из них подхватывает вас и проносит мимо миллионов звезд, словно гигантский палец с надетым на него кольцом Млечного Пути указывает вам путь.

МЛЕЧНЫЙ ПУТЬ — НЕ ЧТО ИНОЕ, КАК ОСТРОВ ИЗ ЗВЕЗД, ЗАТЕРЯННЫЙ ВО ТЬМЕ НЕОБЪЯТНОСТИ ГОРАЗДО БОЛЬШЕГО МАСШТАБА.

Возможно, время прыгнуть в черную дыру еще не наступило. А может быть, природа захотела показать вам еще больше красот Вселенной, прежде чем позволить очутиться в мертвой хватке черной дыры...

Какова бы ни была причина, ваш пульс нормализуется, а мысли снова проясняются, избавляя разум от тисков гравитации. Вы далеко и вновь пользуетесь полной свободой передвижения. Тем не менее вы некоторое время следуете за струей, наблюдая, куда она приведет, и совсем скоро замечаете, что происходит что-то странное: окружающие звезды кажутся все менее и менее многочисленными. Так что вскоре впереди вас больше не оказывается ни одной. Некоторые источники света все еще сияют в отдалении, но на самом деле они гораздо дальше, чем все виденное вами до сих пор. Как ни странно, кольцо Млечного Пути тоже пропало. Пытаясь понять, куда оно делось, вы направляете взгляд вниз и ахаете от вида самой необычной картины в своей жизни. Ни одно человеческое существо или созданный им объект никогда не удостаивались такого зрелища. В результате наблюдений с Земли было получено несколько изображений окрестностей черной дыры, которой вы только что избегли, но речь сейчас не о ней. И если бы вы позвонили на Землю с вашего текущего местоположения, то ответу, если он придет, потребуется более 90 тысяч лет, чтобы достичь вас.

Вы – над Млечным Путем. Над вашей Галактикой.

Если, глядя на ночное небо с песчаного пляжа, вы полагали, что он должен тянуться до конца Вселенной, то теперь вы видите, что это не так. Далекий от того, чтобы именоваться Всем, Млечный Путь – не что иное, как остров из звезд, затерянный во тьме необъятности гораздо большего масштаба.

ГЛАВА 7

МЛЕЧНЫЙ ПУТЬ

Первые побывавшие в космосе люди вернулись, потрясенные красотой нашей планеты и ее крошечным размером в океане мрака. Но это было всего лишь начало. То, на что вы глядите сейчас, еще поразительнее.

Вы знали, что Млечный Путь – галактика, но только теперь вы видите, что это значит на самом деле. Сверху (или снизу, это не имеет никакого значения) белесое облако на ночном земном небе вообще не похоже на облако, оно напоминает скорее толстый диск, сотканный из газа, пыли и звезд. Прямо под вами, на таких расстояниях, что свету, чтобы пройти их, понадобились бы десятки тысяч лет, рассеянны 300 миллиардов звезд, связанных друг с другом гравитацией и вращающихся вокруг яркого центра.

Если представить себе Солнечную систему с ее планетами, астероидами и кометами как нашу космическую семью, Проксиму Центавра — как соседнюю звезду, то Млечный Путь можно рассматривать как наш космический мегаполис, процветающий город с 300 миллиардами звезд, одна из которых — Солнце.

Сплетенные в пустоте вихрем танца скопления звезд, пыли и газа ученые именуют *галактиками.* И точно так же, как наша звезда была названа Солнцем, Млечный Путь стал именем этой заслуживающей особого внимания галактики, нашей Галактики.

Четыре огромных ярких спиральных рукава, разделенных очагами тьмы, закручиваются вокруг центра, где встречаются с еще более ярким утолщением из газа, пыли и звезд, скрывающим под собой черную дыру, откуда вы только что спаслись. С того места, где вы находитесь, видна только вырывающаяся из нее наружу струя энергии, вместе с которой вы путешествовали.

Если вам с трудом удается понять, что, собственно, делают вместе 300 миллиардов звезд, плывущих по собственным неотложным делам, то не слишком переживайте: на самом деле, никто не может постичь этой загадки. Но если вы по возвращении на свой тропический остров попытаетесь объяснить друзьям то, что видели сверху, цифры не помогут. Вместо этого предложите им взять квадратную картонную коробку высотой в метр и заполнить ее доверху крупным песком с пляжа. Теперь попросите их наполнить тем же песком 300 коробок. В нашей Галактике столько же звезд, сколько песчинок во всех этих вместе взятых коробках. Затем попросите друзей слетать в Лондон, высыпать содержимое этих 300 коробок на Трафальгарской площади в виде диска и нарисовать на нем четыре спиральных рукава. Теперь предложите им взобраться на плечи памятника Нельсону. То, что они увидят, будет похоже на 300 миллиардов звезд Млечного Пути, лежащих сейчас под вами. А если вы расскажете друзьям, что до того, как они высыпали песок, вы заранее нарисовали на одной из песчинок желтую точку, и попросите их найти ее, то они поймут, как нелегко далось вашему разуму, парящему над настоящим Млечным Путем, выяснить, где находится Солнце. Не говоря уже о в сотни раз меньшей Земле. Найти неизвестную звезду трудно, но охотники за ними до сих пор продолжают свою нелегкую работу.

Находясь над Млечным Путем в поисках Солнца, ваш разум тем не менее имеет преимущество перед друзьями: вы можете представить себе все фотографии ночного неба, когда-либо сделанные людьми с Земли и из космоса, и сравнить их с тем, что видите. На протяжении многих лет ученые создавали карту звезд нашей Галактики и, никогда не покидая Млечного Пути, имели довольно точное представление о том, где именно в ней находятся Солнце (и Земля).

Для сравнения изображений ночного неба сначала необходимо сконцентрировать усилия вблизи галактического центра, рядом с утолщением и черной дырой, где все такое яркое, красивое и наполненное энергией. Разве не естественно для процветания такого вида, как мы, получить привилегированное положение? Разве не логично, учитывая нашу важность, и весьма справедливо для Солнца и Земли быть частью галактического великолепия?

Нет, не логично. Солнечная система находится примерно в двух третях пути между черной дырой в центре и окраинами Галактики, где-то на одном из четырех ярких рукавов. Совершенно не привилегированное место*. И продолжая сыпать себе соль на рану, вы сейчас наблюдаете, что по сравнению с нами огромно все, даже наша Галактика сама по себе является довольно незначительной по космическим меркам.

Обернувшись лицом к тому, что осталось посетить там, за пределами Млечного Пути, вы замечаете несколько светящихся сгустков, по-видимому, освещающих отдаленные уголки Вселенной. Интересно, а эти сгустки теряют звезды? Они кажутся слишком размытыми... и далекими... Разве они... А может быть, они тоже галактики? И можно ли увидеть их с Земли невооруженным глазом?

Ответ на последний вопрос отрицательный**.

На Земле, каждый раз, когда вы поднимали глаза к ночному небу, все виденные вами когда-либо мерцающие звезды принадлежали (и до сих пор принадлежат) галактике Млечный Путь, спиральному диску, который вы только что наблюдали. Все они. Даже те звезды, что, кажется, находятся довольно далеко от белесой ленты, пересекающей ночное небо. Млечный Путь – не бесконечная сфера, но конечный диск, и Земля располагается не в его центре, а ближе к краю. Следовательно, различные части неба выглядят очень по-разному заполненными звездами, так же как вид

---

* Хотя наше существование может сделать его таким.

** Даже если у вас очень острое зрение и вы знаете, куда именно смотреть.

ночного неба отличается в разных местах Земли, ведь каждое из них выходит на другую часть Млечного Пути.

Случилось так, что ось Земли наклонена таким образом, что южное полушарие всегда смотрит на галактический центр, в то время как северное — в противоположную сторону, где гораздо меньше звезд. Соответственно, ночи на севере довольно тусклы по сравнению с южными.

ОСЬ ЗЕМЛИ НАКЛОНЕНА ТАК, ЧТО ЮЖНОЕ ПОЛУШАРИЕ ВСЕГДА СМОТРИТ НА ГАЛАКТИЧЕСКИЙ ЦЕНТР, В ТО ВРЕМЯ КАК СЕВЕРНОЕ — В ПРОТИВОПОЛОЖНУЮ СТОРОНУ, ГДЕ ЗВЕЗД МЕНЬШЕ. ПОЭТОМУ НОЧИ НА СЕВЕРЕ БОЛЕЕ ТУСКЛЫЕ, ЧЕМ ЮЖНЫЕ.

С пляжа тропического острова то, что называется Млечным Путем, — лишь кусочек Галактики, полоска, содержащая сотни миллионов звезд, находящихся слишком далеко, чтобы разглядеть каждую в отдельности, но чье сияние в целом образует расплывчатую ленту. И когда вы всматриваетесь в далекую неизвестность, пытаясь направить свой разум в сторону самых загадочных мест, вы вдруг понимаете, что все эти сгустки света выглядят такими же нечеткими, как Млечный Путь.

И они также должны оказаться галактиками.

Пока вы раздумываете, прямо перед вами наискось внезапно поднимается другая галактика. Ее вид поразителен. Край Галактики появляется из-под Млечного Пути и быстро начинает расти. Это — *Туманность Андромеды*, наша галактическая старшая сестра. Она настолько огромна, что с трудом верится, что человечеству потребовалось так много времени на ее открытие.

Рассматриваемая с Земли, Туманность Андромеды охватывает примерно в шесть раз бóльшую, чем полная Луна, часть ночного неба, но она настолько далеко, что, даже несмотря на 1000 миллиардов составляющих ее звезд, невооруженным глазом можно увидеть только утолщение в ее центре. И оно крошечных размеров. Первым заметившим его человеком, чьи письменные отчеты дошли до наших дней, был выдающийся персидский астроном Абдуррахман ас-Суфи. Примерно в конце первого тысячелетия, более тысячи лет назад, когда многие люди по всему миру проводили свои короткие жизни, сражаясь друг с другом, придумывая хитроумные устройства пыток и опасаясь конца света, он наблюдал за звездами. Ас-Суфи, один из величайших астрономов золотого века Аббасидского халифата, описывал утолщение в центре Туманности Андромеды как слабое облачко света, у него еще не было возможности узнать, что это другая галактика. Он даже не подозревал, что есть такое понятие – галактика. Фактически такие знания появились примерно тысячу лет спустя. Никто не знал о галактиках как отдельных скоплениях звезд вплоть до 20-х годов XX века и исследований эстонского астронома Эрнста Эпика и американского астронома Эдвина Хаббла. Они стали первыми, заметившими огромные пространства, отделяющие другие группы звезд

ТУМАННОСТЬ АНДРОМЕДЫ — БЛИЖАЙШЕЕ КОСМИЧЕСКОЕ ДОКАЗАТЕЛЬСТВО ТОГО, ЧТО МЛЕЧНЫЙ ПУТЬ НЕ ЯВЛЯЕТСЯ ВСЕЙ ВСЕЛЕННОЙ.

от Млечного Пути, что делает их самостоятельными полноправными объектами*.

Туманность Андромеды – ближайшее космическое доказательство того, что Млечный Путь не является всей Вселенной.

Смотря на нее, вы понимаете, что Млечный Путь и его грандиозная спираль из 1000 миллиардов звезд кружатся вокруг друг друга, и теперь вам известно, что все галактики во Вселенной вовлечены в космический балет, где танцоры – одиночные сияющие острова, скопления миллиардов звезд, движущихся внутри мрака космической пустоты.

Вы окидываете взглядом космический горизонт, вас охватывают чрезвычайно сильные чувства, а разум начинает сканировать Млечный Путь, Туманность Андромеды и иные, как дальние, так и ближние, галактики.

В этот момент озарения вам внезапно становится видно все вокруг. Десятки, сотни, тысячи, миллионы, сотни миллионов галактик. Они повсюду, образуя группы различных размеров. Причудливые, нитевидные структуры, перекрещивающие всю видимую Вселенную.

Кто бы мог подумать?

Несколько минут назад – или это были часы? – вы лежали на пляже, на отдыхе, а теперь вся видимая Вселенная находится внутри вашего разума. Вы достигли

---

* Некоторые из ученых все-таки задумывались о такой возможности, и первым, кажется, можно назвать английского астронома и математика XVIII века Томаса Райта. Спустя несколько лет эту идею подробно развил немецкий философ Иммануил Кант.

такой точки обзора, что усеивающие Вселенную точки являются больше не одиночными звездами, но группами галактик, каждая из которых содержит тысячи галактик, в свою очередь образованных сотнями или тысячами миллионов звезд, и Млечный Путь – лишь одна из них.

Рассматривая эту удивительную картину и ее отдельные фрагменты, вы не можете отделаться от мысли, что у вас не меньшая проблема с поиском своей домашней Галактики, чем с розысками Солнца в Млечном Пути или песчинки на Трафальгарской площади. Тем не менее вы отпускаете свой разум на волю и мчитесь со скоростью мысли, наблюдая вращающиеся, танцующие, вихреобразные, разрывающиеся на части и разбивающие друг друга галактики и исчезновение крошечных, просто-напросто проглоченных своими гигантскими соседями галактик.

А теперь погодите.

Стоит ли беспокоиться?

В одно мгновение вы возвращаетесь к Млечному Пути. Туманность Андромеды над вашей головой. Она огромна. Возможно ли, что она тоже однажды сольется с Млечным Путем? Две эти галактики, конечно, движутся куда-то относительно друг друга, но происходит что-то еще... Присмотревшись, вы вдруг подскакиваете на месте, осознав, что Туманность Андромеды и Млечный Путь в действительности падают друг на друга с поразительной скоростью 100 километров в секунду, в результате чего осталось только четыре миллиарда лет до их столкновения.

Они начнут сливаться за миллиард лет до взрыва Солнца.

Едва придя в себя от ужасной мысли, как человечество сможет избегнуть *такого*, вы облегченно вздыхаете: галактики так велики и между их звездами так много места, что столкновения галактик едва ли позволят звездам врезаться друг в друга... Определенный риск, конечно, существует, но на данный момент придется свыкнуться с этой мыслью.

На этом этапе абсолютно нормально разделить депрессивные философские взгляды Коперника. Вам может даже захотеться жить несколько тысячелетий назад, когда Земля была плоской, и ощущать себя в центре Вселенной по той очевидной причине, что мы, люди, считали себя особенными. Насколько утешительно было полагать, что все крутится вокруг нас и даже ангелы вращают какие-то волшебные, прикрепленные к космическому часовому механизму колеса, заставляя звезды и Солнце вертеться! Зачем, ради всего святого, польский математик и астроном XV века Коперник разрушил наш покой и провозгласил, что Солнце *не вращается* вокруг Земли? Кто просил математика и астронома XVII века Галилея выяснять, что у Юпитера существуют спутники, *не вращающиеся* вокруг Земли (или Солнца, если на то пошло, так как они вращаются вокруг самого Юпитера)? К чему Эпик и Хаббл выяснили наличие и других галактик? Зачем? Это они все испортили!

Что ж, кроме того, что они были правы, без подобных Коперников, Галилеев и многих других человечество оказалось бы обречено, и — что, возможно, еще хуже — я никогда не написал бы эту книгу. Вы бы никогда не отправились с помощью силы мысли в путешествие по нашим космическим окрестностям, не говоря уже о выходе за их пределы (как вы намереваетесь делать). И между нами говоря, было бы обидно, если бы вся скрывающаяся там красота так и остались незримой, неисследованной или, того хуже, видимой только другим разумным существам* с их собственной отдаленной космической перспективы.

И вновь вопрос, раз уж мы затрагиваем эту тему и размеры видимой Вселенной начинают тонуть в нашем разуме: а существуют ли инопланетяне на самом деле? Есть ли среди этих миллиардов и миллиардов звездных групп, сияющих в покрытой мраком Вселенной, красные карлики подобные Проксиме Центавра, окруженные собственными планетами? Существуют ли двойные звезды, освещающие обитаемые миры? Или другие Земли?

Вряд ли можно полагать, что мы одни в этой гигантской Вселенной: «Если мы одни во Вселенной, то это выглядит ужасной ошибкой космоса», – писал американский астроном и космолог Карл Саган в 1985 году, и до сих пор, спустя тридцать лет, никто на Земле не знает этого точно. Существование инопланетной жизни таит в себе захватывающие (но одновременно и страшащие) возможности, но до сих пор речь идет только о возможностях. Однако все может очень скоро измениться, по мере того как наши телескопы начинают открывать больше и больше новых миров. Я, например, очень надеюсь, что в той или иной форме другая жизнь существует.

---

* Я написал здесь «*другие* разумные существа», но, как часто шутит (или не шутит) английский физик-теоретик и космолог Стивен Хокинг: «Мы до сих пор в поиске доказательств существования разума здесь, на Земле».

Даже в самые темные периоды хаотичного прошлого человечества некоторые люди героически бросали вызов религии, вопреки всему утверждая вероятность существования иных миров. Итальянский католический монах Джордано Бруно, например, был заживо сожжен в Риме в 1600 году за то, что осмелился высказать вслух еретическую мысль, заявив: «Существуют бесчисленные солнца и бесчисленные земли, кружащиеся вокруг своих солнц». За свои убеждения он умер в муках.

Сегодня, несмотря на то, что, на мой взгляд, существует слишком много людей (даже в наиболее развитых странах), которые скорее предпочли бы притвориться глухими и слепыми, чем столкнуться с некоторыми разгаданными наукой фактами, мы осведомлены лучше любой инквизиции. Потенциальные планеты земного типа найдены, и взгляды Джордано Бруно многократно подтверждены, пусть и сравнительно недавно.

Человечеству известно о существовании таких планет, как Юпитер или Венера, в течение многих веков, это факт. Но впервые в истории кто-то на самом деле увидел планету, обращающуюся вокруг звезды, *не* являющейся Солнцем, только двадцать лет назад. Тогда, в 1995 году, два швейцарских астронома, Мишель Майор и Дидье Кело, обнаружили гигантский мир, названный ими *51 Пегаса b* и движущийся по орбите вокруг звезды, расположенной примерно в 60 световых годах от нас.

Открытая Майором и Кело планета необитаема, но только потому, что находится слишком близко к своей звезде. Тем не менее это планета. Вслед за их открытием каждый месяц начали обнаруживать по несколько новых подобных миров, пока на их поиск не отправились специально разработанные спутники. Kepler – запущенный в 2009 году астрономический спутник НАСА – один из них. На сегодняшний день обнаружено более 6000 кандидатов в планеты. Из них подтверждено около 2000 планет, вращающихся вокруг далеких звезд. Некоторые из них принадлежат двойным системам (то есть вращаются вокруг двух звезд), и в скором времени новостные каналы ожидает еще много других сюрпризов. Для разграничения этих планет от Венеры, Юпитера и других планет, членов нашей солнечной семьи, их принято называть *экзопланетами*. Кстати, около дюжины из 2000 экзопланет – потенциально земного типа, и, по меньшей мере, три из них, в том числе *Kepler 442b*, чье существование было официально подтверждено в 2015 году, имеют потрясающее сходство с нашей Землей.

Все эти другие миры, конечно, могут оказаться бесплодными, но могут и хранить жизнь. Честно говоря, я готов поспорить, что прямые или косвенные признаки внеземной жизни будут найдены в течение следующих двух десятилетий или около того. Может, на одном из обнаруженных кандидатов, а может, на каких-то еще не открытых. Современные технологии практически готовы обнаружить признаки биологической активности в атмосфере таких отдаленных миров. Было бы замечательно дожить до такого открытия, правда?

В настоящее время все обнаруженные до сих пор экзопланеты находятся внутри Млечного Пути, нашей Галактики, а значит, довольно близко к Земле.

Планеты, которые могли бы существовать в *других* галактиках, слишком далеко для обнаружения любым из телескопов, хотя там их могут оказаться сотни миллиардов.

Туманность Андромеды, например, вполне может кишеть жизнью. Это самая крупная по величине из всех окружающих нас галактик. И очень близкая. В галактическом масштабе, конечно. Не в человеческом. Звонок, сделанный прямо сейчас с Земли на одну из ее 1000 миллиардов звезд, дойдет до нее приблизительно через 2,5 миллиона лет. Так что если мы хотим вступить с кем-то в контакт, то лучше подыскать достойный вопрос. На соответствующем языке.

ГЛАВА 8

ПЕРВАЯ СТЕНА В КОНЦЕ ВСЕЛЕННОЙ

Итак, какие размеры имеет видимая Вселенная?

Если бы можно было лететь куда-то бесконечно долго, то сколько продлился бы полет?

Существует ли какой-то предел?

Что ж, так как кто-то рано или поздно просто обязан задать вам этот вопрос, когда вы вернетесь в ваше тело, то лучше выяснить это сейчас.

Вы уверенно выбираете первое попавшееся направление и несетесь туда.

Как только вы начинаете отдаляться от родной Галактики, то сразу понимаете, что Млечный Путь является частью небольшой группы из пятидесяти четырех галактик, гравитационно связанных друг с другом. Ученые назвали ее *Местной группой*. Она охватывает сферу диаметром около 8,4 миллиона световых лет. Млечный Путь – вторая по размеру галактика группы, а галактика Андромеды – ее королева.

МЛЕЧНЫЙ ПУТЬ — ВТОРАЯ ПО РАЗМЕРУ ГАЛАКТИКА ГРУППЫ, А ГАЛАКТИКА АНДРОМЕДЫ — ЕЕ КОРОЛЕВА.

Дальше лежат другие группы галактик. Некоторые из них состоят из нескольких сотен галактик. Эти большие скопления, намного больше нашей группы, называются *кластерами* галактик. Продвигаясь вперед, вы пролетаете *сверхскопления (суперкластеры)*, содержащие десятки тысяч сверкающих спиралей и овальных дисков, составленных из бесчисленных звезд, гравитационно связанных друг с другом и растянутых в пространстве и времени.

Эти суперкластеры образуют умопомрачительно крупномасштабные структуры.

Покидая все привычное и глядя на Вселенную с других позиций, вы понимаете, что придется в очередной раз пересмотреть свой относительный размер в масштабах Вселенной. Глаза вашей эфемерной сущности широко открыты, вы поворачиваетесь вокруг себя, заглядывая везде, рассматривая источники света во всех возможных направлениях, ища где-нибудь окончание всего. Здесь не существует понятия «верх» или «низ», нет никакой разницы между левым и правым. В настоящее время вы в более чем миллиарде световых лет от Земли, и миллиарды миллиардов сверкающих галактик разбросаны по непроницаемому мраку.

Располагающиеся вокруг ближние и дальние галактики, группы галактик, их кластеры и суперкластеры отделены друг от друга такими огромными расстояниями, что они гораздо больше всего проделанного вами до сих пор пути.

Едва ли можно поверить в то, что Млечный Путь – лишь одна из этих точек, и все же вы знаете, что видимое вами – не фантазия, а известный человечеству факт.

Тем не менее правда это или неправда, но мысль спасти Землю уже кажется лишенной всякого смысла. Зачем? Не все ли равно? Вполне естественно, что мысль бросить все и позволить себе вечно плыть по запредельно прекрасной грандиозной реальности становится весьма заманчивой. Почему бы не провести свою жизнь тут? Может, это как раз то, о чем мечтают ученые в своих лабораториях?

Пока вы размышляете над идеей, стоит ли никогда не возвращаться к обычной жизни, вас охватывает странное чувство, снова начиная наполнять разум новой энергией: почему-то все, что вы видите, где путешествуете, является тем, что человечество понимает под словом «Вселенная». Так или иначе, вы путешествуете по Вселенной, запечатленной в человеческом разуме, так что вся ее необъятность заключена внутри пределов человеческого мозга, если таковые существуют. Как ни удивительно звучит, но это обнадеживающая мысль, возвращающая вас к бытию человека из разряда существ, способных направлять мысли на расстояние взгляда и далеко за его пределы... Окинув взглядом окружающий космический ландшафт, вы задаетесь вопросом: возможна ли еще бóльшая величина?

способен ли ваш разум охватить еще больше? Какова бы ни была судьба Земли, вы решаете, что знание лучше его отсутствия. Ваше виртуальное сердце вновь колотится с любопытством, вы отчаянно бросаетесь вперед и пролетаете мимо тысяч миллионов следующих галактик. Как всегда бывает, ко всему быстро привыкаешь, и даже грандиозность Вселенной вскоре перестает шокировать. То, что еще секунду назад ощущалось как отчаяние, теперь, похоже, превратилось в радость.

Там и сям вы наблюдаете сталкивающиеся галактики, превращение звезд в суперзвезды, вспышки *сверхновых звезд*, на мгновение затмевающие миллиарды их братьев и сестер. Во всей Вселенной все движется вокруг всего, и вам невероятно повезло увидеть ее ошеломляющие масштабы и нечеловеческую красоту.

Без оглядки летя вперед, вы сейчас уже в 10 миллиардах световых лет от Земли.

Ваш разум продолжает уноситься все дальше.

На 11 миллиардов световых лет от Земли.

12.

13 миллиардов световых лет, и число это непрерывно растет.

В восторге вы ищете конец Вселенной и не находите его, но разум немного замедляет свой полет, и галактик вокруг становится меньше. А составляющие их звезды кажутся все больше. Они колоссальных размеров, откровенно говоря. Некоторые из замеченных вами звезд в сотни раз больше средней звезды современного Млечного Пути. Вы продолжаете продвигаться вперед, хотя и более медленными темпами. Число источников света вокруг катастрофически уменьшается. И на расстоянии приблизительно 13 500 миллионов световых лет от Земли практически все они исчезают.

Вы останавливаетесь. Неужели вы достигли того, что искали? То есть Вселенная на самом деле имеет конец?

Вы вспоминаете, как пару раз обсуждали этот вопрос с друзьями перед совместной поездкой на тропический остров, но никогда не придавали такой мысли реального значения. И теперь вам интересно, думали ли вы о том, можно ли вечно лететь прочь от Земли во Вселенной и продолжать видеть галактики?

НЕУЖЕЛИ ВСЕЛЕННАЯ В САМОМ ДЕЛЕ ИМЕЕТ КОНЕЦ?

Что ж, так как вы путешествуете по Вселенной, опираясь на наблюдения с Земли, то позвольте заметить следующее: телескопы показывали нам всякое. Предел тому, что мы можем и будем в состоянии видеть при помощи света, бесспорно, существует. Ваш разум еще его не достиг, но вскоре доберется туда. На данный момент он путешествует по столь отдаленным в пространстве и времени местам, что первые звезды еще даже не родились. По этой причине место и пересекаемую вами эпоху окрестили *космическими Темными веками.* Любому исходящему отсюда, видимому нами излучению требуется пройти по Вселенной 13,5 миллиарда лет, прежде чем достичь Земли. Тогда, в течение 800 миллионов лет данной эпохи, первые звезды начали свою работу по превращению мелких атомов водорода и гелия в материю, из которой созданы мы, другие планеты и звезды. Это было первое поколение звезд, а наше Солнце – звезда второго или третьего поколения.

Продолжая лететь вперед в ожидании навсегда наступившей темноты, вы вдруг достигаете места, сквозь которое больше не проникает свет.

Это – поверхность, кажущаяся стеной в пространстве и времени.

За ней Вселенная не темна. Она светонепроницаема. Вы останавливаетесь прямо перед стеной и протягиваете вперед виртуальную руку, осторожно проверяя, что находится за ней.

Мурашки пробегают по вашей несуществующей коже, как только вы касаетесь того, что ощущается гигантским количеством энергии. Энергия настолько плотная, что вы вдруг сознаете, почему свет не может туда проникнуть: это то же самое, как зажечь факел внутри стены. За пределами встреченной вами поверхности свет существует, но не может свободно распространяться.

То, до чего вы добрались, не является плодом воображения. Это самое отдаленное место, видимое телескопами. Это место в пространстве и времени, где наша Вселенная стала прозрачной. Никакой свет из-за его пределов, никакой свет, появившийся ранее этого момента в прошлом, никогда не достигнет Земли по прямой линии. Ни один луч света до сей поры никогда не уловит ни один из телескопов.

Физикам-теоретикам потребовалось много десятилетий, чтобы понять, что это значит. В конце концов, как вы увидите в следующей главе, им пришла в голову довольно оригинальная идея для придания всему смысла, и эта идея называется *теорией Большого взрыва.*

На данный момент, однако, нужно принять тот факт, что вы только что достигли конца видимой Вселенной. Эта поверхность была обнаружена и картографирована телескопами. Поверхность стены, которую не в состоянии пересечь никакой свет. Ее называют *поверхностью последнего рассеяния*.

Но, когда вы начнете понимать, насколько странно и неожиданно это звучит, все вокруг исчезает, и вы оказываетесь на пляже своего тропического острова, глядя на ночное небо. Звезды все еще здесь, как и деревья и море. Как и ваши друзья. И они смотрят на вас как-то странно.

Вы садитесь на песок и рассказываете им о только что совершенном необыкновенном путешествии. Солнце умирает – нам *необходимо* найти решение проблемы – Вселенная огромна до безумия... и стена! Там, далеко, есть стена, знаменующая собой переход от светонепроницаемости к Темным векам!

Странные взгляды друзей превращаются в озабоченные. Они помогают вам подняться на ноги и дойти до вашей виллы, и в ответ вы слышите предположения, что приготовленные на гриле креветки могли оказаться несвежими или алкоголь слишком крепким.

Через несколько часов на востоке лучи восходящего солнца начинают отскакивать от содержащейся в атмосфере Земли пыли (особенно в синей части спектра), распространяясь вокруг и скрывая космос. Лежа ранним утром в кровати под пение птиц, вы открываете глаза и видите рядом силуэт одного из друзей. Видимо, они дежурили рядом с вами всю ночь. Может быть, вам все приснилось? – задаетесь вопросом вы.

Неужели ваш разум действительно путешествовал по космическим просторам?

Когда друг, подавая стакан воды, осведомляется о вашем самочувствии, а свежий утренний ветерок так ласково обдувает лоб, вы улыбаетесь, думая, что все-таки чертовски хорошо быть снова на Земле.

А потом вы улыбаетесь еще шире, ибо глубоко внутри вы знаете, что испытали нечто особенное, не выдуманное, что все произошедшее – правда и что вам повезло *увидеть* это без необходимости учиться в течение многих лет. По какой-то неизвестной вам причине вы видели Вселенную такой, какой она известна сегодня.

Испытав облегчение от вашей улыбки, друг встает, чтобы принести вам завтрак. И как только он уходит, вы сразу же пытаетесь припомнить пережитое, чтобы его не забыть, и не можете избавиться от ощущения, что все это – лишь начало весьма странного приключения.

Сидя в гамаке из пальмовых листьев и наблюдая за набегающими на берег волнами, вы вспоминаете Землю такой, какой она видна из космоса – вращающаяся вокруг Солнца крошечная голубая точка. Вы вспоминаете другие звезды, миллиарды звезд, крутящиеся вокруг центральной черной дыры, скрывающейся недалеко от центра Млечного Пути, нашей Галактики. Затем на ум приходит Туманность Андромеды и около четырех дюжин галактик, составляющих Местную группу, а также другие группы, скопления и сверхскопления галактик, рассеянных вдали до бесконечности и за ее пределами.

Нет.

Не до бесконечности.

До Темных веков и стены. Поверхности последнего рассеяния, за которой свет больше не распространяется.

И вам известно, что, какое бы направление ни выбрал ваш разум на своем пути, в конечном итоге вы все равно наткнулись бы на эту стену.

Пожалуй, звучит так, словно в гораздо бо́льших, чем можно себе только представить, масштабах Земля находится в центре сферы, границы которой очерчены стеной. Находящееся внутри сферы вполне может быть всей видимой Вселенной, когда-либо достижимой человечеством.

НЕЗАВИСИМО ОТ ТОГО, НАСКОЛЬКО МЫ ОБРАЗОВАННЫ, ЛЮБИЛИ ЛИ НАУКУ В ШКОЛЕ, ЯВЛЯЕМСЯ ЛИ УЧЕНЫМИ, У НАС ВСЕХ ЕСТЬ ИНТУИТИВНОЕ ЗНАНИЕ ТОГО, ЧТО В ПРИРОДЕ СУЩЕСТВУЮТ ОПРЕДЕЛЕННЫЕ ЗАКОНЫ, НАРУШАТЬ КОТОРЫЕ НЕЛЬЗЯ.

Поглощенный этой мыслью, вы безучастно смотрите вперед, в направлении горизонта.

Если поверхность последнего рассеяния окружает Землю, то Земля *должна быть* в центре ограниченной стеной сферы.

Звучит логично.

Но тогда, стало быть, Земля действительно *находится* в центре видимой Вселенной.

Потрясенный, не веря самому себе, вы качаете головой и бормочете, что это вздор.

Причем полнейший.

Тем не менее вы знаете, что видели его и если вдруг захотите, то могли бы вернуться и еще раз взглянуть на весь этот «вздор».

Да вы и вернетесь, но уже с другой позиции, и очень скоро.

В качестве подготовки позвольте сказать, что виденная вами поверхность, поверхность последнего рассеяния – не конец истории. За ее пределами существуют по крайней мере две другие поверхности со стенами вокруг. Первая – сам Большой взрыв. Вторая скрывает *его причину*.

До конца книги вы преодолеете весь путь до второй стены и выйдете за ее пределы.

Но для начала расслабьтесь.

В конце концов, вы в отпуске, а друг вернулся с завтраком.

Но пока вы заняты едой, я помогу вам привести в порядок ваши впечатления.

ЧАСТЬ 2 | # ОСМЫСЛЕНИЕ КОСМИЧЕСКОГО ПРОСТРАНСТВА

ГЛАВА 1

ЗАКОН И ПОРЯДОК

Вы когда-нибудь пытались спрыгнуть в пропасть? А из окна верхнего этажа небоскреба?

Скорее всего, нет.

Почему?

Вы уже были бы мертвы.

И я, если бы рискнул, да и все другие тоже.

Так откуда мы все об этом знаем?

Ответ прост настолько же, насколько таинствен и глубок. В нем кроется причина, по которой человеческая раса уже успела завоевать Землю и небольшую часть неба. В нем причина того, как удалось отправить вас в путешествие к звездам в первой части книги. Ответ связан с природой и ее законами.

Независимо от того, насколько мы образованны, любили ли науку в школе, являемся ли учеными, если мы заглядываем глубоко внутрь себя, у нас всех есть интуитивное знание того, что в природе существуют определенные законы, нарушать которые нельзя. И если кто-то прыгнет со слишком высокого места, он обречен упасть и разбиться всмятку.

На протяжении тысячелетий, отделяющих нас от предков-охотников, множество мужчин и женщин находилось в постоянном поиске этих законов. И им удалось-таки найти некоторые. Сегодня область притязаний на продолжение разгадки квеста и дальнейшее раскрытие тайн природы называется *теоретической физикой*, и двери этого (постоянно находящегося в стадии строительства) величественного здания собираются открыться перед вами для продолжения путешествия.

Вполне возможно, что это здание возникло, когда английский астроном, физик, математик и естествоиспытатель Исаак Ньютон создал новый язык, язык математического анализа, позволивший ему описать практически все, что можно ощутить с помощью человеческих чувств. Вывод, что сделавший шаг в пропасть человек, не важно, он или она, скорее разобьется, чем пойдет по воздуху, определен формулой. Как только становится известно, каким образом начато падение, формула Ньютона сообщает нам, где и когда оно закончится. Та же самая формула определяет, что при падении в пропасть не существует никакой разницы между человеком, салфеткой или осыпавшимся в пропасть камнем, до тех пор пока мы забываем о вызванном трением воздуха о поверхность тела сопротивлении. Она также говорит, что полный оборот Луны по орбите вокруг Земли совершается почти за двадцать восемь дней, а Земля проходит вокруг

Солнца за год. Эта заслуживающая особого внимания формула называется *универсальным законом всемирного тяготения Ньютона.* Благодаря ему Исаак Ньютон до сих пор считается одним из величайших умов всех времен.

Не нужно быть ученым, чтобы догадаться, что открытие такого закона заставляет почувствовать себя гением и Ньютон точно был очень доволен собой. Однако, как ни странно, вместо того, чтобы каждую ночь закатывать пирушки (как поступил бы я), он предпочел убедиться в своей правоте и начал проверять, действительно ли его формула гравитационного притяжения заслуживает звания универсальной. Масштаб здесь играет существенную роль, потому что, как вы уже выяснили в первой части книги, Земля по сравнению со Вселенной не так велика, если не сказать мала. И то, что верно для крошечной пылинки, может не быть истинным для галактики.

Во времена Ньютона на Земле не существовало ни одного эксперимента, способного доказать неправильность его формулы или же опровергнуть ее. Стрела, например, всегда падает на землю. И гора тоже, если бы кто-то ее уронил.

А как насчет еще бóльших размеров? Например, в местах, где гравитационные эффекты более заметны, чем на нашей планете? Для ответа на вопрос придется покинуть пределы Земли. А так как вы уже исследовали близлежащую Вселенную, то знаете, что самое очевидное, простое и к тому же самое яркое место для проведения эксперимента – Солнце.

ГЛАВА 2

БЕСПОКОЙНЫЙ МЕРКУРИЙ

Гравитационное притяжение нашей звезды – способ, которым она притягивает вас к своей поверхности, – примерно в двадцать восемь раз сильнее нашей планеты, но Солнце – далеко не самый гравитационно мощный объект, с которым вы столкнулись во время исследования космического пространства в предыдущей части книги. Черные дыры, например, гораздо мощнее. Тем не менее Солнце намного превосходит Землю. И с ним экспериментировать гораздо проще, чем с черными дырами. Итак, действует ли формула Ньютона на нашей звезде точно так же, как на нашей планете? И как можно это проверить?

Как вы убедились, Солнечная система состоит из восьми планет. В промежутке от самой удаленной до ближайшей к Солнцу планеты лежат Нептун, Уран, Сатурн, Юпитер, Марс, Земля и Венера. Возможно, стоит внимательнее взглянуть, как они перемещаются в космосе, и проверить, притягивает ли их к себе Солнце, как утверждает закон Ньютона. Благодаря многим астрономам, предпочитавшим еженощные наблюдения за звездами радостям семейной жизни, человечество даже получило точное описание орбит некоторых из планет со времен Ньютона*. И ответ

* Уран и Нептун были обнаружены позже. Кстати, благодаря формуле Ньютона.

слишком хорош, чтобы быть правдой: если учесть то, как взаимодействуют между собой планеты, то все перечисленные* планеты движутся именно по формуле Ньютона. Какое облегчение... Формула действительно оказалась универсальна. Мать Ньютона должна была весьма гордиться своим чадом.

Но стоп, погодите. Внимательные читатели наверняка обнаружили отсутствие в вышеприведенном списке одной планеты. Мы назвали только семь из восьми принадлежащих Солнечной системе планет. Упустив одну. Самую близкую к Солнцу. Ощущающую гравитационное притяжение Солнца сильнее остальных. Меркурий.

И именно с Меркурием существует крошечная проблема. Небольшое несоответствие. Ничего особенного. Настолько несущественное, что точно не считается. Но оно все-таки считается. На протяжении нескольких веков после выхода работ Ньютона это небольшое несоответствие изменило все, что человечество знало о пространстве и времени.

Меркурий не так впечатляет. Он всего лишь ненамного больше нашей Луны, являясь самой маленькой планетой Солнечной системы. Это – скалистая планета, и его избитая астероидами, покрытая кратерами поверхность вряд ли пропадет с глаз в ближайшее время. Меркурий не имеет атмосферы, никакая погода не сгладит его неправильную форму и шрамы. Короче говоря, Меркурий не та планета, на которой стоит провести отпуск. Для завершения полного оборота вокруг своей оси ему требуется пятьдесят

---

* Включая Уран и Нептун.

девять земных суток, а значит, одна ночь на Меркурии длится на Земле месяц и сменяется таким же долгим днем. Что день, что ночь на Меркурии – адские. Днем температура может достигать 430 °C, чтобы ночью упасть до отметки –180 °C. Ньютон не знал таких подробностей и, вероятно, не мог даже предположить, насколько суров этот Меркурий. Зато теперь мы знаем. Как и то, что, согласно формуле Ньютона, траектории всех планет вокруг Солнца должны выглядеть как слегка сдавленный круг. Как я уже упоминал выше, расчеты Ньютона для всех планет полностью совпали (и до сих пор совпадают) с наблюдениями. Если бы планеты могли оставлять за собой следы, то каждая из них описала бы в небе вытянутый *эллипс*, повторяя этот путь из года в год практически неизменно, как и рассчитал Ньютон. Но только не Меркурий. Орбита Меркурия наматывается сама на себя, и, подобно вращающемуся на столе яйцу, Меркурий не повторяет один и тот же путь дважды. Это происходит *главным образом* из-за других планет: они притягивают к себе крошечный Меркурий каждый раз, когда с ним сближаются, как уже догадался Ньютон. Лишь *главным образом*, но не целиком. Не совсем. Несовпадение крошечное, но оно есть. Представьте себе расстояние, которое проходит секундная стрелка на часах (старомодных часах с большой и маленькой стрелкой) ровно за одну секунду, и разделите полученный отрезок на пятьсот частей. Одна пятисотая и есть тот угол, на который

СОГЛАСНО ФОРМУЛЕ НЬЮТОНА, ТРАЕКТОРИИ ВСЕХ ПЛАНЕТ ВОКРУГ СОЛНЦА ДОЛЖНЫ ВЫГЛЯДЕТЬ КАК СЛЕГКА СДАВЛЕННЫЙ КРУГ.

эллиптическая орбита Меркурия отклонилась от расчета Ньютона за прошедший век.

Может показаться невероятным, как такое крошечное отклонение вообще смог кто-то заметить, не заставив ученых дожидаться несколько сотен тысяч лет, но так случилось. Более того: теперь мы знаем, что не существует никакого способа, по которому формула Ньютона могла его предсказать, не говоря уже о том, чтобы объяснить, потому что это несоответствие связано с таким аспектом гравитации, которого Ньютон не мог себе даже представить.

Уравнение Ньютона устанавливает, каким образом объекты притягивают друг друга, но ничего не говорит о том, чем, собственно, *является* гравитация на самом деле. Бедный Исаак (и многие другие ученые) на самом деле потратили довольно большое количество времени, пытаясь понять, откуда она берется. Является ли она свойством материи, заставляющим объекты притягиваться? Все ли объекты во Вселенной связаны? И если да, то чем? Никакого видимого или невидимого эластичного каната между нашими ногами и почвой нашей планеты или между Землей и Луной никогда обнаружено не было. А как насчет магнитной цепи? Как видите, магниты не пристают к ногам, когда мы пытаемся удержать их таким образом, потому что тело электрически нейтрально. Получается, гравитация не может быть магнитной силой. Так что же она такое? И почему упрямый Меркурий, самая маленькая из планет, должен отличаться от всех остальных?

Ньютон умер в 1727 году, так и не найдя объяснения. Миновало 188 лет, прежде чем кое-кому вдруг пришла в голову довольно странная новая мысль.

ГЛАВА 3

1915 ГОД

Положительный момент в исследованиях по физике заключается в том, что когда наблюдения не согласуются с теорией, то в первую очередь предполагается, что они не верны. Потом эксперимент проводится заново, и если повторные попытки упорно и неоднократно дают неправильный результат, то проверяется, а вдруг какой-то неизвестный ученый предвидел такой итог, используя альтернативную теорию. Если ответ по-прежнему отрицательный, то справедливо предполагать, что мы понятия не имеем, почему природа ведет себя таким образом. Самый безопасный вариант в этом случае – перепробовать всё. Очевидно, что «всё» включает в себя и самые бредовые идеи, и я должен сказать, что это очень веселое занятие. Как мы увидим позже, идеи, взятые сегодня для выяснения того, как появилась наша Вселенная, достойны лучших образцов научной фантастики (как однажды заметил королевский астроном, сэр Мартин Рис, барон Рис из Лудлоу, «хорошая фантастика лучше, чем плохая наука»). В целом, конечно же, большинство этих идей целиком ошибочно. Но никогда не знаешь наверняка. Важно искать и смотреть, что получится. До сих пор этот подход работал достаточно хорошо.

Таким образом, формула Ньютона использовалась в течение почти двух столетий без всяких проблем, и, честно говоря, загвоздка с Меркурием не оказывала значительного влияния на жизнь большинства людей.

Но затем появился ученый с совершенно невменяемой идеей относительно гравитации.

Представьте себе космос, а в нем Солнце с вращающимся вокруг Меркурием и забудьте обо всем остальном. Они – одни во Вселенной. Небольшая скалистая планета, двигающаяся вокруг огромного сияющего Солнца. И вокруг пустота.

Теперь избавимся от Меркурия. И от Солнца тоже (просто чтобы понять, что не осталось ничего).

А что если гравитация имеет что-то общее с этим оставшимся «ничем», то есть с той самой тканью Вселенной (чем бы они ни была)?

Для выяснения того, что могло бы произойти в данном случае, давайте вернем Солнце обратно и задумаемся. Если на минуту предположить, что на ткань нашей Вселенной можно оказать влияние, то одним из самых простых действий Солнца было бы согнуть ее. Каким образом? Хорошо, представьте себе тяжелый мяч, лежащий на расстеленном резиновом коврике. Резина будет прогибаться под тяжестью шара. Если затем натереть резиновый коврик мылом, то все, что окажется на нем, даже муравей, очутившийся слишком близко к прогнувшейся части, будет соскальзывать к мячу вниз. Для муравья этот эффект может ощущаться как притяжение (или гравитация).

Очевидно, что если бы звезды и планеты лежали на намыленной резине, то я надеюсь, что мы бы уже это заметили. Таким образом, ткань Вселенной не может оказаться плоским, твердым резиновым ковриком. Тем не менее она может быть невидимой трех- или даже четырехмерной тканью. И независимо от того, из чего создана эта объемная ткань, почему бы не вообразить ее огибающей содержащуюся в ней материю? Конечно, не только на плоскости, но и во всех направлениях, словно погруженный в океан, окруженный водой шар.

Если на мгновение принять эту идею всерьез, гравитация будет просто результатом такого изгиба: всякий раз, когда что-то падает, оно падает не из-за силы, тянущей его вниз, а потому, что скользит по невидимому склону в ткань Вселенной (пока не ударится о землю или какой-то предотвращающий дальнейшее падение предмет).

Сумасшедшая идея, согласен, но почему бы, в конце концов, не дать ей шанс? И как бы, согласно ей, объекты передвигались по Вселенной?

Для всех планет, включая Меркурий, геометрические расчеты с использованием этой «теории искривлений», кстати, дали точно такие же результаты, как у Ньютона. Что является как обнадеживающим, так и интересным. Так что насчет Меркурия?

Человек, придумавший эту невменяемую «теорию искривлений», обнаружил, что в описанной им Вселенной сплюснутый круг орбиты Меркурия должен вращаться вокруг Солнца не совпадающим с расчетами Ньютона образом. Насколько именно? Отклоняясь на угол, соответствующий приблизительно одной пятисотой доле секунды на часах. Каждый век. Удивительно. На протяжении более пятнадцати десятилетий после смерти Ньютона никто не был в состоянии выяснить это. Но он смог. И оказался прав. Гравитация внезапно перестала быть тайной. Она – искривление ткани Вселенной, вызванное содержащимися в ней объектами. Ньютон не увидел этого, и никто не замечал раньше, и сегодня мы до сих пор пытаемся выяснить все последствия такого взгляда.

Стивен Хокинг часто говорил: «Я бы не стал сравнивать радость открытия с сексом, но удовольствие от первого длится гораздо дольше». Один взгляд на фотографию человека, решившего проблему Меркурия, кажется, доказывает его утверждение.

Его зовут Альберт Эйнштейн, и только что преподнесенная нами теория, теория, которая связывает материю с локальной геометрией Вселенной в теорию гравитации, называется *общей теорией относительности.* Эта теория была впервые опубликована в 1915 году, сто лет тому назад, и ученым потребовалось некоторое время, чтобы понять, что Эйнштейн попутно совершил переворот в наших представлениях обо всем. Вопреки всему, что считали до него, он обнаружил, что Вселенная не только могла иметь форму, но и была динамичной, то есть менялась со временем. Так как звезды, планеты и все вокруг движется, то создаваемые ими в ткани Вселенной искривления движутся вместе с ними. И то, что верно в локальном масштабе вокруг этих объектов, вполне может оказаться верным для Вселенной в целом. Другими словами, даже если

ДО ЭЙНШТЕЙНА СЧИТАЛОСЬ, ЧТО НАША ВСЕЛЕННАЯ ВСЕГДА ПРОСТО *СУЩЕСТВОВАЛА*. ТЕПЕРЬ МЫ ЗНАЕМ, ЧТО ЭТО ОШИБКА, ПО КРАЙНЕЙ МЕРЕ В ТЕПЕРЕШНЕМ ПОНИМАНИИ.

Эйнштейн сам в это не верил, он обнаружил, что Вселенная может меняться с течением времени и иметь будущее. А если что-то имеет будущее, значит, оно могло иметь и прошлое, а следовательно, историю и, возможно, даже начало.

До Эйнштейна считалось, что наша Вселенная всегда просто *существовала*. Теперь мы знаем, что это ошибка, по крайней мере в теперешнем понимании. И мы полагаем так уже целый век. Стало быть, что касается знаний о Вселенной, в которой мы живем, ей сто лет от роду.

ГЛАВА 4

СЛОИ ПРОШЛОГО

Путешествие по известной Вселенной, проделанное в первой части, немного напоминает прогулку по лесу тропического острова, где вас поразила красота местных деревьев. После такой прогулки вы, конечно, можете вернуться на свою виллу, застать друзей за столом и рассказать им, как чудесно пройтись и подышать свежим океанским воздухом. Но тогда друзья могли бы спокойно задать вам вопрос: почему деревья растут, почему их листья зеленые и почему они вообще выглядят именно так, а не иначе...

Если представить, что Вселенная — лес, что там можно найти? Вместо того чтобы ставить под сомнение свежесть съеденных креветок, о чем таком фундаментальном следовало спросить вас друзьям? Существуют ли для понимания Вселенной какие-то другие методы, кроме эмпирического? И если уж совсем серьезно, разве возможно путешествовать по ней так, как вы?

Относительно последнего вопроса ответ прост: в земном теле или на космическом корабле — нет. Насколько мы знаем на сегодняшний день, путешествовать сквозь пространство и время, кроме как с помощью силы мысли, не представляется возможным. Ни один носитель информации не способен передвигаться со скоростью, превышающей скорость света. Так что то, что проделал ваш разум в первой части, в действительности было полетом по застывшей трехмерной картине известной сегодня Вселенной, реконструкцией, полученной в результате сбора всех снимков, сделанных всеми когда-либо имевшимися на Земле телескопами. Вы можете возразить, что видели все в движении, что это не было неподвижным изображением... Само собой разумеется. Скажем, картина представлялась «практически» застывшей. А теперь какие выводы из нее можно сделать? Есть ли закон, управляющий эволюцией всего?

На следующее утро после возвращения из виртуального путешествия разума, когда дежуривший у вашей кровати ночью друг ушел за завтраком, вы интуитивно знали, что он все еще где-то там, на улице, даже когда не могли его больше видеть, не так ли? Вы не начали воображать, что он растворился в воздухе и отправился в прошлое, чтобы поохотиться на динозавра и вернуться обратно с приготовленным для вас жарким из его лапы. Это, конечно, было бы довольно круто, признаю, но не произойдет по той же причине, по которой неразумно прыгать в пропасть или выбрасываться из окна. Основную причину, *почему* такого никогда не случится, очень сложно сформулировать и доказать, но если мы хотим попытаться разгадать тайны Вселенной, то должны допустить несколько вещей. Итак, первое наше допущение, или «постулат»: худо-бедно, но мы можем понять природу, даже за гранью того, что подсказывают нам наши чувства. Для его осуществления отныне следует считать, что в сходных условиях природа подчиняется одним и тем же законам повсюду в пространстве и времени, будь то здесь или там, сейчас, в прошлом или в будущем, независимо от того, можем ли мы это увидеть и знаем ли мы эти законы. Назовем это **первым космологическим принципом**. Жирным шрифтом, потому что это важно. Если бы мы не допустили его, то полностью застряли на месте, не в состоянии разгадать происходящее в недоступных или находящихся слишком далеко от нас местах либо в чересчур отдаленном прошлом. Если бы мы не сделали такого допущения, то ваш друг, вполне вероятно, мог бы отправиться назад в прошлое, на охоту на деликатесного динозавра.

На самом деле, есть много указаний на правильность первого постулата, по крайней мере в пределах видимой в телескопы Вселенной.

Возьмем Солнце.

Мы знаем, какие частицы, какие частоты излучения, какие виды энергии исходят от него. Мы обнаруживаем их, когда они выстреливают с его поверхности и приземляются на Земле. А как насчет прочих далеких звезд? Они светят благодаря той же термоядерной реакции или реакции совершенно разные? Они похожи на брошенное в костер бревно или состоят из плазмы, как Солнце? В нашем распоряжении не так много инструментов для исследования таких вопросов. А на самом деле только один: полученный от этих звезд свет. В нем зашифровано много секретов, и один из них, который нам удалось расшифровать, гласит, что законы физики одинаковы везде. И поскольку свет является ключом к пониманию космоса, давайте посмотрим, что он из себя представляет.

Свет, также известный как электромагнитное излучение, можно рассматривать одновременно и как частицу (*фотон*), и как волну. Как вы увидите позже, оба определения не только работают, но и должны учитываться, если мы хотим понять наш мир. На данный момент, однако, достаточно рассмотреть его просто как волну.

Для описания океанских волн необходимо определить две вещи: их высоту и расстояние между двумя следующими друг за другом гребнями. Эта высота имеет очевидное значение: естественно, вы не будете реагировать одинаково, скажем, на приближающиеся волны высотой 50 метров и 2 миллиметра. Такая же мысль и по поводу света, а высота его волны связана с тем, что мы называем *интенсивностью излучения*.

Точно так же существует разница между морскими волнами, находящимися за сотни метров и очень близкими друг к другу. Это расстояние, соответственно, называется *длиной волны*. Чем больше длина волны, тем меньше возникающих в течение заданного периода времени волн, то есть цифра, связанная с *частотой* волны. Для того чтобы на уровне интуиции почувствовать, что чем короче длина волны (или чем выше частота), тем выше задействованная энергия, представьте себя перед плотиной. Если пятиметровая волна один раз в месяц будет биться об нее, это не станет поводом для беспокойства, в отличие от такой же волны, ударяющей по ней десять раз в секунду. То же самое происходит с излучением: чем короче длина волны (или чем выше частота), тем больше переносимая его волной энергия.

Теперь утверждение вопреки тому, что думали наши предки: наши глаза – приемники, а не источники света. И они не созданы для обнаружения всех существующих видов излучения ни по интенсивности, ни по длине волн. Слишком мощный источник излучения легко и просто разрушает сетчатку глаз, ослепляя вас в считаные секунды. Это то, что произойдет, если вы посмотрите на Солнце, лазер или другой чересчур интенсивный источник света. Мы можем видеть только не слишком интенсивные и не слишком слабые световые волны.

Ограничение длин волн для нашего зрения трудноуловимо. На протяжении тысячелетий, в течение которых наши предки (а в нас сохранились гены тех, кто существовал задолго до того, как получил человеческий облик) эволюционировали, их органы обнаружения света адаптировались к тому, чтобы видеть то, что больше всего необходимо для выживания. Чтобы сорвать фрукт или узнать о присутствии саблезубого тигра, гораздо полезнее распознавать зеленый, красный или желтый, чем рентгеновские лучи, испускаемые падающими звездами вблизи далеких черных дыр. Короче говоря, наши глаза адаптированы к свету наиболее необходимым в повседневной жизни образом. Если бы мы могли обнаруживать только рентгеновские лучи, мы бы давно вымерли.

В итоге то, что в состоянии увидеть наши глаза сегодня, весьма ограничено по сравнению со всеми существующими видами излучения. Но Вселенную это не волнует. Она наполнена всеми ими. И снова мы метко назвали *видимым светом* видимый нам спектр и присвоили его отдельным частям собственные названия – цвета. Различие между двумя цветами иногда может показаться весьма условным, но существует весьма точное математическое определение, основанное на расстоянии, на длине волн.

Это правда, что глаза некоторых животных развивались по-разному и что некоторые из них способны видеть свет, выходящий за рамки воспринимаемого людьми. Змеи, например, имеют инфракрасное зрение, а некоторые птицы могут обнаруживать ультрафиолетовые лучи, все это лежит за пределами наших человеческих визуальных возможностей*. Но ни одно животное никогда не построило аппаратов для их обнаружения. Кроме нас. И мы заметно преуспели в этом.

В соответствии с количеством переносимой волнами энергии окружающий свет подразделяется на микроволны, радиоволны, инфракрасное излучение, видимый свет, ультрафиолетовое излучение, рентгеновские и гамма-лучи. Радиоволны очень длинные: от 1 до 100 000 и более километров между каждой волной, в то время как длина волн гамма-лучей короче миллиардной доли миллиметра, – но все они являются светом. И все когда-либо созданные телескопы

---

* На самом деле, последние исследования, кажется, доказывают, что наши глаза на самом деле воспринимают некоторые – обычно невидимые – инфракрасные волны. Но зачем они нужны нашему мозгу, остается пока неясным…

были разработаны для обнаружения световых волн, откуда бы они ни приходили, независимо от их интенсивности, чтобы получить возможность взглянуть на Вселенную через все возможные окна имеющихся у нас технологий. Смотря на небо невооруженным глазом или в телескоп, вы ловите и обрабатываете излученные каким-то далеким источником в космическом пространстве световые волны. Как я уже упоминал, ваше путешествие в первой части состоялось благодаря трехмерной реконструкции всех имеющихся фото- и видеоизображений. Но возможно, тогда вы не заметили, что, хотя путешествие было космическим, оно одновременно являлось путешествием по прошлому, потому что свет не распространяется мгновенно.

Теперь настало время для интересного, но довольно пессимистичного вопроса от друзей по тропическому острову: разве все мы не слышали где-нибудь на званом обеде или в другом месте, как кто-то хвастает познаниями, что видимые нами в небе звезды на самом деле давно погибли?

Это правда? Действительно ли все звезды умерли?

Ну не совсем. По крайней мере не все.

Давайте посмотрим.

Предположим, что ваша двоюродная бабушка, дальняя родственница, обожающая раздаривать всем уродливые хрустальные вазы на Рождество, живет в австралийском Сиднее. Будучи слегка старомодной, она никогда не отправляет никому писем, за исключением ее дня рождения в январе, когда она рассылает всем открытки со своей фотографией на фоне почтового ящика, в который она как раз собирается опустить эту самую открытку. На обратной стороне всегда написано:

Сегодня – мой день рождения.

Было бы мило услышать твой голос в трубке.

С любовью, твоя бабушка.

P.S. Надеюсь, тебе понравилась посланная мною ваза.

Проблема заключается в том, что даже если вы каждый год обещаете себе вспоминать о бабуле, то все равно это не делаете, и, как всегда, к тому времени, как вы получаете очередную открытку, для нее это давно не «сегодня». Январь не может длиться вечно. И как обычно, вы надеетесь, что она не просидела весь месяц у телефона в ожидании звонка...

В любом случае важно во всей этой истории то, что сделанная бабушкой за минуту до отправки открытки фотография, которую вы сейчас держите в руках, вряд ли по-прежнему соответствует ее внешности *сейчас*. Бабушка даже вполне может оказаться мертвой, как некоторые из звезд там, в вышине. Не волнуйтесь, ваша бабушка здорова, и вы еще получите от нее парочку ваз и даже совершите несколько попыток научить ее рассылать письма по электронной почте вместо открыток. Несомненно, дело пойдет быстрее. Но переписка не станет *мгновенной*. Ничто не мгновенно. С помощью электронной почты вы все равно получите ее фотографию через долю секунды после отправки. Так что повторюсь: когда она доберется до вас, бабушка уже может быть мертва.

Данная идея заключается не в том, чтобы внушить вам параноидальную мысль, что все, кого вы знаете, могут быть мертвы. Скорее она иллюстрирует, что происходит в космосе, где самый быстрый почтовый сервис, возможно, использует в качестве коммуникационного устройства *свет*. И каким бы быстрым он ни был, свет весьма далек от мгновенного перемещения. В космическом пространстве его непревзойденная скорость достигает ошеломляющих 299 792,458 километра *в секунду*. Пока вы читаете это предложение, свет может двадцать шесть раз облететь вокруг Земли. Он – самая быстрая вещь в нашем мире, но удивительно медленная для космоса, учитывая местные межгалактические расстояния.

Далее, свет звезды всегда несет в себе ее отпечаток. Он выстреливает в космическое пространство со скоростью света, и ему может понадобиться довольно много времени, чтобы добраться до нас. Это означает, что да, самые дальние видимые звезды, вероятно, погибли. Но не все. Солнце, например, нет. Если быть более точным, сейчас наверняка этого никто не знает, но Солнце не умерло восемь минут и двадцать секунд назад.

СВЕТ ЗВЕЗДЫ ВСЕГДА НЕСЕТ В СЕБЕ ЕЕ ОТПЕЧАТОК. ОН ВЫСТРЕЛИВАЕТ В КОСМИЧЕСКОЕ ПРОСТРАНСТВО СО СКОРОСТЬЮ СВЕТА, И ЕМУ МОЖЕТ ПОНАДОБИТЬСЯ ДОВОЛЬНО МНОГО ВРЕМЕНИ, ЧТОБЫ ДОБРАТЬСЯ ДО НАС.

Как вы видели в первой части, солнечному свету понадобится около восьми минут и двадцати секунд, чтобы пролететь разделяющие нас 150 миллионов километров. Это означает, что, если бы Солнце *сейчас* перестало светить, мы бы узнали о такой (достаточно большой) проблеме через восемь минут и двадцать секунд. Это также означает, что с Земли вы всегда будете видеть Солнце восемь минут и двадцать секунд назад. Никогда таким, как *в данный миг*. Солнце в небе солнечным днем на самом деле никогда не является таким, *каким* вы его видите. Оно даже больше не находится *на этом месте*. За восемь минут и двадцать секунд, необходимые для достижения его светом вашей кожи,

Солнце пройдет около 117 300 километров по своей орбите вокруг центра Галактики.

Далее, самый отдаленный свет, который удалось обнаружить в нашей Вселенной, добирался до объективов телескопов целых 13,8 миллиарда лет, как раз с того момента, когда Вселенная стала прозрачной.

Огромных звезд, начавших светить через несколько сотен миллионов лет после этого события, безусловно, больше не существует, даже если их свет до сих пор доходит до Земли, делая их для нас видимыми.

То же самое можно сказать и о многих других звездах, расположенных между Солнцем и отдаленными уголками Вселенной.

24 января 2014 года, например, астрономы наблюдали в ночном небе взрыв звезды в далекой галактике. Они увидели его «в прямом эфире», как только свет взрыва достиг их телескопов. Насколько нам известно, звезда считается погибшей с 24 января 2014 года. Но если бы существовал тот, кто жил рядом с ней и был свидетелем взрыва, он назвал бы другую дату — 12 миллионов лет назад.

***

Подведем итог. Если мы собираемся исследовать космос с Земли, современные технологии не оставляют нам особого выбора: необходимо использовать свет. Никто не может переместиться на другой конец Вселенной. Никто не может телепортироваться туда мгновенно. В итоге, как и в случае с видимой Вселенной, рассматривание ночного неба похоже на получение со всех сторон авторских фотооткрыток, проштампованных в разное время в различных местах прошлого Вселенной в соответствии с тем, когда и откуда они начали свой путь. Только собрав воедино все эти открытки, начиная с границ Вселенной, мы сможем воссоздать кусочек ее истории, какой она видна с Земли.

Именно тот кусочек, который вы облетели в первой части.

ГЛАВА 5

РАСШИРЕНИЕ

Повторюсь: все сведения о далекой Вселенной получены из доходящего до нас света.

Для его расшифровки и понимания необходимо точно выяснить, какую информацию несет в себе свет и как он взаимодействует с материей и ее строительными блоками – атомами, с которыми он встречается в космосе.

В следующей части книги вы погрузитесь в самое сердце атомов, но на данный момент все знать о них не нужно. Давайте просто уточним, что атомы можно описать как круглые ядра, окруженные вращающимися вокруг электронами, и эти электроны не беспорядочны, а организованы в определенные оболочки вокруг ядра.

Может оказаться заманчивым представить их в качестве планет, кружащихся вокруг центральной звезды, но это может привести к путанице – собственно, мы и называем траектории электронов вокруг своих атомных ядер *орбиталями* с единственной целью: отличить их от планетарных орбит.

Имея нужную скорость, теоретически планета может вращаться вокруг своей звезды на любом предпочитаемом расстоянии, но это, безусловно, не случай с электронами. В отличие от планетарных орбит, орбитали отделены друг от друга запретными для электронов зонами – местами, где электронов просто не может быть. Кроме того, электроны также способны легко и непринужденно перепрыгнуть эти запретные области с одной орбитали на другую.

ДЛЯ ПЕРЕМЕЩЕНИЯ С ОДНОЙ ОРБИТАЛИ НА ДРУГУЮ ЭЛЕКТРОНЫ ДОЛЖНЫ ПОГЛОТИТЬ ИЛИ ВЫДЕЛИТЬ НЕКОТОРУЮ ЭНЕРГИЮ.

Тем не менее, и это ключевой момент, просто так скакать не получится.

Для перемещения с одной орбитали на другую электроны должны поглотить или выделить некоторую энергию.

И так как чем дальше электрон расположен от ядра атома, тем бóльшим запасом энергии он обладает, то, чтобы перепрыгнуть на следующую, более удаленную от центра орбиталь, ему необходимо получить некоторую энергию, так же как пламя горелки заставляет подняться в воздух воздушный шар.

И наоборот, чтобы приблизиться к ядру, электрон должен избавиться от некоторой части энергии, как клапан выпуска горячего воздуха в воздушном шаре помогает ему вернуться на Землю.

Но откуда же берется эта энергия?

Оттуда же, откуда свет: электроны могут перепрыгивать с одной орбитали на другую, поглощая или испуская свет. Но *не просто* свет.

Переход с одной орбитали на другую заставляет электроны перепрыгивать разделяющие их запретные зоны, и осуществление такого поступка включает в себя поглощение или отдачу определенного количества энергии, соответствующего определенному световому лучу. Если бы попадающий на них свет был недостаточно насыщен энергией, то электроны не смогли бы совершить прыжок и остались бы на своем месте. И наоборот, при попадании на них *чересчур* заряженных энергией световых лучей они могут перепрыгнуть через несколько таких зон и даже вылететь из своего атома.

Это было выяснено человечеством в начале двадцатого века.

Такое открытие может не показаться прорывом, но это он и есть.

Эйнштейн (действительно вездесущий товарищ) получил в 1921 году Нобелевскую премию по физике за открытие данного закона на примере составляющих различные металлы атомов*.

***

Несколько десятилетий экспериментов (и размышлений), проведенных с тех пор на всех известных

---

* Металлы испускают электроны только тогда, когда они освещаются «правильным» светом. Это называется *фотоэлектрическим эффектом.* Объяснение включает в себя только что описанное мной (электроны могут передвигаться только с одной орбитали – энергетического уровня – на другую, поднимаясь или спускаясь) и тот факт, что свет можно описать как небольшие порции энергии вроде частиц. Вы еще услышите подробнее об этом аспекте света чуть позже. А пока мы здесь, позвольте добавить, что Эйнштейн заслужил по крайней мере еще две Нобелевские премии, но получил только эту.

атомах Вселенной, заставили ученых понять, что энергия, необходимая любому электрону для перехода с одной орбитали на другую внутри какого-то атома, зависит от структуры этого конкретного атома. И тут нам очень-очень повезло, потому что различные виды энергии соответствуют различным источникам излучения – а с помощью телескопов мы, конечно, можем собирать его почти везде.

На практике этот простой факт означает, что ученые могут сказать, из чего состоят удаленные объекты, такие как звезды, облака газа или атмосферы далеких планет, даже не отправляясь туда.

А теперь о том, как ученым это удается.

Представьте себе идеальный источник света, испускающий все возможные длины световых волн, от минимальной энергии микроволн до мощных гамма-лучей, во всех направлениях. Такой идеальный источник создает светящуюся яркую сферу. Если на некотором расстоянии от нее находится атом, то его электроны, ослепленные количеством поступающего света, могут под его воздействием поглотить всю энергию, необходимую для перехода на более высокий энергетический уровень. Во время этой операции они возбуждаются.

Возбуждаются?

Да, *возбуждаются.* Это правильный технический термин для происходящего.

Электроны немного похожи на детей, которым на празднике раздают сладости. И точно так же, как после вечеринки не трудно понять, какие сладости предпочитают дети (нужно только проверить, что осталось на столе), можно выяснить, какие виды излучения поглотил атом, посмотрев, какие из них отсутствуют на снимке его тени. Весь неиспользованный свет беспрепятственно проходит сквозь атом, и на фотобумаге можно довольно легко обнаружить его отпечатки. Поглощенные же волны выглядят как маленькие темные пятна на сплошной радуге цветов и света. Такой снимок называется *спектром**, а темные пятна — *линиями поглощения.*

Лишь взглянув на отсутствие в спектре световых волн некоторой длины, ученые могут назвать встретившиеся на пути источника света атомы.

Таким образом, использование света является способом выяснить тип внеземной материи, не отправляясь в космос.

И все собирающие излучение телескопы, используемые человечеством до настоящего момента, говорят о том, что все звезды Вселенной сделаны из того же материала, что Солнце, Земля и мы сами. Все космические объекты на ночном небе состоят из тех же атомов, что и мы.

Если бы это было не так, то телескопы нам уже бы сообщили.

Таким образом, можно предположить, что законы природы везде одинаковы.

Именно поэтому первый космологический принцип признан всеми правильным.

Какое облегчение!

На самом деле это такая хорошая новость, что, находясь в космическом пространстве, вы решаете немедленно еще раз взглянуть на далекие галактики,

---

* Точности ради, это *спектр поглощения.* Спектр, показывающий, какой свет испускается, а не поглощается веществом (как в случае нашего атома), называется *эмиссионным спектром* (а также *спектром излучения или испускания*).

чтобы выяснить, из чего они состоят. Разве они не прекрасны, чего стоят только их замечательные спектры, заполненные линиями, соответствующими водороду, гелию и...

Подождите-ка.

Погодите.

Что-то не так...

Глядя на полученные спектры, вы понимаете, что с недостающими линиями в излучении далеких звезд все в порядке, но они находятся не там, *где* должны быть...

В то время как электроны некоторых химических элементов здесь, на Земле, возбуждаются синей частью спектра видимого света (ультрафиолетом), то тем же электронам тех же химических элементов, но находящихся в далеких галактиках, для перехода от одной орбитали на другую, кажется, больше нравятся слегка зеленоватые оттенки...

А атомы, питающиеся здесь, на Земле, желтой частью спектра, похоже, предпочитают оранжевый свет в космосе.

А обожающие оранжевый выбирают в космосе красный.

Зачем? Как такое может быть?

Неужели все цвета в космическом пространстве сдвигаются?

Или мы допустили ошибку?

Вы снова рассматриваете разнообразные далекие источники света. Но нет никаких сомнений. Все цвета сдвинуты в сторону красной части спектра.

И что еще интереснее: чем дальше источник света, тем более выражено смещение...

Черт. Все было так легко.

Так что же происходит?

Значит, в конце концов, законы природы в разных частях Вселенной отличаются? И если бы можно было прогуляться по похожей на Землю планете, вращающейся вокруг подобной Солнцу звезды в миллиардах световых лет отсюда, то не окажется ли ее небо, океаны и сапфиры зелеными, растения и изумруды – желтыми, а лимоны – красными?

Точно нет.

Если бы вы попали туда, то увидели бы инопланетный мир таким же, как здесь, мир, в котором лимоны желтые, а небо синее. Причиной наблюдаемого смещения цветов является не то, что законы природы сильно отличаются от наших. Она лежит гораздо глубже. Она даже изменила все, во что человечество верило в течение более 2000 лет.

Вы когда-нибудь настраивали гитару или любой другой струнный инструмент? Вы замечали, что возникающая при щипке струны нота меняется по мере вращения колков? Чем больше растягивается струна, тем выше тон, не так ли?

В КОСМОСЕ СВЕТ ПЕРЕМЕЩАЕТСЯ, ИЛИ *ПЕРЕДАЕТСЯ,* НЕ С ПОМОЩЬЮ СТРУН, А СКВОЗЬ ТКАНЬ ВСЕЛЕННОЙ.

В существенной степени только что виденное вами в небе соответствует тому же феномену, за исключением того, что звук заменяется светом, а струна не является струной. В космосе свет перемещается или *передается* не с помощью струн, а сквозь ткань Вселенной. И чтобы объяснить только что обнаруженное смещение спектра, эту ткань следует включить в процесс.

Почему?

Потому что в этом сдвиге, влияющем на все возможные цвета одинаковым образом, стоит винить не свет, а то, сквозь что он проходит.

Когда вы щиплете и затягиваете струну с помощью колков, производимый ею звук сдвигается в сторону более высоких частот не потому, что что-то случилось со звуком, а потому, что струна растянулась. И гитарные струны растягиваются точно так же для настройки всех нот.

Теперь представьте, что возможно растянуть ткань Вселенной, как гитарную струну. И если однажды это сделать, все длины распространяющихся по ней световых волн сразу же станут «высокочастотными». Почему? Потому что свет можно рассматривать как волну, и растяжение приведет к увеличению расстояния между двумя последовательными гребнями – длинами волн. Синий станет зеленым. Зеленый – желтым, желтый – красным и т. д.

На примере спектра это означает, что фактические цвета Вселенной смещаются в красную сторону. Это – *красное смещение*.

А теперь вместо однократного растяжения ткани Вселенной постарайтесь представить себе, что она растягивается непрерывно и неизменно. Чем большее расстояние необходимо преодолеть свету, тем сильнее будет красное смещение по достижении им Земли. Согласно такому сценарию, отправленный из далекой галактики синий луч будет постепенно становиться зеленым, затем желтым, затем красным, затем невидимым для наших глаз инфракрасным и, наконец, микроволновым излучением. Зная, насколько исходный цвет испускаемого далекой звездой излучения отличается от конечного, достигшего Земли цвета, можно сказать, насколько далеко находится эта звезда.

Но так ли это? Действительно ткань Вселенной ведет себя так?

Да. То есть именно так, как вы наблюдали в небе.

Но что означает это на практике?

На практике фактическое расстояние между далекими галактиками и нами все время растет. А значит, пространство между галактиками растягивается и, следовательно, увеличивается само по себе. Это означает, что Вселенная со временем меняется.

Бесчисленные эксперименты теперь подтвердили эту теорию, и ученые научились принимать ее. Мы действительно *живем* в меняющейся, растягивающейся Вселенной.

Хотя Эйнштейну бы это не понравилось. Сто лет назад такая теория никому не пришлась по вкусу. Для наших предков, будь они учеными или нет, Вселенная всегда оставалась неизменной. Но тут они оказались неправы.

Для ясности: расходятся не галактики. Растет *расстояние,* отделяющее нас от и так далеких галактик. Растягивается сама пустота пространства. Ученые дали этому феномену имя, назвав его *расширением Вселенной.* И вопреки тому, что можно подумать, оно не означает, что Вселенная расширяется в «нечто». Это означает, что она расширяется и растет изнутри.

Теперь, прежде чем делать поспешные выводы и удивляться, что могло вызвать такое расширение, вы можете проверить все самостоятельно. Итак, представьте себе, что вы фантастически богаты (например, у вас 100 миллиардов фунтов стерлингов на банковском счете) и имеете сто друзей. Будучи фанатом астрономии, вы даете каждому из них по миллиарду долларов для покупки мощных современных телескопов и поездки в разные уголки Земли, чтобы собрать с их помощью столько излучения множества далеких галактик, сколько возможно.

Через несколько месяцев вы приглашаете их всех к себе в особняк для презентации своих открытий. Около половины собравшихся оказалась настоящими друзьями и продемонстрировала находки (тут вы можете считать себя достаточно удачливым человеком), другая же половина предпочла не тратить деньги. Но это не имеет значения, потому что все презентации были идентичными. Где бы ни стояли телескопы: в Китае, Австралии, Европе, в центре Тихого океана или в Антарктиде, – все, кто вернулся к вам, увидел в небе один и тот же феномен: прямо над их головами далекие галактики получали странное смещение спектров. Все галактики расходились. И чем дальше они находились, тем быстрее разбегались в стороны. Все друзья стали свидетелями расширения Вселенной.

Какой вывод следует сделать?

Пока вы пребываете в раздумьях, странная мысль, уже посещавшая вас в конце прошлой части, снова возникает в вашем уме.

Для начала странная видимая Вселенная стала сферой с вами в центре, а теперь еще и расширение...

Существует ли оно на самом деле?

Если все и везде отдаляется от Земли, то не значит ли это, что все матери на Земле правы, полагая, что их ребенок – центр Вселенной?

Как поразительно ни звучит, но кажется, это действительно так.

Какая прекрасная новость, какой радостный день! Если кто-то из ваших друзей окажется поблизости, пока вы читаете эти строки, можете смело откупорить шампанское. В конце концов, мы *оказались* особенными. Особенно вы. В конце концов. Доказано. Коперник был неправ. Ему следовало прислушаться к своей матери. Матери всегда правы. Все мы, живущие на Земле, находимся в центре нашей Вселенной.

Но подождите, подождите, подождите...

А как насчет матерей на далеких планетах, в других галактиках?

Если бы они существовали и думали, как наши матери, значит ли это, что они были бы неправы относительно своих детей?

Или это доказательство того, что никаких матерей нигде больше не существует? Конечно же, нет.

Несмотря на то что вы видели, что мы находимся *не в центре* Солнечной системы, как и сообщил нам Коперник 400 лет назад, большинство (если не все) ученых сегодня считает, что наше положение во Вселенной является не более предпочтительным, чем любое другое. Как ни странно, это не означает, что мы не в центре нашей видимой Вселенной. Мы в центре. Как и любое другое место. Любое место находится в центре видимой оттуда Вселенной.

Это весьма авторитетное мнение даже привело ученых к созданию следующих дополнительных космологических принципов*: для разгадки того, что

---

* Помните, первый космологический принцип состоит в том, что законы природы — какими бы они ни были — одинаковы везде.

происходит где-то там, очень-очень далеко от нашей планеты, ученые предполагают, что нигде во Вселенной не существует привилегированного положения – это **второй космологический принцип** – и что если какому-то избранному наблюдателю придется путешествовать по ней, то все направления всегда будут выглядеть для него одинаково: далекие галактики всегда будут удаляться с того места, где он находится, так же как они удаляются от нас здесь, на Земле, – это **третий космологический принцип**.

Если вы воспользуетесь моментом, чтобы обдумать это до того, как друзья откажутся от шампанского, третий космологический принцип покажется заведомо неправильным.

Мир явно не выглядит одинаково оттуда, где вы находитесь сейчас, читая эту книгу, и из душевой кабины (если только вы не читаете книгу, принимая душ). Еще раз по порядку: третий космологический принцип не волнует находящееся рядом. Он касается только общей картины мира. В масштабах, намного превышающих галактики. Он говорит о том, что Вселенная в сверхбольших масштабах выглядит примерно одинаково в любом избранном вами направлении.

Тем не менее звучит неубедительно, не так ли? Разве вы не пролетели всю Вселенную в первой части? Разве не видели в далеком космосе места, в которых Вселенная выглядела иначе, чем с Земли? Вы даже преодолели путь длиной в тысячи световых лет, где не сияли звезды, побывав в так называемых космических Темных веках. Как же может Вселенная выглядеть одинаково с Земли и с места, где звезд нет вообще?

Что ж, наступило время понять, что я действительно имею в виду, когда говорю, что в первой части вы путешествовали не по Вселенной, какая она есть, но по Вселенной, *какой она видна с Земли*. Это не совсем одно и то же. Помните: Вселенная, появляющаяся ночью, не соответствует тому, чем является Вселенная *сейчас*. Она соответствует кусочку своей минувшей истории, истории с центром на Земле, потому что мы находимся на Земле. Мы получаем ее цветные изображения каждый день, из любой точки планеты. Согласно третьему космологическому принципу, живущие на далекой планете гипотетические инопланетяне должны видеть Вселенную в точности как мы. Не в подробностях, конечно, но в больших масштабах. Они тоже окружены всем количеством информации, достигающей их из прошлого, они тоже видят в своем ночном небе кусочек истории нашей общей Вселенной. У них собственные космические Темные века и поверхности последнего рассеяния. У них есть все это, даже если их следы никогда не пересекутся с нашими.

ВСЕЛЕННАЯ, ПОЯВЛЯЮЩАЯСЯ НОЧЬЮ, НЕ СООТВЕТСТВУЕТ ТОМУ, ЧЕМ ЯВЛЯЕТСЯ ВСЕЛЕННАЯ СЕЙЧАС. ЧТОБЫ ПОНЯТЬ НАШУ ВСЕЛЕННУЮ, В НЕЕ НЕОБХОДИМО ДОБАВИТЬ ВСЕ ПРОШЛЫЕ ИСТОРИИ ИЗ ВСЕХ ТОЧЕК ВСЕЛЕННОЙ.

В итоге, чтобы понять нашу Вселенную, чтобы получить ее полную картину, в нее необходимо добавить все прошлые истории из всех точек Вселенной. Естественно, что места, находящиеся рядом, имеют истории, пересекающиеся в очень многих точках, а места, разделенные большими пространственными расстояниями, могут вообще не иметь никаких общих точек. Тем не менее все они должны считаться эквивалентными. Это то, что означает на практике третий космологический принцип. Вы услышите о нем чуть позже.

Кстати, это также означает, что, даже если вы не занимаете особого положения во Вселенной, но вы по-прежнему — как, конечно, полагала ваша мать — находитесь в центре *вашей* видимой Вселенной.

И если вы ощущаете, что всегда так и думали, то, пожалуйста, наполните ваше тело и ум потоком радости. Это прекрасные новости.

Повторюсь: вы *находитесь в центре* вашей Вселенной.

Теперь о том, что может заставить почувствовать себя менее хорошо, и это — ваш сосед: он или она находится в центре его или ее видимой Вселенной.

И все остальные тоже.

И всё остальное тоже.

Мы все и всё вокруг находимся в центре нашей собственной Вселенной, которую можем исследовать с помощью доходящего до нас света. Только в отдельных весьма особых случаях видимые вселенные двух людей могут совершенно совпасть. Выяснение того, когда и каким образом это может произойти, я оставляю вам.

Так что, как говорится, настало время вглядеться немного пристальнее в растягивающее Вселенную расширение.

Оно происходит реально?

Да. Расстояния между дальними галактиками действительно все время растягиваются. Хоть это не относится к близлежащим объектам, потому что гравитация в малых масштабах сильнее. Галактики создают гравитационное притяжение, что сводит на такое расширение на нет, как в пределах их границ (расстояние между Солнцем и близлежащими звездами не расширяется), так и вокруг них (в настоящий момент соседние галактики все время становятся все ближе и ближе). Для больших расстояний, однако, расширение имеет место.

Открытие расширения Вселенной в 1929 году принадлежит американскому астроному Эдвину Хабблу, а закон, связывающий путь расходящихся галактик с их расстоянием до нас, называется *законом Хаббла.* В силу этого открытия Хаббла по праву можно считать одним из отцов современной наблюдательной космологии. Он также является человеком, который вместе с Эрнстом Эпиком доказал, что Млечный Путь – еще не вся Вселенная и вне его существуют другие галактики. Два открытия, безусловно, достойные Нобелевской премии, если бы они были сделаны сегодня. Однако в то время наблюдения за звездами и попытки понять их не рассматривались как часть физики ни физическим сообществом, ни Нобелевским комитетом. Как следствие, Хаббл так никогда не получил Нобелевскую премию. Но после его смерти правила изменились, и многие премии с тех пор были присуждены представителям наблюдательной космологии. С некоторыми из них вы встретитесь в этой книге.

Теперь, пока вы собираетесь понять необыкновенные последствия закона расширения Хаббла, вы, скорее всего, будете шокированы тем, насколько яркие ученые могут иногда появляться на небосклоне науки.

При помощи уймы размышлений и примерно в два раза больше среднестатистического количества выпитого кофе они выяснили, что если все находящееся далеко в нашей Вселенной сейчас удаляется от нас, то все, что сейчас далеко, вероятно, было ближе в прошлом.

Ух ты!

К разговору о прорывах.

Вы можете попытаться когда-нибудь провести нить рассуждений самостоятельно, этого уже вполне будет достаточно для осознания.

На самом деле, хотя данная мысль может не показаться значимой, она стала настоящим откровением.

Как я уже говорил выше, сам Эйнштейн отказывался верить в нее.

Почему?

Почему имеет значение то, что далекие галактики удаляются или, если на то пошло, были ближе в прошлом?

Вспомните: основанный на наблюдениях закон Хаббла гласит, что расширяется само расстояние между галактиками, а не просто галактики разбегаются друг от друга.

Другими словами, расширяется именно ткань Вселенной.

Следуя этой идее до конца, должно оказаться так, что в совокупности Вселенная в прошлом была меньше.

Но как такое могло случиться?

И можно ли это доказать?

Можно. Снова заглядывая в глубины космоса. Там находится прошлое, существующее, чтобы мы получили его сообщения. И стена, которую вы видели в конце видимой Вселенной, блестяще (хоть там и темно) все подтверждает, а почему – вы увидите в следующей главе. Но для начала придется снова отправиться в открытый космос, чтобы поближе познакомиться с гравитацией.

ГЛАВА 6

ОЩУЩЕНИЕ ГРАВИТАЦИИ

Из четырех типов фундаментальных взаимодействий, управляющих Вселенной, гравитация, возможно, наиболее известна*. Каждый раз, падая, используя мышцы ног, чтобы заставить себя подняться, поднимая что-нибудь, тело напоминает вам о ее существовании.

Все зависит от гравитации.

Но все же и *создает* гравитацию. В том числе и вы, и хрустальные вазы, которые двоюродная бабушка из Сиднея продолжает присылать на Рождество.

Говоря о вазах, представьте, что вы взяли одну из них с собой на остров.

Взгляните на нее.

Теперь уроните ее на твердую поверхность.

Она упадет и разобьется на куски.

Затем можно представить себе, как вся ваша коллекция падает на твердый пол в тех местах Земли, которые вы сможете придумать.

---

* О трех других фундаментальных взаимодействиях вы узнаете очень скоро, в третьей части.

Удивительно, но вазы всегда будут падать. И разбиваться. Где бы вы ни были.

Прекрасно.

Мало того что такой эксперимент избавит вас от ваз, он еще и докажет следующее: любое тело плотнее воздуха, которое уронили на Земле, будет падать на ее поверхность в соответствии с тем, как считал Ньютон (и любой здравомыслящий человек).

А как насчет объектов легче* воздуха? Почему гелиевые шары поднимаются в небо, а не падают? Разве они не ощущают притяжения Земли?

Ощущают. Но существует некая иерархия.

Всякий раз, когда объекты притягиваются Землей, самые плотные из них имеют тенденцию оседать ниже остальных. Если нам кажется, что объекты легче воздуха взлетают, то так происходит потому, что воздух внизу плотнее и занимает свое место. Если бы воздух был видимым, вы бы заметили его. Но он невидим, и вы наблюдаете только результат: объекты легче воздуха выталкиваются вверх невидимым воздухом, который располагается под ними. Притяжение – крайне занятная вещь. Оно всегда заставляет вещи падать. Но иерархия создает слои, и некоторым объектам приходится двигаться вверх, чтобы освободить место более плотным.

ПРИТЯЖЕНИЕ — КРАЙНЕ ЗАНЯТНАЯ ВЕЩЬ. ОНО ВСЕГДА ЗАСТАВЛЯЕТ ВЕЩИ ПАДАТЬ.

Имея это в виду, вы можете рассматривать Землю как огромный шар с массой вещей, прилипших к ее

* «Легче» в этой главе следует понимать как «менее плотный».

поверхности из-за созданной планетой в ткани Вселенной крутой параболы. Все видимые вами когда-либо объекты, включая *вас*, скользят вниз по ее склону, пока пол или что-то еще более плотное не удержит вас и их от дальнейшего скольжения. Горные породы в земной коре плотнее воды. Именно поэтому океан лежит в углублениях на поверхности земли. Скалы и вода плотнее воздуха. Вот почему атмосфера покрывает поверхность нашей планеты, будь та в твердом или в жидком состоянии.

Мы, люди, живем под сотней километров воздуха, прилипшего к поверхности нашей планеты. Мы плотнее его. Мы не летаем. Но мы легче почвы. Таким образом, мы существуем на ней. Правда, иногда некоторым предметам или животным все-таки удается покинуть землю, оказавшись в небе, но это требует от них затрат энергии, и, как правило, проходит не так много времени, прежде чем они начинают падать обратно, если, конечно, они не легче воздуха, что неслыханно (и было бы весьма прискорбно) для любого животного.

Теперь о том, как все падало бы, не будь рядом Земли.

Ваш тропический остров, воскресное утро. Друзья приносят вам завтрак каждое утро с момента странного путешествия вашего разума, и им явно становится все более и более любопытен ваш рассказ. Некоторые из них даже задаются вопросом, действительно ли вы видели то, о чем говорите. Другие перестали спать по ночам, опасаясь смерти Солнца. К сожалению, скорее всего, они именно те, кто активно ищет способ заставить вас перестать все время об этом говорить. И, кажется, они его нашли.

Вы открываете глаза.

Крошечные пылинки продолжают мерцать и кружиться в утренних лучах Солнца, даже если они тоже ощущают тяготение, думаете вы, и тут кто-то стучит в дверь.

– Открыто, – кричите вы, усаживаясь на кровати и ожидая увидеть улыбающегося друга и, возможно, поднос с фруктами и кофе.

Дверь открывается. И там она. Ваша двоюродная бабушка. Из Сиднея.

Рядом с ней три сумки, доверху заполненные хрустальными вазами. Кажется невероятным, но они даже уродливее тех, что вы собирались разбить для проведения гравитационного эксперимента.

Нисколько не удивившись, что застала вас в постели, она заходит в комнату, приближается к кровати, похлопывает вас по щеке и, молча улыбаясь, вручает одну из ваз. На лице ее выражено понимание того, что простыми словами вряд ли можно передать вашу радость по поводу ее неожиданного визита.

С вазой в руках вы закрываете глаза, чтобы успокоиться, внезапно отчаянно желая очутиться где-нибудь в другом месте.

И когда снова открываете глаза, вы именно там.

Где-то в другом месте.

В космическом пространстве.

Вилла, рассвет, кровать, двоюродная бабушка – все исчезло.

Вы вернулись к звездам, как и в первой части книги, но теперь все кажется намного безопасней, чем тогда.

Оглядевшись вокруг, вы не можете удержаться от широкой улыбки.

Никаких признаков немедленного взрыва.

Никакой расплавленной Земли.

Все звезды далеко, все спокойно.

Вы парите посередине кажущейся бесконечной тьмы, усеянной крошечными огоньками.

Когда в первой части вы обнаружили себя в космосе, то были просто разумом. За исключением того момента, когда вас выбросило из черной дыры, вы вообще ничего не чувствовали. Однако на этот раз вам предстоит испытать нечто другое. Вы по-прежнему в некоем путешествии разума, но не покинули своего тела. Вы под надежной защитой скафандра, пребывая в состоянии невесомости.

Все кажется настолько реальным, что вас начинает по-настоящему подташнивать, но вскоре вы адаптируетесь и замечаете, что хотя двоюродной бабушки поблизости больше не наблюдается, но вы по-прежнему держите в руках подаренную вазу.

Ухмыляясь, вы снова оглядываетесь по сторонам, но тут нет ничего, обо что ее можно разбить. Ни Земли. Ни звезд.

Не растерявшись, вы решаете проделать еще один гравитационный эксперимент.

Вытянув руку вперед, вы разжимаете пальцы и отпускаете вазу. Но, насколько вы можете видеть, она остается там же, где и была. Проходит минута. Вторая. И еще – и ничего не меняется.

Ну, если только ваза не подплыла чуть поближе. Но не намного. Ничего стоящего особого упоминания.

В конце концов, устав смотреть на это безобразие, вы отталкиваете вазу кончиком пальца и наблюдаете, как она медленно уплывает прочь по кажущейся прямой линии. Скатертью дорога.

Если бы вы ее не оттолкнули, ваза осталась бы рядом. Она не упала бы. Да и в каком направлении она может упасть? При отсутствии планет, звезд, а также понятий «вверх-вниз» или «вправо-влево»? В центре ничего все направления абсолютно идентичны. Не существует никакой поверхности любого рода для притяжения вазы, если, конечно, вы не считаете ею *себя*. Но это значило бы оскорбить свою особу, не так ли? Что ж… когда речь идет о природе, не стоит принимать что-либо слишком близко к сердцу, ибо по прошествии некоторого времени, проведенного вами за бездельем, к великому разочарованию, вы видите возвращение вазы. Гравитация работает. Гравитация, создаваемая *вами*.

Хотя тут возникает странный вопрос: это ваза плывет к *вам* или *вы* к вазе? Всем остальным вы можете сказать, что ваза вполне может оказаться поверхностью, на которую вы падаете. К сожалению, додумать идею до конца не удается, потому совсем рядом проносится астероид, разъединив вас и уже довольно близко подплывшую вазу невидимыми гравитационными пальцами.

Если бы вас спросили, вы бы, вероятно, ответили, что, будучи тяжелее, вы первым достигнете астероида. Но нет. Ничего подобного. Вы и ваза касаетесь пыльной каменистой поверхности одновременно, и, как только ноги ощущают мягкую почву, вы тут же хватаете неудавшееся произведение искусства, чтобы разбить его вдребезги.

К сожалению, поверхность астероида не столь тверда, как земная, и ваза не разбивается. Вместо этого вас сразу же окружает огромное облако космической пыли... Раздосадованный, вы подбираете вазу и изо всех сил зашвыриваете ее в космос, чтобы избавиться от нее раз и навсегда. На этот раз шансов на возвращение у вазы не остается, и вы с облегчением вздыхаете, глядя сквозь облако пыли, как она растворяется вдали, обреченная вечно вращаться вокруг самой себя.

Наконец-то вы одни!

Теперь можно расслабиться, насладиться нетронутым космическим пейзажем и выяснить, как познакомиться с гравитацией ближе, чем кто-либо прежде.

Пока вы размышляете, астероид, на котором вы стоите, перестает продвигаться вперед. Его траектория только что изменилась в направлении темного застывшего мира — планеты без звезды, блуждающей посреди ничего в напрасных поисках сияющего нового дома. То есть опасность все-таки была. Вы просто ее не заметили.

В то мгновение, когда астероид резво ныряет вниз в сторону планеты, вы чувствуете, как все внутри сжимается в комок, и почти уверены, что он выбрал идеальный курс для столкновения, чтобы расплющить вас о поверхность холодного, давно мертвого мира. Вы, конечно, слышали, что перед лицом неминуемой смерти людям, как правило, приходят на ум давно забытые воспоминания или же они видят мгновенно пролетающую перед их глазами жизнь. Но с вами ничего такого не происходит. Вы не можете думать ни о чем, кроме лица двоюродной бабушки, обвиняя ее и вазу в верной смерти, ожидающей ваше тело.

В героических усилиях спасти свою жизнь вы сильно отталкиваетесь, спрыгиваете с астероида и пытаетесь отплыть подальше от планеты. Сразу после такого поступка вы понимаете две вещи: во-первых, вопреки тому, что вы думали, вы находитесь не на траектории полета, ведущего к столкновению, а во-вторых, хоть спрыгнуть с астероида и возможно, но плыть в космическом пространстве нельзя.

Словно на межзвездных американских горках, вы разгоняетесь все сильнее и сильнее, скользя вниз по склону, создаваемому планетой в ткани Вселенной. Как и следовало ожидать, вы в конечном итоге не долетаете до ее поверхности несколько тысяч миль и, развернувшись прямо над ее темной, холодной поверхностью, подобно рогатке, выстреливаете обратно в космос вместе со своим астероидом, летящим с гораздо большей скоростью, чем до падения. Вы и астероид только что фактически украли некоторое количество кинетической энергии этого мира, уподобившись мячу для гольфа, который, пропустив коварно движущуюся лунку, вращается вокруг ее края, пока не выпрыгнет из нее и неожиданно не покатится *дальше быстрее*, чем когда вы его забивали. С неподвижной лункой такого произойти не может, как и с неподвижным миром. Но с движущейся – вполне, как и с движущейся планетой.

Несколькими минутами позже мертвая планета исчезает вдали, а вы приземляетесь обратно на поверхность вашего астероида. Как ни странно, вы понимаете, что он никогда не переставал притягивать вас, и, что еще более странно, замечаете, что вы оба следовали весьма похожим путем вокруг исчезнувшего теперь мира.

То, что ваза, составляющая одну сороковую вашего веса, обязана, как и вы, падать на астероид, может быть удивительным, но то, что на ту же планету должен вместе с вами упасть и астероид размером с небольшую гору, — досадно. Тем не менее это и случилось. Похоже, все объекты тождественным образом падают на планеты или друг на друга, независимо от массы. Как ни любопытно может прозвучать, но Солнце и перо будут падать абсолютно одинаковым образом по отношению к астероиду, планете или чему-то еще. Так происходит, потому что подверженность гравитации означает путешествие вниз по склонам, создаваемым материей и энергией в ткани Вселенной.

Вполне понятно, что вы усаживаетесь на поверхность астероида, чтобы дать этой мысли оформиться.

Вы смотрите в космическое пространство.

Но ни одна имеющая смысл идея не приходит на ум.

Тем не менее вы продолжаете пытаться, и в конечном счете упорство вознаграждается сторицей, внезапно вызвав в вашем уме необычайно красивую картину.

Вы начинаете видеть кривые, склоны и параболы повсюду: вокруг астероидов, далеких планет, звезд и галактик. Доходящие из далеких ярких источников лучи света кажутся скользящими по этим склонам, оставляя за собой затухающие флуоресцентные линии, чтобы, увидев их, вы могли представить себе реальный образ холста Вселенной. Вы замечаете, что ни материя, ни вы, ни свет в космосе не движетесь по прямой линии, как можно было подумать. Вблизи галактики, звезды,

ВСЕ И ВЕЗДЕ В НАШЕЙ ВСЕЛЕННОЙ ДВИЖЕТСЯ. ДАЖЕ ЕЕ ТКАНЬ.

планеты или даже небольшого астроида свет отклоняется. Чем большей плотности объект и чем ближе к нему проносящийся мимо луч, тем сильнее изгиб. Передвигаясь, планеты, звезды и галактики тоже создают кривые и склоны, следуя которым они танцуют вокруг друг друга и сливаются. Все и везде в нашей Вселенной движется. Даже ее ткань.

Кажется, что эта самая ткань, очертания которой вы видите, ткань, остававшаяся невидимой для вас до сих пор, на самом деле выглядит почти живой.

Наблюдая эту картину, сидя на астероиде, вы скользите вниз по кривой, точно так же как и сейчас, читая эту книгу. На астероиде кривую создает его вес. В случае с вами, читающим эту книгу, это – Земля. У астероида кривая пологая, и вам не потребуется много энергии, чтобы его покинуть. У Земли кривая гораздо круче.

Если у вас отсутствует впечатление падения во время чтения, то только потому, что земля под вашими ногами или стул, на котором вы сидите, мешают его ощутить. Но вы, вероятно, чувствуете, что на ваши плечи (а на самом деле на все тело) что-то давит. Все время. Хотя, если бы вы читали эти строки, выпрыгнув из самолета без парашюта, то действительно падали бы вниз по созданной Землей кривой, пусть даже присутствие воздуха и замедлило бы ваше падение. Такое падение в складки ткани Вселенной является наиболее естественным движением для всех объектов в ней.

Когда вы впервые оттолкнули от себя уродливую вазу, она медленно вскарабкалась по невидимому склону, созданному *вашим* присутствием, а затем скатилась туда же, так же как любой подброшенный вверх с поверхности Земли объект постепенно замедляет скорость, а затем ускоряется по мере падения вниз.

Чтобы вытолкнуть его в космос, объект нужно выстрелить с поверхности Земли строго вертикально со скоростью более 40 320 километров в час. Если скорость окажется меньше, он рухнет вниз*. Всегда.

Таким образом, чтобы избежать вашего гравитационного притяжения (не следует путать с вашей притягательностью), также требуется минимальная скорость, такая же, как если бы вы попытались забросить детский шарик в земляную лунку.

Вы недостаточно сильно оттолкнули вазу, и она вернулась обратно потому, что вы тоже искривляете ткань Вселенной.

А потом, когда вы мчались к мертвой планете и, сильно оттолкнувшись и используя ее собственное движение, унеслись прочь, вы неосознанно использовали технологию, которую специалисты по космическим ракетам используют для отправки бестопливных спутников далеко в Солнечную систему. Располагая аппараты рядом с планетами под нужным углом и на правильно выбранном расстоянии, они могут заставить их с повышенной скоростью совершать прыжки

---

* Скорость выстрела из любой винтовки гораздо ниже, так что пули всегда падают на землю, даже если стрелять в небо. Так что и не пытайтесь. Скорость 40 320 километров в час называется *скоростью убегания*, или *второй космической скоростью Земли*. Для сравнения: та же скорость для Солнца составляет около 2,2 миллиона километров в час, в то время как напоминающая резиновую утку комета, на которую высадился космический зонд Philae Европейского космического агентства в 2014 году, имеет скорость убегания всего 5,4 километра в час. Чтобы спрыгнуть с нее, достаточно будет приложить небольшое усилие.

в сторону отдаленных областей наших космических окрестностей.

Мысли затопляют ваш мозг, теперь вы осознаете, что даже на Земле все и все время действительно падает вниз по склону, созданному материей нашей планеты. И что это происходит потому и из-за того, что она состоит из слоев, начиная с верхних слоев атмосферы и заканчивая внутренним ядром, с наименее плотными частицами вверху и самыми плотными, похороненными глубоко внутри. Потребовались миллиарды лет для достижения такого равновесия.

Теперь, сознаете ли вы это или нет, но вы полностью избавились от мысли, что притяжение является силой. Скорее, вы воспринимаете ее как ландшафт кривых, парабол и склонов, и кажется, это и был урок, для усвоения которого пришлось отправиться в космос, потому что как только вы об этом задумываетесь, то сразу же оказываетесь на своей вилле, лежа в кровати и глядя на, похоже, слегка озадаченную двоюродную бабушку.

– Разве я только что не отдала тебе вазу? – удивляется она, не видя ее в ваших руках.

– Какую вазу?

– Пустяки, дорогой, не обращай внимания.

– Но… что ты здесь делаешь? – спрашиваете вы.

– Меня вызвали твои друзья. Сказали, что у тебя галлюцинации. О гравитации. Когда доживешь до моего возраста, поймешь, что ее сила – тяжелая ноша. Но ты молод и не должен слишком о ней беспокоиться. А теперь взгляни на мои вазы. Разве они не прекрасны?

– Гравитационной силы не бывает, существуют только склоны, – довольно хмуро отвечаете ей вы, молча проклиная друзей-предателей.

— Ах, склоны, да, я знаю, — неожиданно произносит она, занимаясь распаковкой ваз.

И, к вашему большому удивлению, она даже парирует, что с точки зрения гравитации понятия «сила», «склон» или что-либо еще никогда не имели для нее никакой разницы. Разве мы обычно не слышим крики: «Помогите! Я падаю!» — вместо: «Помогите! Меня притягивает!»? Глупо устраивать шумиху по такому идиотскому поводу.

И потом она начинает украшать вашу до сих пор со вкусом обустроенную виллу дюжиной привезенных ваз, а вы молча наблюдаете за ней, думая про себя, что жизнь все-таки жестокая штука.

В ту же ночь, когда вам все же удается удрать, чтобы побыть некоторое время в одиночестве, вы отказываетесь от относительной цивилизованности виллы в пользу того, чтобы прогуляться по пляжу и посмотреть на звезды.

Комментарий двоюродной бабушки по поводу гравитации не дает вам покоя, и вы пытаетесь суммировать все, что только что узнали.

В ткани Вселенной существуют наклонные складки.

Все создает склон в любом направлении, невидимый склон, называемый нами гравитацией, и чем плотнее создающий его объект, тем круче склон. Но если все крупные объекты искривляют ткань Вселенной, значит, то же делает и свет, думаете вы, потому что энергия — это масса, а масса — энергия, в соответствии с формулой $E = mc^2$.

Но так ли на самом деле?

Действительно ли все искривляет эту ткань, включая свет? И, черт побери, из чего она состоит?

Ощущали ли вы ее когда-нибудь на своей вилле или где-либо еще? Чувствовали ли вы когда-нибудь невидимый склон, созданный стеной? Диваном? Потолком? Или небом? Или исходящим от лампы светом? Нет, не чувствовали. Вы ощущали только того, кто был создан нашей планетой целиком и полностью, чьи мышцы и кости по утрам борются с необходимостью вставать. Если бы вы были созданы из одной воды, вы бы выплеснулись и растеклись по полу, а не по стене.

На самом деле, независимо от ощущаемой вами прямо сейчас гравитации, на самом деле, она является суммой *всех* склонов, созданных всем окружающим, включая стены, потолок и даже птиц или самолет, пролетающий в данный момент высоко над вашей головой.

Но все, что находится сейчас под вами, гораздо значимее того, что располагается над вами. Земля под вашими ногами содержит больше материи и скрытой энергии, чем небо над головой. Таким образом, она создает более крутой склон. Следовательно, вы скользите вниз быстрее и ощущаете ее сильнее. Такова гравитация Земли.

А как насчет ткани Вселенной? Что это за ткань? *Что* ее изгибает?

На самом деле это как раз то, что выяснил Эйнштейн.

Через $E = mc^2$ он доказал, что различие между массой и энергией излишне, что масса и энергия — лишь два аспекта одного и того же. Это случилось в 1905 году. В 1915 году Эйнштейн показал, что очертания Вселенной в любом месте определяются массой и энергией, присутствующими там. Попутно он избавился от идеи о том, что гравитация является силой. Гравитация лишь геометрия. Кривые и склоны, созданные материей и энергией. Но геометрия чего? Ясно, что нет такого понятия, как космическая, растягивающаяся, покрытая мылом прорезиненная ткань, по которой движется все, но вспомните: то, что мы не видим чего-то, еще не означает, что оно не существует. До того как человечество поняло, что невидимый воздух вокруг состоит из атомов и молекул, все думали, что в нем ничего нет.

Здесь тот же вид концептуального расхождения во взглядах: космическое пространство, несмотря на кажущуюся пустоту, не пусто. И не статично.

То, что делает его перемещающимся и изменяющимся геометрическим объектом, есть именно то, что я до сих пор называл «тканью Вселенной».

Эйнштейн обнаружил, что эта ткань представляет собой смесь пространства и времени, двух величин, которые, как мы поняли в течение прошлого столетия, нельзя разделить.

Ткань Вселенной, таким образом, теперь более известна под именем *пространство-время* или *пространственно-временной континуум*, и общая теория относительности Эйнштейна говорит, каким образом искривляется это пространство-время, что оно содержит и наоборот. Энергия и материя, с одной стороны, и пространственно-временная геометрия, с другой стороны, являются в отношении гравитации идентичными понятиями.

Однако до сих пор вы испытали только искривление пространства. Но не времени. По крайней мере вы так думаете. На самом деле искривление времени происходило всегда. Оно происходит вокруг прямо сейчас, пока вы читаете. Его эффект слишком слаб, чтобы восприниматься чувствами, но скоро вы окажетесь в таких местах, где искривление времени будет очевидно и весьма запутанно. Это произойдет в самолете, в третьей части, а затем, когда вы в конце концов нырнете в черную дыру в шестой части.

Но сейчас вы вернулись на свой пляж и наблюдаете за звездами. Уже поздно, но вас это не волнует. Вы смотрите на небо и, конечно же, отдаетесь на волю замечательных идей, кажущихся совершенно сумасшедшими, но по какой-то чудесной причине довольно хорошо описывающих нашу космическую реальность.

Благодаря искривлению нашей планетой пространства-времени все, оказывающееся достаточно близко, падает по направлению к ее поверхности, преумножая искривление. Вследствие этого на протяжении многих миллиардов лет, с тех пор как Земля родилась из облака космической пыли, было достигнуто равновесие: наша планета получила атмосферу, в настоящее время защищающую нас от безвоздушного космического пространства, позволяющую нам существовать за счет вдыхаемого воздуха и дающую нам возможность иногда смотреть на небо.

Вне атмосферы, вдали от Земли находится Луна, вращающаяся вокруг нашей планеты, как мраморный шарик в миске, с той лишь разницей, что сама Луна также создает искривление пространственно-временного континуума. Искривление Луной пространства-времени заставляет воду, находящуюся на поверхности Земли, падать по отношению к Луне. Именно поэтому вода следует за вращающейся вокруг нашего мира Луной, создавая приливы*.

Далее существует еще и Солнце с крутым пространственно-временным склоном, по которому скользят вниз и вращаются с разными скоростями и на разной высоте все планеты, кометы и астероиды Солнечной системы, подобно мраморным шарикам по стенкам уже упомянутой миски.

И еще существует конкуренция с соседними звездами. Еще дальше искривление другими звездами пространства-времени становится более выраженным, чем у Солнца; и находящиеся недалеко от границ их влияния далекие кометы иногда могут достигать вершины параболы и переходить из царства одной звезды в царство другой, подобно тому как выброшенный из одной миски мраморный шарик может очутиться в другой поблизости. А в космосе всегда есть что-то поблизости.

И все искривление пространства-времени всеми звездами галактики Млечный Путь складывается вместе, создавая гравитационное поле Галактики, конкурирующей с соседними галактиками, а затем и сама Местная группа конкурирует с общим искривлением другими группами и т. д. А Эйнштейн придумал способ объединить все в одну-единственную формулу. Молодец, Эйнштейн!

Вам почти уже хочется, чтобы он сейчас возник перед вами и вы могли пожать ему руку, но вас не

---

* Луна, конечно, также притягивает и все остальное, в том числе и твердую кору нашей планеты, нас, чашки и ложки, но они являются твердыми (и/или меньшими по размеру) веществами, поэтому эффект менее заметен.

покидает ощущение, что осталось выяснить кое-что еще. Лежащее еще глубже. Но что? Разве вы не читали, что Эйнштейн открыл дверь теории, что наша Вселенная может иметь историю? К тому, что Вселенная в прошлом была меньше?

Вы садитесь на пляже и, сосредоточившись, закрываете глаза, готовясь представить себе, чем бы это могло быть.

ГЛАВА 7

КОСМОЛОГИЯ

В жизни существуют некоторые вопросы, на которые можно дать единственный и бесспорный ответ. К сожалению, несмотря на виденное вами только что, однозначного ответа, как выглядит Вселенная в целом, не существует. Уравнения Эйнштейна допускают множество различных глобальных форм Вселенной, и, как вы увидите в шестой части, мы до сих пор точно не знаем, из чего она состоит.

Сказав это, возможно стоит напомнить, что физика, какой бы могущественной она ни стала сейчас, никогда не отражает реальность *абсолютно* точно. Она даже не стремится к такой цели, потому что это означало бы, что реальность, какой бы она ни была, можно познать *абсолютно.* Что невозможно. Наблюдения и эксперименты, несмотря на их точность, всегда дают приблизительный ответ: существует вероятность погрешности, даже самой ничтожной.

Кроме того, оглядываясь назад, мы знаем, что на протяжении всей истории человечества технологии, с помощью которых мы, люди, осваивали природу, весьма редко совпадали с уровнем возможных прогнозов физики того времени, что иногда приводило к ложным убеждениям. Если бы пару веков назад вашему предшественнику каким-то образом удалось бы узнать о существовании некоторых бактерий, размер которых не превышает одной тысячной толщины человеческого волоса, ни один из его современников не смог бы проверить это. Так что ученому, возможно, пришлось бы провести остаток своих дней в сумасшедшем доме за непозволительное запугивание людей. То же самое относится и к далеким галактикам. Если бы ваш предок еще и настаивал на их существовании, его бы и не стали никуда запирать, а просто сожгли заживо. Как Джордано Бруно. Необходимых технологий, чтобы заглянуть достаточно далеко в космос и представить себе его теорию, не существовало даже сто лет назад. Точно так же как не придумана еще технология, позволяющая проверить описанные мной в конце книги теории.

Как говорится, наука прогрессирует, иногда семимильными шагами, открывая путь для революций в понимании. Тем не менее может оказаться здравой позицией рассматривать науку как строительные леса мыслей, пытающиеся, поколение за поколением, быть как можно ближе к реальности, в которой мы живем; реальности, чьи тайны затем обнажаются в результате экспериментов. И тут стоит заметить, что, даже если в будущем что-то изменится, до сих пор ни человеческая деятельность, ни наука никогда не приводили к открытиям о природе, которые не были бы явственно видны. Вместе с тем необходимо смиренно преклонить колени перед величием природы и науки, ведь только наука подарила нам глаза, чтобы увидеть, как слепы были наши тела.

Итак, что же такого дало нам видение Эйнштейна, что отсутствовало раньше? Если его уравнения слишком сложно решить, то чем же они хороши? Если мы не знаем даже того, из чего состоит Вселенная, как можно их использовать? Хм, вопреки тому, что полагает большинство людей, ученые не любят сложностей. Они предпочитают, чтобы все было просто. И смысл, как правило, состоит в нахождении простого шаблона для, казалось бы, сложной системы. И здесь на помощь приходит остроумие. Итак, давайте посмотрим, что мы можем сделать из теории Эйнштейна за счет упрощения всего увиденного до самых больших возможных масштабов. Забудем о деталях. Посмотрим на *общую* картину. Нет ни астероидов, ни планет, ни звезд. Они слишком малы для того, что имеет здесь значение. Оставим на месте только галактики или даже скопления галактик. И вы можете увидеть все космическим дальнозорким глазом в таких пропорциях, что Земля, Солнце и сотни миллиардов звезд, составляющих Млечный Путь, окажутся лишь точкой, обозначающей ваше местонахождение.

Остальные галактики равномерно распределены вокруг, даже если видны их нитевидные структуры.

Хорошо.

Это просто. Это – первоначальная настройка. Вы вводите ее в уравнения Эйнштейна и смотрите, выходит ли что-нибудь в итоге. И ждете, волнуясь, не смея ожидать многого. А потом... о чудо! Работает! Куда ни бросишь взгляд, галактики и скопления галактик движутся вокруг друг друга ожидаемым образом, но это еще не все. Окружающая Вселенная, объем видимой с Земли Вселенной начинает расширяться. Пространство-время растягивается между всеми галактическими точками, заставляя их разбегаться, независимо от того, как они двигались друг вокруг друга! Каким бы ни было их движение в небольшом, локальном масштабе, сейчас они похожи на семена мака в пирожном или точки на поверхности надувающегося воздушного шара: чем дальше они от Земли, тем быстрее они разбегаются. Именно это увидели ваши друзья в свои телескопы за миллиард фунтов. Это – расширение Вселенной.

Подставив в уравнение Эйнштейна простую модель видимой Вселенной, вы получили то, что до появления Эйнштейна было немыслимо в любой момент истории человечества. Что-то соответствующее увиденному вами там, в небе, тому, что ученые видят каждый день: Вселенная может развиваться (согласно Эйнштейну) и развивается (согласно наблюдениям) сама по себе.

Из такой мысли и появилась *космология* – наука для выяснения прошлой и будущей истории Вселенной. До Эйнштейна имелась лишь *космогония* – истории, которые мы рассказывали сами себе, чтобы не сойти с ума от загадочного происхождения нашей реальности. Теперь у нас есть еще и наука. Средство для разгадки истории, написанной не людьми, а природой.

Наблюдая, как разворачиваются все окружающие вас точки, вы внезапно понимаете, что с помощью уравнения Эйнштейна действительно можете нажать кнопку перемотки в своем уме, заставив расширение прокручиваться в обратную сторону.

И нажимаете ее.

Вместо того чтобы расти, маковое пирожное видимой Вселенной немедленно начинает сдуваться. Ваш космический глаз видит его усадку: отдаленное прошлое теперь движется в направлении настоящего, к вам, поглощая образы грядущего.

Сжимается вся сфера, ограничивающая видимую с Земли Вселенную.

Сжимается еще больше.

Сжимается, пока не...

Около ста лет назад бельгийский физик и священник-иезуит Жорж Леметр решил внедрить три космологических принципа в простую, работающую, подобно воображаемому часовому механизму, Вселенную, чтобы понаблюдать за ее расширением и сжатием во времени. Его вывод был прост: похоже, что наша реальность, та самая реальность, воспринимаемая людьми как нечто само собой разумеющееся с тех пор, как они научились думать, имела начало.

Уравнения Эйнштейна быстро привели Леметра, а впоследствии и многих других ученых к очень запутанной идее, что Вселенная, хотя всегда и содержала всю ту же энергию, что и сейчас, когда-то вообще не имела размера.

Никакого размера в пространстве или во времени.

Идея, безусловно, звучала абсурдно и, возможно, до сих пор звучит именно так; но она была тем, о чем говорило уравнение Эйнштейна.

Из всего, что мы знаем сегодня, она, однако, кажется лучшей когда-либо придуманной человечеством идеей для понимания того, что мы видим в ночном небе.

Теория, утверждающая, что все содержащееся в видимой Вселенной когда-то имело нулевые (или весьма близкие к нулю) размеры на каком-то этапе своего прошлого, называется *теорией Большого взрыва (теорией «горячей Вселенной»)*.

«Горячая Вселенная» потому, что только очень горячее прошлое может заставить всю энергию видимой Вселенной сжаться до крошечных объемов. Сердце Солнца раскалено, так как вся содержащаяся в нем материя раздавлена собственной гравитацией Солнца. Сжав всю видимую Вселенную до размеров Солнца, вы получите еще один уровень «горячей Вселенной».

«Большой», потому что взрыв включает в себя всю видимую Вселенную.

И, наконец, «взрыв», потому что последовавшее затем расширение делает его похожим на взрыв в нашем прошлом, сразу после рождения Вселенной, хотя позже вы увидите, что это вообще не взрыв. «Необычайная! Потрясающая! Умопомрачительная! За гранью обжигающего накала! Горячая! Колоссальная! Повсеместная! Универсальная вспышка!» – такими словами можно было бы гораздо лучше описать произошедшее тогда, но «Большой взрыв» тоже достаточно эффектное и более скромное название.

БОЛЬШОЙ ВЗРЫВ ПРОИЗОШЕЛ НЕ В КАКОЙ-ТО КОНКРЕТНОЙ ТОЧКЕ ПРОСТРАНСТВА-ВРЕМЕНИ, А ВЕЗДЕ.

А скромным оно быть должно, потому что, даже если вашему космическому глазу может показаться, что все связанное с Большим взрывом сосредоточено на нашей планете Земля, это не так.

Как вы теперь видите, Большой взрыв произошел не в какой-то конкретной точке пространства-времени, а везде.

ГЛАВА 8

ЗА ПРЕДЕЛАМИ КОСМИЧЕСКОГО ГОРИЗОНТА

Когда вы лежали на пляже в самом начале путешествия, то задавались вопросом, является ли то, что видно на небе невооруженным глазом, всей Вселенной.

Теперь вы знаете, что нет.

Наши глаза позволяют обнаружить лишь несколько сотен звезд, причем все они принадлежат нашей Галактике – Млечному Пути, а также некоторые неясные следы (для тех, кто знает, куда смотреть) немногих других, близко расположенных галактик.

Используя телескопы и прочие мощные инструменты, вы теперь знаете, что вся наблюдаемая Вселенная неизмеримо больше видимой невооруженным глазом. Но и она имеет предел: поверхность последнего рассеяния.

Эта поверхность находится в нашем прошлом, около 13,8 миллиарда лет назад.

Но она также лежит и в космосе: в 13,8 миллиарда световых лет отсюда*.

Она ограничивает то, что мы можем видеть сегодня.

Любому свету, исходящему из более отдаленного источника, понадобилось бы преодолеть более 13,8 миллиарда лет, чтобы достигнуть нас. Но более

* На самом деле, она находится гораздо дальше, потому что Вселенная продолжала расширяться с тех пор, как ее покинул дошедший до нас сейчас свет. Физики подсчитали, что это расстояние сейчас составляет около 46 миллиардов световых лет.

13,8 миллиарда лет назад свет не мог свободно распространяться. Он застревал. Вся Вселенная была тогда слишком плотной. Свет смог свободно перемещаться сквозь пространство и время только 13,8 миллиарда лет назад, и поверхность последнего рассеяния – отпечаток, сохранивший данный момент. Рассматриваемая оттуда, она знаменует собой начало прозрачного пространства-времени. Наблюдаемая с Земли, она очерчивает края видимой Вселенной.

В некотором смысле эта поверхность – наш космический горизонт. Мы не можем видеть дальше. По крайней мере не с Земли.

С самого начала книги вы путешествовали по Вселенной с позиций Земли.

Вы всегда ограничивали себя видимой Вселенной, Вселенной, находящейся внутри нашего космического горизонта, горизонта, сводимого к нам.

Но как насчет Вселенной, видимой откуда-нибудь еще, из другого места, но не с Земли? Будет ли там космический горизонт по-прежнему сосредоточен на Земле?

Представьте себя на плоту посередине океана, вдали от земли. Горизонт отчетливо виден – это линия, разделяющая воду и небо. Оглянувшись по сторонам, вы можете увидеть, что он образует круг, в центре которого – *вы.*

Означает ли это, что вы находитесь в центре океана?

Конечно, нет.

Это означает, что вы находитесь в центре части океана, который можете увидеть, вашего *видимого* океана. Не существует никакого способа заглянуть за его края, за ваш горизонт.

Но это не означает, что за его пределами ничего нет.

Есть.

Конечно, есть.

Друг, плывущий на другом плоту, на некотором расстоянии от вас, также будет видеть окружающий горизонт. *Его* горизонт, ограничивающий *его* видимый океан.

Если друг достаточно близко, он мог бы оказаться в пределах вашей видимой досягаемости. Следовательно, ваши видимые океаны будут иметь некоторые общие волны, но он был бы в состоянии видеть в некоторых направлениях дальше вашего горизонта, так же как, в свою очередь, и вы.

ВИДИМАЯ С ЗЕМЛИ ВСЕЛЕННАЯ ЯВЛЯЕТСЯ СФЕРОЙ РАДИУСОМ В 13,8 МИЛЛИАРДА СВЕТОВЫХ ЛЕТ.

Но он также мог изначально оказаться за пределами вашего горизонта.

В таком случае вы также могли бы иметь общие части ваших видимых океанов, не подозревая о существовании друг друга.

Третья возможность заключается в том, что ваш друг изначально настолько далеко, что его и ваш видимые океаны не имеют ничего общего. Если посмотреть на вас сверху, это бы означало, что круги, ограничивающие поле видимости каждого, не пересекаются. Все, что мог бы увидеть он, будет полностью скрыто от вас. Он мог бы заметить несколько вулканических островов и китов, но вы бы ничего об этом не узнали.

В космосе происходит то же самое.

Видимая с Земли Вселенная является сферой радиусом в 13,8 миллиарда световых лет.

Но это не означает, что за ее пределами ничего не существует.

Кто-то еще, на другой планете, будет окружен собственным космическим горизонтом, с таким же радиусом в 13,8 миллиарда световых лет, потому что для Вселенной нет никаких оснований быть моложе или старше там, чем здесь.

Три уже знакомых вам космологических принципа иллюстрируют следующее: видимая Вселенная настолько удалена, что не имеет общей видимой части с нашей собственной, кажущейся нам похожей (не идентичной, но похожей) Вселенной, но подчиняется тем же физическим законам.

Даже если плот друга слишком далеко, чтобы его увидеть, вы не ожидаете обнаружить в видимом ему океане летающие горы.

То же самое касается космического пространства. Законы природы должны быть одинаковыми везде. И никакое особое расположение не должно отличаться в этом отношении от любого другого.

Отсюда следует, что видимая Вселенная глазами любых живущих во всей нашей Вселенной (за пределами видимой) существ также должна расширяться и подчиняться уравнению Эйнштейна, а это означает, что, если бы им пришлось перемотать время, они обнаружили бы там все тот же Большой взрыв. Большой взрыв, сосредоточенный в этот раз на них, а не на нас.

С таким видением *всей* нашей Вселенной такого понятия, как центр всего, не существует вовсе, и Большой взрыв произошел везде.

Разделяя такое представление, вы входите во вкус того, что называют *Мультивселенной*: вселенной, состоящей из множества изолированных вселенных, не способных общаться друг с другом, хотя все они принадлежат единому целому.

До конца книги вы рассмотрите четыре различных варианта таких мультивселенных. Это – первый сценарий, и я представляю его в первую очередь, потому что большинство ученых считают его верным.

Теперь, если принять его, разве не верно, что вся Вселенная – «всё», полученное в результате соединения вместе всех видимых отовсюду вселенных, бесконечна?

Нет. Например, весь океан, полученный из океана, сложенного из всех видимых с любого нравящегося вам количества плотов океанов, конечен.

Тогда получается, что вся Вселенная конечна?

Нет, она вполне может оказаться бесконечной.

Мы не знаем.

Как я уже упоминал в начале предыдущей главы, уравнения Эйнштейна, к сожалению, не дают нам ответа на данный вопрос.

Отлично.

Ну и что тогда доказано? Вы полагаете, не так много? Или даже ничего?

Может быть, даже теория Большого взрыва покажется вам необоснованной, просто абстрактной мыслью.

Что ж, чистая правда, что можно было бы утверждать, что увиденное вашими друзьями в небе (чем дальше далекие галактики, тем быстрее они удаляются от нас) просто указывает на то, что Вселенная *в настоящее время* растет. Многие возможные варианты прошлого могли привести к такому расширению. Нет необходимости выдумывать какой-то там Большой взрыв.

Да, можно было бы утверждать, что так и есть. Но недолго.

Наука – не политика.

Природа не слишком заботится о чьем-то мнении, даже если это мнение большинства.

Всегда необходимы жесткие, основанные на экспериментах доказательства.

И, как мы сейчас увидим, на самом деле существуют некоторые свидетельства существования Большого взрыва, лежащие в нашем прошлом; намеки, являющиеся настолько убедительными, что некоторые люди заходят настолько далеко, чтобы рассматривать их как доказательства.

ГЛАВА 9

НЕОПРОВЕРЖИМОЕ ДОКАЗАТЕЛЬСТВО БОЛЬШОГО ВЗРЫВА

Если наша Вселенная (давайте не отвлекаться на слово «видимая») была меньше в прошлом, как вы могли бы это доказать? Физическое путешествие во времени – не вариант, но вы можете *заглянуть* в прошлое.

К настоящему моменту вы должны уже привыкнуть к тому, что, собирая свет звезд, светящих на расстоянии миллиардов световых лет от нас, вы видите, что они выглядят как много миллиардов лет тому назад. Вы смотрите на прошлое. Таким образом, можно проверить, была ли Вселенная тогда меньше, или искать намеки на этот эффект по пути следования достигшего нас света.

Однако не всегда легко понять, что именно видно в отдаленных уголках Вселенной. До сих пор лучшим способом было получить точную картину ожидаемого, а затем проверить, соответствует ли она действительности. Это именно то, чем занимаются физики-теоретики (по крайней мере то, что они должны делать – иногда).

Но теперь давайте посмотрим, какой вывод можно получить до разглядывания чего-либо в телескопе.

Вы снова на пляже тропического острова.

Глубокая ночь, но вместо разглядывания звезд вы, два раза убедившись, что кругом никого нет, начинаете беседовать вслух с самим собой, чтобы выстроить картину истории Вселенной в своем уме...

– *Если* Вселенная расширяется, то в прошлом она должна была быть меньше.

– ОК.

– Но *если* это так, то гравитация, или искривление пространства-времени, была бы тогда гораздо более выраженной, так как вся материя и энергия Вселенной заключались в меньшем объеме.

– Это как раз то, о чем так или иначе говорят уравнения Эйнштейна.

– Отлично.

– Затем пространство-время стало расти, потому что по некоторым причинам произошло расширение. Оно началось с маленького, очень плотно заполненного материей и энергией объема, превратившись спустя 13,8 миллиарда лет расширения в то, что имеется теперь, с подобными Земле планетами и звездами, похожими на те, что мы можем видеть над островом.

– *Если* картина, изображающая Вселенную маленькой, верна...

– Была ли Вселенная плотно заполнена массой или энергией, на самом деле, не имеет никакого значения, так как масса и энергия одинаково воздействуют на геометрию пространства-времени. Это тоже утверждал Эйнштейн.

– И на том спасибо.

– Теперь: *если* вся энергия содержалась в крошечном объеме, тогда, конечно, существовало сильное трение и происходила куча других вещей, так что в юной Вселенной, видимо, было очень жарко.

Звучит убедительно? Да, и вы не в первый раз приходите к такому выводу.

Но тогда возможно сделать и другие выводы.

Как вам такой: Вселенная могла быть *настолько* плотной, что *ни один* луч света извне в то время не мог пройти сквозь нее.

– Ни один луч света не мог пройти сквозь нее... Хм... Звучит так, как будто бы стена...

Точно, вы правы.

Отличная работа.

Такое место *должно было* существовать на каком-то этапе в прошлом Вселенной, если модель расширения верна от начала до конца, и оно действительно существует. Вы видели его поверхность. Это поверхность последнего рассеяния, поверхность, ограничивающая то, что можно увидеть в нашей Вселенной.

То, что вы только что проделали, довольно необычно.

Вы только что побывали в мечте физика: исходя из чистой логики, используя уравнения Эйнштейна и увиденное во Вселенной после того, как покинули свой пляж, вы выяснили, что где-то там в нашем прошлом должна существовать непроницаемая для света стена. Что ее поверхность должна быть до сих пор видна и... видна на самом деле. Эта поверхность была обнаружена в результате экспериментов и картографирована, как вы сейчас убедитесь.

Я понимаю, что, читая эти строки, вы не можете не почувствовать, как только что произвели революцию в нашем видении Вселенной, но это потому, что вам показали стену, прежде чем додуматься до нее. Вы не потратили двадцать с лишним лет жизни в попытках доказать ее существование задолго до обнаружения. Тем не менее открывшие стену ученые были невероятно поражены фактом ее наличия.

И как ее открыли?

Вновь задумчиво бродя по пляжу, вы понимаете, что есть проблема: поверхность, что вы узрели на краю сегодняшней видимой Вселенной, не совсем та, о которой вы только что думали, не правда ли? Настоящая, та, что мы можем наблюдать в телескопы, очень холодная, в то время как эта стена, всплывшая в вашем уме, была очень горячей.

Насколько горячей?

Используя уравнение Эйнштейна, некоторые ученые уже рассчитали ее предполагаемую температуру. В итоге появилась достаточно внушительная цифра: около 3000 °C. Они обнаружили, что, становясь прозрачной, вся Вселенная имела такую же температуру.

Стены, которую вы видели в небе, не было.

И это проблема.

Но разве вы о чем-то не забыли?

Разве, сделав вывод о самом существовании горячего прошлого, вы не допускаете, что пространство-время расширяется, что видимый объем Вселенной рос и со временем вырос до размеров, замеченных вашими друзьями на небе? И не могло ли это расширение оказать влияние на температуру Вселенной?

Ну да. Не только могло, но и должно было, что на самом деле меняет все.

Взять духовку на вашей кухне. Разогрейте ее так, чтобы воздух внутри стал приятно жарким. Затем выключите и представьте себе, что духовка начинает быстро расти, достигнув величины дома. Температура внутри нее мгновенно станет значительно ниже, чем при обычных размерах.

Расчеты, проведенные еще в 1948 году американскими учеными Георгием Гамовым, Ральфом Альфером и Робертом Херманом, показали, что из-за расширения Вселенной от упомянутых 3000 °C должен остаться лишь слабый след и заполнить тепловым излучением всю видимую Вселенную, как бы исходя от поверхности вашей стены. Какую температуру ожидали найти ученые?

Где-то около –260 или –270 °C. Или где-то между 3 K и 13 K выше абсолютного нуля.

И так получилось, что в 1965 году, через семнадцать лет после расчетов Гамова и его коллег, два американских физика, Арно Пензиас и Роберт Уилсон, проводили для американской компании Bell Laboratories необычную работу. Им надо было настроить антенну для приема отраженных от спутника-баллона радиоволн. Приятная легкая работа, если бы не довольно странное препятствие — раздражающий шум, слышимый на всех частотах. Чтобы избавиться от него и получить гонорар, они провели несколько блестящих проверок и поиск потенциальных инженерных неисправностей. Но ничего не помогало. Что бы они ни делали, шум был неистребим. В конце концов, не находя никаких других причин проблемы, они обвинили в ней голубей или других пролетавших мимо птиц, гадивших на их ультрасовременную антенну. Несмотря на впечатляющие научные достижения, они зашли еще дальше, проведя долгое время за ожесточенной чисткой своего устройства и проклиная существование птиц. Но шум не исчез, и дело закончилось тем, что они вызвали своих друзей — физиков-теоретиков. Вскоре после их визита они поняли, что могли пытаться избавиться от этого шума вечно без малейших шансов на успех. То, что они слышали, происходило не из-за «презентов» птиц. «Шум» исходил даже не с Земли. Это был сигнал. Температурный сигнал, сигнал температуры в 270,42 °С. И исходил он из космоса. Отовсюду.

Гамов, Альфер и Герман предсказали его. Он явился следствием уравнений Эйнштейна. Это был остаточный след температуры последнего светонепроницаемого момента нашей Вселенной; застывший кадр, снятый более 13,8 миллиарда лет назад, когда гораздо меньшая по размеру Вселенная была настолько плотно заполнена материей и энергией, что свет не мог еще проходить сквозь нее*.

* В случае если вам интересно: через миллиард лет эта поверхность все еще останется такой же, но будет гораздо дальше,

Пензиас и Уилсон экспериментально подтвердили расчеты теории, показавшейся некоторым ученым настолько абсурдной, что даже ее название – теория Большого взрыва – было придумано одним из самых известных профессоров того времени, британцем Фредом Хойлом из Кембриджского университета, только чтобы высмеять ее.

В 1978 году Пензиас и Уилсон получили Нобелевскую премию по физике. Они обнаружили остаточное тепло растопленной очень давно печи нашей Вселенной, тепло, излучаемое с поверхности последнего рассеяния, поверхности, ограничивающей конец видимой Вселенной*. Это излучение, одно из неопровержимых доказательств (горячего) Большого взрыва, называется *реликтовым излучением*, или *космическим микроволновым фоновым излучением*.

а следовательно, станет излучать менее интенсивный свет. А через сотни миллиардов лет ее вообще больше не будет видно. Так что однажды в весьма отдаленном будущем наши потомки даже окажутся не в состоянии доказать, что наша Вселенная началась с Большого взрыва...

* Теперь вам также могло стать интересно, почему поверхность последнего рассеяния называется таким образом. Когда свет (или, скажем, фотон) попадает на электрон, он «рассеивается». До возникновения стены свет рассеивался по материи все время. Материя была настолько плотной, что рассеяние происходило непрерывно и фотоны вообще не могли передвигаться. Отсюда светонепроницаемость Вселенной. Но Вселенная расширилась и стала менее плотной. Настолько, что в один прекрасный день свет смог беспрепятственно распространяться по ней. Именно тогда рассеянный в последний раз свет, образовав поверхность последнего рассеяния, появился в нашем прошлом. В виде вашей стены. Это свет того самого момента, свет, который мы до сих пор получаем сегодня, который обнаружили Пензиас и Уилсон, после того как он пропутешествовал 13,8 миллиарда лет.

Пензиас и Уилсон доказали, что теории Большого взрыва шли по правильному пути.

***

Однако почему это излучение называется «микроволновым»?

Это опять же связано с расширением Вселенной.

Свет, излучаемый во время последнего рассеяния, когда Вселенная стала прозрачной, был на самом деле очень заметен, включая в себя разнообразные цвета, энергии и частоты. Но таким он больше не воспринимается нашим глазом – свет растянулся.

Помните, что цвет и энергия световых волн зависят от расстояния между двумя последовательными вершинами? За 13,8 миллиарда лет свет, начав растягиваться вследствие расширения пространства-времени с индиго, постепенно превратился в синий, зеленый, желтый, оранжевый, красный, а потом... стал невидимым для глаз, став инфракрасным излучением, затем микроволнами, и, наконец, радиоволнами.

Сегодня мы находимся на стадии микроволн: то, что когда-то воспринималось как горячий, видимый свет, теперь после 13,8 миллиарда лет расширения, стало холодным микроволновым излучением температурой –270,42 °C.

Когда осознаешь это, теории Большого взрыва вдруг перестают веселить. Но что данные теории имели в виду? Может, они предполагают, что Вселенная была создана на поверхности последнего рассеяния?

Нет.

В последней главе вы убедились, что наблюдаемая с Земли поверхность в конце видимой Вселенной ничего не значит для наблюдателей вне Земли: у них есть собственные поверхности.

А теперь как насчет нас?

Если Вселенная была создана не там, то должно найтись что-то за пределами стены.

Что мы могли бы там обнаружить? Это известно? Большой взрыв?

Ну, в некотором смысле да.

Большой взрыв находится за поверхностью.

Но не непосредственно позади нее.

Это произошло еще за 380 тысяч лет.

За 380 тысяч лет до того, как Вселенная стала прозрачной.

То, что находится позади (или за пределами, или раньше) поверхности последнего рассеяния и что позже стало нашей видимой Вселенной, можно описать как суп из материи, света, энергии и искривления, становящийся все гуще и горячее. В скором времени вы будете готовы отправиться туда и увидеть все собственными глазами. Но сейчас давайте просто скажем, что чем дальше вы отдаляетесь от стены в глубокое прошлое Вселенной, тем более экстремальным все становится. Забравшись слишком далеко за ее пределы, вы в конечном итоге окажетесь окруженным потерявшим всякий смысл ничем. Даже пространство и время в конечном итоге настолько искривляются, что уравнения Эйнштейна рушатся, переставая отслеживать происходящее.

Когда происходит такое, физики-теоретики достигают места, где ничего больше нельзя сказать ни о чем. Этот момент можно считать рождением известного нам пространства и времени. Согласно определению, которое мы будем использовать на протяжении книги, он находится за пределами Большого взрыва.

Добраться до этого места и выяснить, что такое Большой взрыв, будет вашей миссией в пятой части.

В седьмой части, во время последнего путешествия, вы заглянете еще дальше, за само происхождение пространства и времени.

Почему бы не отправиться туда прямо сейчас?

Потому что вам понадобится несколько секунд, чтобы перевести дух и поздравить себя.

Вы проделали долгий путь с тех пор, как впервые высадились на Луне. Вы узнали много таких фактов о Вселенной, которые ваши прадеды даже не могли себе представить.

Вы узнали, что ткань Вселенной представляет собой смесь пространства и времени, называемую пространство-время, и что она не только принимает очертания того, что в ней находится, но и развивается в соответствии со своей геометрией и содержимым.

Вы узнали, что Вселенная огромна по любым меркам, гораздо больше, чем мы можем увидеть, и что мы не знаем ни ее формы, ни размеров.

Более того, наша видимая реальность еще и достаточно вместительна, но это не всегда было так.

Вы узнали, что у Вселенной есть история, что она, вероятнее всего, имела начало, около 13,8 миллиарда лет в прошлом, скрытом за непроницаемой для света поверхностью.

И вы узнали, что она расширяется до сих пор, становясь все больше с каждой минутой.

И вы должны гордиться, что поняли все это.

Почему бы тогда не отправиться прямо к началу Вселенной?

Хорошим поводом для путешествия может стать то, что в первую очередь необходимо попытаться выяснить, что содержит Вселенная. Без таких знаний нет шансов когда-либо разгадать ее самые потаенные секреты. Ни о возможном происхождении, ни о возможной судьбе.

– Хорошо, давайте! – восклицаете вы, открывая глаза.

Ласковый ночной ветер веет над океаном. Полнолуние. Круглая поверхность Луны отражает солнечные лучи, погружая ваш остров в серебро света и тени. Несколько черепах робко выползают из воды, чтобы провести ночь на песке и, возможно, отложить яйца, если день задастся.

И вы чувствуете себя потрясающе.

– Я скоро вернусь! – кричите вы звездам.

Но вы больше не один.

Услышав шепот за спиной, вы оборачиваетесь, только чтобы увидеть друзей, обсуждающих ситуацию с двоюродной бабушкой.

Слыша всю ночь ваши разговоры с самим собой на пляже, они решили перенести вам дату отъезда и подыскать самый ранний рейс домой. Самолет вылетает через пару часов. Нужно успеть собраться и немного отдохнуть, говорят они.

Все ваши крики, жалобы, философские рассуждения и речи о свободе не оказывают на них никакого действия.

ТКАНЬ ВСЕЛЕННОЙ ПРЕДСТАВЛЯЕТ СОБОЙ СМЕСЬ ПРОСТРАНСТВА И ВРЕМЕНИ. ВСЕЛЕННАЯ ОГРОМНА, И МЫ НЕ ЗНАЕМ НИ ЕЕ ФОРМЫ, НИ РАЗМЕРОВ. ВСЕЛЕННАЯ РАСШИРЯЕТСЯ ДО СИХ ПОР, СТАНОВЯСЬ ВСЕ БОЛЬШЕ С КАЖДОЙ МИНУТОЙ.

Вас отправляют домой.

И теперь, как бы ни было жаль покидать море, птиц и сладкий аромат ветра, позвольте мне сказать следующее: путешествие по современным научным знаниям только начинается.

ЧАСТЬ 3 | **В МИРЕ СВЕРХСКОРОСТЕЙ**

ГЛАВА 1

СБОРЫ В ДОРОГУ

Наши органы чувств приспособлены к нашим масштабам, размеру наших тел, для выживания здесь, на Земле. Глаза предназначены судить, является ли плод достаточно зрелым, чтобы съесть его, уши – слышать опасность, а кожа – ощущать холод льда и тепло огня. Чувства позволяют нам видеть, ощущать запахи, ощупывать предметы, пробовать их на вкус и слышать окружающую среду, этот мир, реальность, частью которой мы являемся.

Но эта реальность – еще не вся картина.

У нас довольно небольшие размеры по сравнению с нашей планетой. И сама Земля, в свою очередь, не так велика по отношению к космосу, как вы видели во время путешествий по Вселенной. Поэтому, согласитесь, было бы довольно странно, если бы вместо выживания на скромной маленькой планете наши тела развивали сверхвозможности органов чувств, способные регистрировать все известные и неизвестные сигналы в целом космосе.

В повседневной жизни человека Земли, за всю историю человечества до сих пор, организму просто-напросто не нужно было постигать тайны субатомного мира, скорость света и полный спектр излучения: от микроволн до рентгеновских лучей. На самом деле мы даже не можем назвать разницу между двумя чрезвычайно высокими или же низкими температурами: они обожгут либо заморозят наши пальцы еще до того, как мы начнем судить о подробностях. Для выживания гораздо важнее вовремя вытащить руку из огня или защитить ее от холода.

Мы можем обнаружить на вкус легкую кислоту лимона, чтобы выяснить, можно ли его съесть; но мы не сможем определить разницу в щелочной реакции серной и соляной кислоты – они бы прожгли наш язык насквозь.

Точно так же наши тела не чувствуют искривлений пространства-времени за пределами их непосредственного гравитационного эффекта: все, что нам необходимо знать для повседневной жизни, – что мы благополучно находимся на поверхности нашей планеты.

Таким образом, воспринимаемый через органы чувств мир ограничен по самой своей природе. Наши чувства – окна в него, но они – лишь крохотные иллюминаторы, глядящие в бескрайнее море темноты. И в течение миллионов лет интуиция о том, что мы уверенно называем своей «реальностью», не могла рассчитывать ни на что, кроме них.

Но это больше не так.

Теперь мы можем выйти за границы чувств.

И там реальность меняется.

В первых двух частях этой книги вы путешествовали вглубь и вширь. Вы пересекли межгалактические пустоты и даже бегло ознакомились с тем, насколько велика Вселенная. Вы обнаружили, что мнение Ньютона об универсальности гравитации на самом деле не верно. Гравитация, как утверждал Эйнштейн, является результатом искривления пространства-времени. Это – не сила.

Ньютон научил нас, каким образом необходимо использовать слова и уравнения для описания и предсказания поведения мира, обнаруживаемого через органы чувств. Эйнштейн со своей общей теорией относительности вывел вас за их рамки, и следовать за ним позволили вам не животные инстинкты, а мозг.

Используя его, вы открыли закон, объединяющий пространство, время, материю и энергию в теорию гравитации.

Это стало вашим первым выходом «за рамки».

***

Теперь вы собираетесь посетить два разных запредельных мира, словно вы – искатель приключений, странствующий по только что открытым материкам, где ничто еще не знакомо и не может быть принято как само собой разумеющееся – даже законы природы.

Первое из этих двух запредельных царств – мир сверхскоростей, а второе – самое обитаемое из них – микромир.

На первый взгляд (и на все последующие) они, безусловно, покажутся довольно необычными, и я гарантирую, что чувство «здравого смысла» будет кричать, что все встреченное вами тут попросту *ошибка*, но помните: вся материя вашего тела состоит того, что принадлежит этим экзотическим мирам. Дело в том, что вы созданы из реалий, для которых правила природы сильно отличаются от тех, что мы привыкли ощущать, лежа в шезлонге на тропическом пляже. Только с помощью очень странного механизма воспринимаемая нами день за днем реальность кажется такой, как она есть.

ГЛАВА 2

НЕОБЫЧНЫЙ СОН

Ваше место – 13А, рядом с иллюминатором. В самолете 73 пассажира. Все выглядят обычно – за исключением вашего соседа. Он кажется весьма странным. Вы пытаетесь не смотреть на него и почти сожалеете, что попросили место подальше от двоюродной бабушки. Вы на борту всего несколько минут, но оказались последним пассажиром, и самолет уже готов взлететь. Компаньоны по отпуску с явным облегчением машут вам снизу руками на прощанье. И все же вы вздыхаете. Каким бы жутким это ни ощущалось, но путешествовать по Вселенной было весело. Мысль вернуться домой прямо сейчас не приводит в восторг.

Двигатели развивают необходимую мощность, и крылатая машина взмывает в небо, вверх по склону пространства-времени, создаваемому нашей планетой из-за пребывания там. Вы вжимаетесь в кресло и, таким образом, ощущаете себя тяжелее, чем обычно. Теперь вы испытываете гравитацию именно так, как если бы сидели не в самолете, а на поверхности другой планеты, чья гравитация сильнее земной.

Тоска по очередному межзвездному путешествию заставляет вас закрыть глаза и дать волю воображению.

В уме возникает прекрасный незнакомый пейзаж с необычными деревьями, озерами и небом с двумя солнцами. Вы вспоминаете, что только за последние несколько лет человечество обнаружило тысячи вращающихся вокруг далеких звезд планет, горстка которых потенциально похожа на Землю.

Гудение двигателей самолета неуклонно тянет в сон, и вы начинаете воображать себя где-то далеко, летящим в футуристическом самолете по чужому, розовому, озаренному светом двойных звезд небу. Далекий голос достигает ваших ушей. Он говорит, что самолет достиг крейсерской высоты полета и теперь разгоняется до беспрецедентной скорости 99,999999999% от скорости света.

Через некоторое время самолет начинает снижаться, голос стюардессы будит вас. Быстрый взгляд на циферблат говорит, что прошло восемь часов. Вы потягиваетесь и зеваете, открываете заслонку иллюминатора и смотрите наружу. Там только одно солнце. Его лучи, отражаясь от утренних облаков, придают им розовый оттенок, наподобие цвета инопланетного неба, о котором вы грезили перед тем, как заснуть. Однако поверхность Земли под крылом самолета выглядит совсем не так, как ожидалось. Бескрайний на вид океан простирается вплоть до горизонта.

Вы должны совершить посадку в аэропорту через минуту, но все, что вы видите, — водная гладь... Из-за дурных предчувствий по коже пробегает мороз. Может, самолет угнали? Но остальные пассажиры кажутся довольно расслабленными, в том числе и двоюродная бабушка, сидящая в нескольких рядах впереди вас, а странный сосед спит. Так что нет, версия с угоном отпадает.

И все-таки. Что-то не так.

Может, пока вы спали, всю Землю затопило?

Вы где-то читали, что около десяти тысяч лет назад океаны по всему земному шару были гораздо глубже, чем сегодня, покрывая бóльшую часть континентов. Взглянув в иллюминатор, вы удивляетесь. Не могли же вы вернуться назад в прошлое, чтобы проснуться над затопленной Землей, населенной давно исчезнувшими животными? Мысль заставляет вас улыбнуться, но вы не можете стряхнуть с себя неприятное ощущение того, что что-то происходит не так.

Кажется, вы проспали приблизительно восемь часов. В полете. За это время с вами или с самолетом могло случиться все что угодно.

На протяжении всей жизни, вы, впрочем, как и все остальные, привыкли в большинстве случаев просыпаться там, где заснули. Теперь представьте, что вы никогда раньше не ложились спать и впервые в жизни задремали. Проснувшись, вы, безусловно, будете весьма смущены. И первым делом проверите, где вы и сколько сейчас времени, как в панике до сих пор поступают некоторые из нас, просыпаясь не у себя дома. На самом деле, дома или нет, большинство из нас, открывая утром глаза, автоматически смотрят на время. И только в довольно редких случаях — после особенно удавшейся вечеринки, к примеру, — мы также проверяем и место.

Однако проснуться там же, где уснул, никогда не приходилось ни вам, ни кому-нибудь еще. Никогда. Пока вы спите, Земля не перестает двигаться. Каждый час она проходит чуть более 800 тысяч километров вокруг центра нашей Галактики. И вы вместе с ней. Это соответствует примерно двадцати кругосветным путешествиям вокруг нашей планеты. Каждый час. Тем не менее никого это не заботит до тех пор, пока кровать по-прежнему остается неподвижной под грузом вашего тела.

Но, если бы Земля или только вы путешествовали и во времени, все было бы по-другому. Но это не возможно. Путешествий во времени не существует. Или они существуют?

Завидев в иллюминаторе огромный город среди океана, вы понимаете, что собираетесь приземлиться совсем не в том месте Земли, откуда улетели в отпуск.

Вполне понятна ваша паника и попытки встать с кресла, но ремень безопасности тянет вас вниз, а звук ревущих двигателей перекрывает крики. В отчаянии вы машете стюарду, осуждающе смотрящему на вас и призывающему к спокойствию до тех пор, пока он не добирается до микрофона, чтобы напомнить всем, что любое нарушение правил полета во время взлета и посадки в 2415 году по-прежнему преследуется по закону.

Вы широко открываете глаза.

В каком году, он сказал?

Секундой позже самолет приводняется и начинает скольжение вдоль аллеи стеклянных небоскребов, стиль архитектуры которых вам незнаком.

Беспомощно уставившись в иллюминатор, вы снова слышите голос стюардессы. Ровным, дикторским тоном, повсеместно используемым экипажами пассажирских самолетов, она поздравляет вас с возвращением домой 4 июня 2415 года, спустя четыре столетия после отъезда, за три дня до запланированного прибытия. «Местное время – 10:25, утренний туман, как ожидается, в ближайшее время рассеется, днем – временами солнечно. Температура за бортом – на десять градусов выше средней температуры начала двадцать первого века. Благодарим вас за выбор авиалиний "Макфлай", члена "Небесного альянса Будущего"».

2415 год.

Вы глядите на экран смартфона. Сети нет. Как обычно. К счастью, часы все еще работают. И, похоже, что вы летели только восемь часов. Не 400 лет.

Что-то совсем не в порядке.

Может, это какой-то розыгрыш? Может, все это спланировали ваши друзья?

Вы проверяете свой авиабилет.

Обычный обратный билет.

Может, вам подсунули наркотики?

Или, что еще хуже: все происходит наяву?

Интересно, не ждет ли вас в аэропорту коллектор, чтобы взыскать долг за 400 лет неоплаченной квартплаты? А девушка, с которой вы недавно договорились пойти на свидание? А как насчет оставленного в холодильнике молока? Важные практические вопросы с немыслимой быстротой мелькают в уме, доводя до головокружения.

400 лет спустя в будущем.

И причем в чьем будущем? Конечно, не в своем собственном, так как ваше тело, кажется, совсем не постарело за восемь часов с момента взлета. А как насчет будущего друзей и семьи? Город, в котором вы только что приземлились, определенно не выглядит как мегаполис или город вашего века.

Время снаружи, кажется, действительно передвинулось вперед, пока вы спали в самолете.

Но погодите...

Как может время *снаружи* самолета промчаться вперед в режиме быстрой перемотки и не измениться *внутри*?

Звучит абсурдно.

Но, кажется, это так.

На самом деле так.

И винить стоит исключительную скорость вашего самолета.

ГЛАВА 3

ИНДИВИДУАЛЬНОЕ ВРЕМЯ

Скорость меняет все. Даже пространство и время.

Часы, движущиеся сквозь космическое пространство на очень высокой скорости, тикают не с той же скоростью, что аккуратно застегнутые на вашем запястье часы во время прогулки по тропическому пляжу. Идеи универсального времени – о неких божественных часах за пределами нашей Вселенной, тут же измеряющих движение всего находящегося в ней, развитие эволюции, возраст Вселенной и всего прочего, – не существует.

То, что только что произошло с вами сейчас, в самолете, наглядно это иллюстрирует.

Время, ощущаемое нами, людьми, кажется одинаковым для всех — «универсальным», — но мы воспринимаем его как таковое только в сравнении со светом: никто из нас (даже пилоты военных истребителей) не движется гораздо быстрее или гораздо медленнее остальных — крайне удачное стечение обстоятельств для часовщиков.

Но, несмотря на неспособность наших чувств ощутить это, факт остается фактом: если бы у всех людей, животных и предметов на поверхности нашей планеты имелись собственные часы, то время на каждых часах отражалось бы по-разному. Мы все имеем собственное, закрепленное исключительно за нами время. Эйнштейн додумался до этого за десять лет до опубликования своей теории гравитации, в общей теории относительности, с которой вы познакомились в предыдущей части.

Тогда, не в состоянии устроиться в какой-нибудь университет, потому что никто не хотел туда его брать, двадцатилетний Эйнштейн вынужден был зарабатывать на жизнь клерком патентного бюро (точнее, его помощником) в швейцарском городе Берн. Но это не мешало ему думать.

В перерывах между оценкой патентных заявок он пытался представить себе устройство мира движущихся объектов в зависимости от их скорости. Он надеялся вывести теорию движущихся тел. Он еще не был одержим гравитацией. Так же как и Вселенной в целом. Только тем, как объектам удается перемещаться внутри нее.

В возрасте всего двадцати шести лет, в 1905 году, он опубликовал свою работу, и все научное сообщество вскоре поняло, что неизвестно кто сделал необыкновенное заявление из-за затерянного где-то внутри офисов швейцарской интеллектуальной собственности стола о том, что часы не всегда идут синхронно. Вернее, ход часов зависит от того, как они перемещались относительно друг друга.

Или, что еще лучше, выдвинутая этим неизвестным молодым человеком теория могла вычислить ожидаемую фактическую разницу во времени у двух путешественников в зависимости от их относительной скорости.

Эта теория называется *специальной теорией относительности.*

Давайте представим себе близнецов.

Двоих, так как обычно рождается пара.

Через пару лет после публикации Эйнштейна французский физик Поль Ланжевен, используя специальную теорию относительности, рассчитал, что если отправить одного из близнецов на ракете в шестимесячное космическое путешествие со скоростью 99,995% от скорости света, то оставшемуся на Земле брату придется ожидать его возвращения пятьдесят лет. Таким образом, согласно теории Эйнштейна, проведенные путешественником в ракете полгода необходимо приравнять к пятидесяти прожитым как домоседом, так и всем человечеством годам: за время путешествия близнеца наша планета обернется вокруг Солнца пятьдесят раз. Несмотря на то что братья являются близнецами, у них в конечном итоге больше не окажется одинакового возраста: один из них будет на сорок девять лет и шесть месяцев старше другого. Довольно удивительное заявление.

Если разогревать на огне металлический прут, он расширяется и становится длиннее. То есть *растягивается*. Если целенаправленно направлять тепло, можно растянуть только стержень, а не, скажем, наковальню, на которой он находится, – то есть его окружение не меняется.

Согласно специальной теории относительности Эйнштейна, подобный феномен происходит и со временем. В ракете, летящей на скорости 99,995% от скорости света, или в самолете, перемещающемся со скоростью 99,999999999% от той же скорости, ракета, самолет и все содержащееся в них движется на сверхскоростях. Но не окружающая их среда. Так что только их собственное, индивидуальное время подвергается влиянию чрезвычайной скорости по отношению к окружающему миру.

То, что пережили близнецы Ланжевена, то, что пережили вы, летя на сверхскоростном самолете, ученые называют *замедлением времени*. Чем быстрее движется кто-то или что-то, тем больше выражено замедление времени.

Весьма своеобразное явление.

Но специальная теория относительности Эйнштейна также предлагает что-то еще более сложное для восприятия: она гласит, что время растягивается, а длина объектов, напротив, сжимается...

Теперь, так как вы крепко спали в самолете, пока все происходило, позвольте мне предложить вам еще одно посещение мира сверхскоростей.

Приготовьтесь увидеть, чем станет наша реальность во время передвижений на непостижимых скоростях.

Так что давайте забудем в данный момент о самолете и даже о гравитации.

Представьте себя на Земле, в скафандре, с парочкой прикрепленных к спине ракет, настолько замечательных, что в них никогда не заканчивается горючее. Вы говорите своей нынешней жизни «до свидания» и готовы к отправке в космос.

А теперь пора в путь, и понадеемся, что случайные метеориты не окажутся на вашем пути.

Вы не просто разум, путешествующий через историю Вселенной, но разум *и* тело, как в предыдущий раз, когда вы отправились в пустынный космос просто ради удовольствия.

Вы уже в космосе.

Вы сверяете часы.

Они тикают точно так же, как и всегда: кажется, секунды сменяют друг друга, что бы это ни означало.

Земля отдаляется от вас, но вы представляете себе, что над ней висят огромные часы, с которыми всегда можно свериться, где бы вы ни находились, отсчитывающие время, скажем, в доме двоюродной бабушки, говоря вам, который там час, день и год.

Ваши ракеты набирают мощность.

Вы достигли 87% от скорости света.

Секунды по-прежнему спокойно следуют друг за другом на часах на вашем запястье и в клетках вашего тела, но все вокруг начинает становиться странно искаженным.

Вы оборачиваетесь посмотреть на часы над Землей.

Пока на ваших часах тикает одна секунда, на родной планете проходит две.

Поразительно.

Ваше личное старение замедляется вдвое по сравнению со всеми остальными жителями Земли. Но пока ваше восприятие обеспокоено этим, секунды неумолимо продолжают свой бег. Часы Земли, кажется, движутся быстрее.

Вы продолжаете лететь.

Вы достигли 98% от скорости света.

Уже пять земных часов проходят за один ваш час.

Вы смотрите вперед, на далекие галактики.

Как ни странно, все эти блестящие сгустки света, казавшиеся бесконечно далекими мгновение назад, теперь представляются не такими уж недостижимыми. Как будто галактики совершили прыжок вам навстречу. Точнее говоря, пять прыжков.

Что, конечно же, невозможно.

Вы смотрите на часы и спидометр (устройство, измеряющее скорость точно так же, как в автомобиле). Вы летите со скоростью 99,995% от скорости света, скоростью, которую Ланжевен придал ракете одного из своих близнецов. Она пока не такая высокая, как у несущего вас самолета, но даже на скорости 99,995% от скорости света земные часы идут в 100 раз быстрее ваших. Целые сутки на родной планете занимают для вас всего одну минуту двадцать шесть секунд. Один ваш год здесь равен ста годам там, в доме двоюродной бабушки. И те далекие галактики впереди, галактики, предполагавшиеся быть в миллионах световых лет от нас, как они вдруг оказались так близко? Конечно же, они не могут стать *такими* близкими всего через пару часов путешествия!

И все-таки могут.

В сотни раз ближе.

Их расстояние до вас только что сжалось в том же размере, в котором ваше время замедлилось по сравнению с земным.

Хотя это совсем не похоже на расширение Вселенной. Расширение происходит одинаково в любом выбранном направлении.

Здесь же все по-другому. Это происходит только в направлении вашего движения.

И зависит *от вас и только вас.*

Так что забудьте о Вселенной. Просто подумайте о себе и сосредоточьтесь на том, что видите вокруг.

Справа и слева, кажется, ничего не изменилось. То же самое происходит сверху и снизу, где далекие галактики все еще на том же самом месте, где они были перед началом вашего ускорения. Но галактики впереди вас определенно изменились. Если снова взглянуть на них, практически не остается сомнений, что происходит что-то подозрительное: кажется, замедлению подвержено не только время. В свою очередь, длина и расстояние явно... укоротились? сжались?

Похоже, именно так. Вся Вселенная выглядит так, словно вы рассматриваете ее сквозь искаженное увеличительное стекло, сужающее расстояние впереди, но не по бокам.

Вы проверяете часы.

Секунды все еще следуют друг за другом. А вы все ускоряетесь, и все кажется еще более искаженным. Ваша озадаченность и страх вполне понятны, так что вы совершаете полный разворот, чтобы вернуться на Землю, которая, как предполагается, находится чрезвычайно далеко... но она оказывается прямо перед вами! Оглянувшись, вы видите, что галактики, к которым вы приближались буквально мгновение назад, оказались снова там же, где и были, – очень далеко! Независимо от направления, в котором вы путешествуете на этой удивительной скорости, все впереди вас, как бы далеко ни находилось, кажется очень близким, в то время как расстояния в других направлениях не меняются...

Через несколько минут, все еще в полном смятении, вы пролетаете мимо Международной космической станции, вращающейся вокруг Земли на совершенно безумной скорости. Вы сверяете часы: одна секунда по-прежнему проходит ровно за секунду... Пролетаете мимо космонавта, чьи движения ускорены в 100 тысяч раз. Стрелки его наручных часов вращаются как сумасшедшие. Вы *видите* разницу между его временем и вашим! *Перед вами разворачивается его жизнь.* За десять часов на часах космонавта на ваших часах проходит лишь крошечная доля секунды... И он движется соответствующим образом... То же самое происходит с космической станцией, Землей и всем вокруг... А ваши ракеты по-прежнему изрыгают огонь, пронося вас мимо Земли. Все быстрее и быстрее. На пути к бесконечности и...

Через полсекунды на ваших часах космонавт снова оказывается на Земле, спустя пару секунд он умирает, вырастают его дети и дети его детей, на Земле пролетают тысячи дней, ночей и лет, и вы теперь слишком далеко, чтобы разглядеть что-нибудь еще.

Для вас проходит еще несколько секунд.

Вы продолжаете ускоряться.

Сейчас больше нет смысла возвращаться на Землю. Вы приземлитесь в будущем настолько отдаленном, что, вероятно, ощутите себя ископаемым и, безусловно, будете считаться таковым.

Вся Вселенная перед вами продолжает становиться все более близкой и плоской.

Сбоку по-прежнему ничего не меняется. Искажения происходят только впереди, по направлению вашего движения.

Вы все еще разгоняетесь.

Вы все ближе и ближе к скорости света, но что-то опять идет не так: хотя ваши ракеты по-прежнему успешно несут вас все быстрее и быстрее сквозь пространство и время, ваша скорость за последнее время не сильно увеличилась.

Более того, энергия ваших ракет, кажется, превращается в... массу.

Да, вы уверены в этом. Вы становитесь тяжелее с каждой минутой.

Годы мучительных диет разрушены ракетами.

Кто бы мог подумать?

– СТОП! – кричите вы, раздраженные этим более остального, и все застывает.

Сейчас вы где-то там, наверху, далеко в космосе, вероятно, в миллионах лет в будущем, но замерли на месте. Легко и непринужденно, как и вся Вселенная. Ничто не движется.

Можно на минуту расслабиться.

Ладно.

Давайте вместе поразмышляем о трех противоречащих здравому смыслу аспектах совершенного вами сверхскоростного путешествия.

Во-первых, время текло по-разному для вас и живущих на Земле, в том числе для космонавта (чье время так близко к времени огромных часов, зависших в небе над домом двоюродной бабушки, что их можно считать здесь идентичными). Обычные механические часы, которые и вы, и космонавт носили на руке, тикали совсем не с одинаковой скоростью, и чем быстрее вы летели, тем более заметно было различие. Это первое изменение. Странно, я согласен, но так и есть.

Вторая испытанная вами вещь – то, что расстояние до объектов впереди вас сжималось: то, что казалось очень далеким, пока вы не двигались быстро, становилось очень близким, как только вы начинали так перемещаться. Что также странно, соглашусь с вами. Но тем не менее тоже факт. Он называется *релятивистским сокращением длины движущегося тела* или *масштаба**.

И третье – то, что вы становились все тяжелее и тяжелее. Что, мягко говоря, раздражает, хотя, возможно, не столь же неожиданно, как два других аспекта, принимая во внимание, что теперь вы знаете, что $E = mc^2$ – так что давайте, не откладывая в долгий ящик, рассмотрим этот особый побочный продукт быстрого перемещения.

Ничто, обладающее любой массой, не может достичь скорости света, не говоря уже о превосхождении этой скорости. Это закон. Так что чем быстрее движется что-то, имеющее массу, тем труднее становится его ускорить. Чтобы понять, что означает это на практике, представьте себя летящим так быстро, что добавление всего 1 километра в час к скорости на вашем спидометре будет означать достижение скорости света.

---

* Релятивистское сокращение длины движущегося тела или масштаба называется также лоренцевым или фицджеральдовым сокращением. *Прим. пер.*

Затем вы достаете из кармана теннисный мяч и бросаете его впереди вас. Для определенности уточним, что вы бросите его со скоростью 20 километров в час.

На Земле это было бы легко. Но именно сейчас – нет. И по существу невозможно. *Ничто* не может двигаться быстрее света. Так что если вы летите со скоростью, лишь на 1 километр в час отстающей от скорости света, то мяч физически *не мог* лететь на 20 километров в час быстрее.

НИЧТО, ОБЛАДАЮЩЕЕ ЛЮБОЙ МАССОЙ, НЕ МОЖЕТ ДОСТИЧЬ СКОРОСТИ СВЕТА, НЕ ГОВОРЯ УЖЕ О ПРЕВОСХОЖДЕНИИ ЭТОЙ СКОРОСТИ. ЭТО ЗАКОН.

Ничто не мешает вам бросить мяч, это правда, – но если мяч не может двигаться быстрее скорости света, то ясно, что придется сделать что-то еще, чтобы зашвырнуть его в пустоту перед вами. И ответ дается нашим старым другом $E = mc^2$ – дополнительная энергия, придаваемая мячу при броске, превращается в массу, так как не может превратиться в скорость*.

Вы уже знаете, что массу можно превратить в энергию (внутри звезд, например), а здесь вы имеете пример противоположного явления: энергия превращается в массу. И вот объяснение: вы только что узнали благодаря специальной теории относительности Эйнштейна, почему вы становились все тяжелее до вашего крика и застывания всего вокруг.

Теперь давайте обратимся к двум другим проблемам вашего высокоскоростного путешествия: замедлению времени и сокращению длины.

---

* Точнее, при таких сверхскоростях уравнение Эйнштейна нуждается в некоторой корректировке (и именно Эйнштейн ее и внес), но принципиально идея остается той же.

Большинство людей (включая меня) одновременно озадачиваются и увлекаются фактом, что универсального времени не существует. Здравый смысл, отточенный миллионами лет эволюции на поверхности нашей крошечной планеты, интуитивно восстает против такой идеи. Но, даже если мы можем видеть воздействие времени на нас и вокруг нас, это довольно абстрактное понятие – нематериальный поток чего-то полностью невидимого. Таким образом, несмотря на странность идеи, мы точно можем привыкнуть к мысли, что со временем не так все гладко, как представлялось до сих пор.

Пространство – совсем другое дело, с ним мы считаем себя знакомыми. Но это ошибка. Мы не знаем его.

Метр – это всегда метр, должно быть, думаете вы?

И снова ошибаетесь. В зависимости от того, как посмотреть.

Пространство и время связаны друг с другом: если меняется время, расстоянию тоже придется измениться.

Почему *должно* происходить именно так, спросите вы?

Почему расстояния и длины *обязаны* сокращаться, когда время замедляется?

Ответ на этот вопрос заключается в существовании абсолютного, нерушимого предела скорости природы: скорости света.

Если бы расстояния не сжимались, то вы бы уже нарушили этот предел.

В космическом пространстве свет распространяется со скоростью около 300 тысяч километров в секунду.

Наблюдатель на Земле, заметивший вас летящим на скорости 87% от скорости света, увидит вас на скорости 260 тысяч километров в его секунду.

Летя на такой скорости, вы, впрочем, должны помнить, что секунды, переживаемые сейчас вами, отличаются от его восприятия времени. На скорости 87% от скорости света одна ваша секунда приравнивается к *двум* секундам на Земле – и за эти две секунды наблюдатель видит, что вы пролетели 520 тысяч километров. Это видимое им расстояние в два раза больше расстояния, покрываемого вами за одну секунду.

Ничего особенного, не так ли?

Неправильно. Потому что, даже если бы вы пролетели 520 тысяч километров за две *его* секунды, прошла только *одна* ваша.

Это 520 тысяч километров в секунду, насколько вы помните.

Так как скорость света составляет 300 тысяч километров в секунду, то вы побили бы универсальный рекорд...

Но это запрещено. Не полицией, но природой. Запомните: *ничто* не может двигаться быстрее света. Уже в начале двадцатого века многочисленными экспериментами был установлен как данный факт, так и то, что в космическом пространстве свет всегда передвигается с данной скоростью (не большей и не меньшей). Ньютон никогда бы не смог объяснить это с помощью своего видения мира. Но Эйнштейн справился. С помощью своей теории.

В его теории движущихся тел, специальной теории относительности, время и расстояние должны замедляться и сжиматься таким образом, что, как ни смотри, ни один объект никогда не сможет пересечь пределы скорости света с любой точки зрения.

Время земного наблюдателя проходит в два раза быстрее вашего? Тогда проделанное вами расстояние является, с вашей точки зрения, половиной того, что видит наблюдатель.

Летя на скорости 87% от скорости света, вы за секунду преодолеваете *не* 520 тысяч километров, а 260 тысяч. То, что кажется километром с Земли, на самом деле полкилометра для вас.

Ваша скорость всегда одинакова, кто бы ни измерял ее – вы или кто-то другой.

Скорости не зависят от наблюдателя. От него зависят только время и расстояния.

Если с прибавлением скорости далекие галактики покажутся вам гораздо ближе, это потому, что они *стали* гораздо ближе. Объективно. И это относится не только к расстояниям: сами объекты тоже сжимаются вместе со скоростью. Как видно тому, кто не движется вместе с объектом, любая ракета и все ее пассажиры сжимаются. Даже *вы*. Летя, подобно Супермену, на скорости 87% от скорости света, с вытянутым вперед кулаком, вы сжались до половины вашего роста, измеренного рулеткой на Земле. А летящие с вами пассажиры не заметили бы этого, так как их рост тоже бы уменьшился...

И все это является следствием установления фиксированной, конечной и непревзойденной скорости света. Все это содержится в открытой Эйнштейном в 1905 году специальной теории относительности: теории, указывающей на законы природы для тех, кто решает путешествовать на (исключительно) высоких скоростях.

Странно? Да.

Противоречит здравому смыслу? Определенно.

Но это то, как работает природа.

Теперь как насчет гравитации? Мы намеренно полностью забыли о ней на некоторое время. Но, если мы хотим иметь реальное представление о Вселенной, придется вернуть ее обратно. Поэтому в настоящее время вы продолжаете стремительное перемещение по Вселенной, чья ткань, пространство-время, взаимодействует с ее энергетическим содержанием и огибает ее, создавая гравитацию.

Вернемся к вам.

Вы в космическом пространстве. Все по-прежнему застыло на месте.

Земля где-то далеко позади. Виденный вами космонавт уже давным-давно мертв и лежит в могиле. Вы мчитесь прямо к далеким галактикам, кажущимся теперь гораздо ближе.

Только помните, что время и пространство — теперь неотъемлемые части пространства-времени — ткани нашей Вселенной; что гравитация — эффект искривления этой ткани под воздействием содержащейся в ней энергии, независимо от ее формы; и что масса — это энергия.

Вы как раз становились все тяжелее и тяжелее, когда заморозили свое путешествие.

Давайте разморозим картинку.

Готовы?

Вы снова летите.

Ваше тело движется чрезвычайно быстро, а двигатели мощно выталкивают вас вперед. Так что вы становитесь все тяжелее, и, так как гравитация заняла свое место на картинке, ваша увеличивающаяся масса все сильнее и сильнее искривляет пространство-время вокруг.

Теперь вы обладает массой небольшой горы*.

Пролетающие мимо метеориты начинают скользить вниз по создаваемому вами склону и вскоре даже падать на вас.

Вам больно, когда они сталкиваются с вами, но так как вы становитесь все более тяжелым, не прибывая в объеме, и более плотным, чем прежде, то они разбиваются о вас на мелкие кусочки.

Накапливая все больше и больше энергии, вы становитесь массивнее Земли.

В зоне вашего влияния уже большие метеориты и даже маленькие планеты. Теперь они вращаются вокруг вас.

Вы настолько тяжелы, что создаваемые вами в пространстве-времени кривые вокруг собственного тела становятся настолько выраженными, что видимая вами Вселенная начинает искажаться во всех направлениях. Не только впереди. И это происходит уже не из-за скорости, а из-за гравитации, из-за искривления пространства-времени, из-за собранной внутри вас энергии. Энергия, пространство и время, переплетенные в ткани Вселенной, искривляются везде, куда ни кинешь взгляд, Вселенная кажется искаженной и ускоренной, словно ваше время потекло отныне медленнее, чем на любых других часах Вселенной...

---

* Нельзя достичь массы горы, но это именно то, что происходит с разогнанными частицами в ускорителях элементарных частиц по всему миру: вместо достижения скорости света они набирают массу.

Вы достигли массы пяти планет Земля, сконцентрированных внутри вашего тела. Вам явно с трудом удается поднять руки или что-нибудь еще в этом роде, а теперь вы и вовсе не можете двигаться...

Честно говоря, на вашем месте я остановился бы прямо сейчас.

Почему?

Потому что рано или поздно, накапливая все больше и больше энергии в собственном теле, вы в конечном итоге превратитесь в черную дыру.

А это не очень хорошая идея.

К сожалению, вы уже слишком тяжелы, чтобы хотя бы пошевелиться, так что даже не можете проверить, существует ли какой-нибудь потайной выключатель для ракет за спиной.

Руки теперь практически приклеены к бедрам, и вы на самом деле начинаете проваливаться в самого себя и...

– СТОП!!! – кричите вы в панике и оказываетесь в самолете, в кресле у иллюминатора.

Странный сосед смотрит на вас.

По выражению его лица похоже, что вы его разбудили.

Он, безусловно, странный, но в данный момент вы, вероятно, выглядите еще страннее.

Вы невнятно бормочете что-то напоминающее «извините» и отворачиваетесь к иллюминатору, чтобы посмотреть наружу.

Светает.

Никаких признаков скорой посадки в родном городе будущего.

Никаких признаков далеких галактик, оказавшихся ближе, чем должно быть.

Никаких вращающихся вокруг планет.

Вы просто летите.

Вы смотрите на свои часы.

Кажется, вы были в воздухе в течение восьми часов.

– Могу ли я узнать, почему вы кричали? – спрашивает странный сосед.

– Где мы? Какой сейчас год? – недоуменно произносите вы в ответ.

– Простите?

– Какой сейчас год? – настаиваете вы довольно нервно.

– 2015-й! – отвечает сосед слегка удивленно.

Когда стюардесса объявляет, что самолет готов начать снижение, вы понимаете, что просто спали, что не летали в будущее и все еще здесь, на пути в прекрасный старинный нормальный родной город, с его бетонными дорогами и кирпичными зданиями.

– Температура воздуха за бортом 12 °C, – продолжает свою речь стюардесса, – и утренний туман обещает рассеяться к полудню...

2015 год.

Какое облегчение.

Но какой странный сон.

ГЛАВА 4

КАК НИКОГДА НЕ СТАРЕТЬ

Впрочем, то, что вы только что испытали, не было чистым полетом фантазии.

Вы действительно получили общее представление о том, как будет выглядеть Вселенная, если перемещаться по ней нереально быстро. Ученые назвали скорости, за которыми испытанные вами странные эффекты больше нельзя игнорировать, *релятивистскими*, или *околосветовыми, скоростями*, и все, что вы только что воображали, повиновалось законам природы в их современном понимании, с релятивистской точки зрения.

Конечно, человек никогда не достигал таких скоростей, но окружающим нас частицам это действительно удавалось. На самом деле, они движутся так все время. Но тогда, в далеком 1905 году, когда Эйнштейн озвучил свои удивительные идеи, было затруднительно проверить поведение частиц на практике.

Прошло практически 66 лет после опубликования специальной теории относительности, когда двое американских ученых, Джозеф Хафеле и Ричард Китинг, провели эксперимент, продемонстрировавший странный эффект замедления времени, предсказанный Эйнштейном.

Мы – в 1971 году.

Хафеле и Китинг приобрели трое лучших на то время атомных часов. После синхронизации они продолжают работать на чрезвычайном уровне точности: отставая не более одной миллиардной секунды в течение миллионов лет. Действительно, весьма надежные часы.

Так вот, у Хафеле и Китинга было трое таких часов. Работающих синхронно.

И они взяли их с собой в аэропорт.

Одни часы оставили на земле, в аэропорту, а для двух других забронировали отдельные места на двух самолетах, выполнявших регулярные коммерческие авиарейсы.

Воображая себе реакцию других пассажиров самолетов, я начинаю невольно улыбаться...

Как бы то ни было, оба самолета отправились в полет. Один полетел на восток, а другой – на запад. Облетев, таким образом, вокруг Земли, часы в конечном итоге приземлились в аэропорту вылета, чтобы присоединиться к оставшемуся на земле собрату. Поскольку Земля оборачивается вокруг своей оси с запада на восток, то между полетами в обоих направлениях существует небольшая разница в общей скорости самолетов относительно Земли.

Теперь, если бы природа вела себя так, как полагает наша интуиция, то трое атомных часов должны были оставаться синхронизированными независимо от движения самолетов. Секунда на то и секунда, и на универсальных часах на тумбочке у кровати господа бога одна секунда должна тикать ровно одну секунду. Все часы, которые вы когда-либо видели или использовали, будь то механические часы или нет, полностью согласны с вами в этом вопросе. И так оно и есть. За исключением случаев... нет, не так. Природу не слишком заботит то, что считает наша интуиция, и здесь эта интуиция как раз не права. Обычные часы просто недостаточно точны, чтобы сообщить нам о разнице. Наша интуиция может ошибаться, но теория Эйнштейна – нет.

После приземления двух самолетов в аэропорту Хафеле и Китинг обнаружили, что трое атомных часов больше не идут синхронно.

Часы, путешествовавшие в летевшем на восток самолете, отставали на 59 миллиардных долей секунды по сравнению с оставшимися в аэропорту часами. Часы, совершившие перелет на запад, забегали на 273 миллиардные доли секунды вперед.

Если бы часы оставались стоять рядом друг с другом, такого несоответствия пришлось бы дожидаться более 300 миллионов лет.

***

Согласно сделанным Хафеле и Китингом выводам существуют две причины возникшей разницы.

Первая связана со скоростью, со специальной теорией относительности: как догадался Эйнштейн, относительные скорости трех часов действительно должны приводить к некоторым крошечным, но измеримым эффектам замедления времени.

Вторая причина, хотя и не имеет ничего общего со скоростью, зато касается гравитации и общей теории относительности Эйнштейна. Так же как катящийся тяжелый мяч прогибает резиновую поверхность больше обычного, так и воздействие Земли на пространство-время, как утверждал Эйнштейн, должно быть более выражено вблизи ее поверхности, чем высоко в небе, где летают самолеты, а следовательно, влиять на протекание времени на различных высотах.

Эти две независимые друг от друга причины были рассчитаны *еще до* проведения эксперимента Хафеле и Китинга.

И суммированы.

В целом теории Эйнштейна предсказали, что в сравнении с оставленными на земле часами часы, полетевшие на восток, отстанут в конечном итоге вплоть до 60 миллиардных долей секунды, а летящие на запад забегут на 275 миллиардных долей секунды вперед.

Эксперимент доказал его правоту.

Возможно, вас это не так впечатлит, потому что разница во времени крошечная. Но она есть. И помните, что самолет не летает так быстро, а Земля не столь большой космический объект. Если лететь быстрее и (или) приближаться к гравитационно гораздо более мощному объекту в космосе, разница во времени может стать огромной, что вы уже испытали во сне, летя в самолете с околосветовой скоростью.

ВО ВСЕЛЕННОЙ ВРЕМЯ И РАССТОЯНИЕ НЕ ЯВЛЯЮТСЯ УНИВЕРСАЛЬНЫМИ ПОНЯТИЯМИ. ОНИ ЗАВИСЯТ ОТ НАБЛЮДАТЕЛЯ, ОТ ТОГО, КТО ИХ НА СЕБЕ ИСПЫТЫВАЕТ И КТО НА НИХ СМОТРИТ.

Само собой разумеется, верность эксперимента Хафеле и Китинга с 1971 года была доказана, подтвердив результат с увеличенным уровнем точности. Так что пространство-время действительно означает то, что означает, – сочетание пространства и времени. Во Вселенной отсчитываемое часами время зависит от того, кто смотрит на их стрелки: от того, где вы и что находится рядом (немного гравитации), и от вашей скорости. В начале двадцатого века эта мысль звучала очень абстрактно. Сегодня она – экспериментально доказанный факт. Нам всем придется принять ее.

Во Вселенной время и расстояние не являются универсальными понятиями. Они зависят от наблюдателя, от того, кто их на себе испытывает и кто на них смотрит. Оба понятия относительны. В противном случае скорость света не будет ни фиксированной, ни ограниченной.

И что человечество извлекло из данного знания? Изменит ли оно нашу повседневную жизнь? Часть его, связанная именно со скоростью, – да, намного. Мало того что наши технологии сплошь и рядом используют быстро движущиеся частицы для передачи информации всеми возможными способами, специальная теория относительности, таким образом, помогает нам понять, как работает вся материя, из которой мы созданы. Как вы скоро увидите, электроны внутри составляющих ваше тело атомов и почти все остальное в микромире действительно двигаются очень быстро.

Однако, что касается гравитации и пространства-времени, как бы удивительно это ни звучало, только одно созданное до сих пор популярное устройство использует их взаимосвязь: GPS. Каждый раз, сверяя ваше местоположение с GPS, будь то в смартфоне или в автомобиле, вы используете тот факт, что пространство и время искривлены вокруг Земли. Чем ближе вы к поверхности, тем круче кривая – не только в пространстве, но и во времени.

В спутники встроены часы, обменивающиеся информацией с GPS-устройством для его локализации. Если коррекции, учитывающей разницу во времени между Землей и спутником, не происходит, то местоположение сразу же собьется. Оно будет смещаться на десять километров в день. GPS станет бесполезен. Именно благодаря специальной и общей теории относительности Эйнштейна GPS работает.

Хорошо. В этом вся суть. Такого понятия, как одинаково идущие во всей Вселенной часы, не существует.

Итак, летевший в ваших фантазиях на скорости 99,999999999% от скорости света самолет невероятно быстро переместился сквозь пространство по сравнению с Землей и всеми ее обитателями, вы совершили посадку в 2415 году и можете считать себя счастливчиком.

Если бы вы летели еще быстрее, то приземлились бы еще дальше в будущем. Насколько дальше? Это опять же зависит от скорости.

Но есть предел, потому что ничто не может двигаться быстрее света.

Путешествовать *так же* быстро, как свет, может в один прекрасный день стать возможным, но вам нужно будет принести огромную жертву: избавиться от веса. Причем всего веса. Свет не может переносить какую-либо массу и поэтому перемещается так быстро. Свет распространяет свет.

А что происходит с материей, задаетесь вы справедливым вопросом.

Вы испытали это на себе: разогнавшись слишком сильно, все, имеющее массу, становится еще более массивным. Так что, чтобы достичь скорости света, для начала нужно не иметь массы.

Тем не менее что могло случится, *если* бы вы были в состоянии превратить себя в некое безмассовое существо? Как тогда будет течь время? Каким бы шокирующим это ни могло показаться, ответ – никак. Отсчет любых часов (даже если вы окажетесь не имеющим всякой массы) просто остановится.

На скорости света время замирает.

Полностью.

И это является причиной, почему свет, прошедший всю Вселенную, прежде чем достигнуть нас, точно такой же, как в момент своего излучения. В отличие от почтовой открытки, оборванной, потрепанной и ничем не напоминающей оригинал спустя 13,8 миллиарда лет, образы, переносимые светом по всему космосу, не подвержены бегу времени. Собирая излучение из самых дальних уголков нашей видимой Вселенной, мы получаем ее снимки того времени*.

Так что состоящему из массы вам не остается иного выбора, кроме как подвергаться воздействию времени. Вы ничего не можете с ним поделать. Чтобы стать вечным, нужно превратить себя в свет, что сделать невозможно. Тем не менее если бы вы смогли, то ваше время бы вообще остановилось. И вы стали бы бессмертным, сами не подозревая того.

Тем не менее, несмотря на невозможность обрести бессмертие, даже обладая массой (не в обиду будь сказано), можно достигнуть будущего, недостижимого для ваших соседей. Для этого просто нужно перемещаться так же быстро, как ваш самолет. Или переселиться на гравитационно гораздо более мощную планету, чем Земля.

В завершение темы скажу: я знаю, что некоторым из вас по той или иной причине не нравится мысль о старости и вам очень хотелось бы оставаться молодыми так долго, насколько это возможно, или по крайней мере гораздо дольше, чем сосед. Специально таким читателям я адресую следующее предупреждение: нет смысла пытаться стать спринтером, пилотом «Формулы-1» или самолета ВВС Великобритании. Нет смысла пытаться сесть на него, чтобы достичь 99,999999999% от скорости света.

Почему?

---

* Хотя нужно учитывать поправки на красное смещение, вызванное расширением Вселенной. Получаемые нами из космоса изображения растянуты из-за расширения Вселенной, но они не устарели.

Потому что *ваши* часы, с *вашей* точки зрения, никогда не изменятся.

Для ваших глаз, равно как и образующих ваше тело клеток, секунда всегда и в любом случае останется секундой, день за днем, год за годом и т. д. Ваше личное время и старение не будут замедляться, вам не удастся прожить дольше, клетки будут преспокойно расти и распадаться с точно такой же скоростью, как и у всех путешествующих с вами. Полеты на космических скоростях или жизнь на гораздо более плотной далекой планете не позволят вам прожить дольше, потому что для вас двадцать четыре часа в сутки были (и будут) двадцатью четырьмя часами. Однако *другие люди* могут увидеть вас живущим дольше них.

Ускорение настоящего для быстрого достижения чьего-то будущего теоретически возможно (и даже может когда-нибудь воплотиться практически)*, но прожить дольше, путешествуя в космическом пространстве, нельзя.

С помощью специальной и общей теорий относительности Эйнштейна вы обнаружили действительно странный окружающий нас мир, доступный нам через органы чувств, тот мир, в котором мы ежедневно проживаем свою жизнь. Но то, что вы видели до сих пор, ни капли не более странно, чем то, с чем вы встретитесь по благополучном возвращении домой.

После мегамира и мира сверхскоростей настало время посетить микромир.

И я боюсь, что даже если вы раньше не верили в волшебство, то, возможно, самое время начать.

---

* Но вернуться не удастся. Так что, если представится такая возможность, семь раз подумайте, прежде чем подписываться на такое путешествие.

ЧАСТЬ 4 | **ПОГРУЖЕНИЕ В КВАНТОВЫЙ МИР**

ГЛАВА 1

СЛИТОК ЗОЛОТА И МАГНИТ

Двоюродная бабушка уехала. Вы действительно просили ее остаться еще на пару дней, главным образом для того, чтобы было с кем обсудить странный релятивистский сон, но довольно неожиданно для вас она отклонила предложение. Взвесив все за и против, она нашла вас в полном порядке и, почувствовав, что сыграла свою роль в возвращении вас домой, улетела на первом же рейсе в Сидней, оставив на ваше попечение всю коллекцию хрустальных ваз, которые привезла, чтобы поднять вам настроение. Теперь она снова в Австралии, а вы вернулись домой. На свой диван. Глядя на ужасные вазы и вертя в руках маленький магнит в виде пальмы, который вы купили в сувенирном магазине на память о тропическом острове.

У вас еще целая неделя до начала работы, семь дней, чтобы найти как можно больше способов избавиться от всех ваз, но вы колеблетесь.

Закончены ли приключения в скрытой природе реальности, или впереди вас ожидает новый уровень понимания?

Не найдя прямого ответа, вы встаете приготовить себе горячий кофе.

Возясь на кухне, вы вдруг замечаете, что один из кирпичей слегка высовывается из стены. Вы озадаченно тянете его на себя и вытаскиваете. К вашему удивлению, в образовавшемся углублении лежит слиток золота, вероятно, спрятанный там кем-то из (точно весьма беспечных) бывших жильцов. Он размером с пол-ладони и, таким образом, стоит кругленькую сумму. Как можно было не заметить кирпич раньше, остается загадкой, но, пожалуй, нет ничего лучше, чем вернуться домой и обнаружить на кухне золото, так что вы не размышляете на эту тему слишком долго. Вы наливаете себе кофе и смотрите на ваше сокровище с хитрой улыбкой.

Вы путешествовали по космосу, царству всего очень большого – мегамиру.

Вы перемещались в мире сверхскоростей так быстро, насколько это было возможно.

Но вы не имеете понятия о микромире: том мире, из которого в действительности *состоит* материя. Может быть, золото сделано из маленьких кирпичиков?

Почему окружающие нас материалы так не похожи? Почему золото отличается от сыра? Почему при комнатной температуре мы не становимся жидкими, как вода?

С ухмылкой, решив предпочесть науку деньгам, вы разрезаете золото на две равные части, чтобы посмотреть на него изнутри.

В отличие от некоторых сортов сыра (но не всех), внутри слиток имеет тот же цвет, то же отсутствие запаха и все то же самое, что и снаружи. Тем не менее вы разрезаете одну из половинок еще на две части, потом еще на две и еще на две, лихорадочно ища какие-то изменения во все уменьшающихся по размеру кусочках.

Похоже, что золото не меняется.

Можно подумать, что нарезать его можно вечно, но нет, ничего подобного. После двадцати шести или двадцати семи попыток у вас остался тончайший возможный кусок золота. Разрезав его еще раз, все равно вы получите что-то, но оно точно не будет золотом.

Такое неразложимое количество золота, мельчайший кусок которого тем не менее остается золотом, ученые называют *атомом* золота.

Заметьте, хотя может показаться, что разрезать что-то надвое двадцать шесть раз подряд не так много, это не так. Вам было бы довольно трудно осуществить это в обычных условиях. Чтобы дать вам общее представление о том, как данный опыт выглядит на другом примере, можно, вырвав страницу из этой книги и сложив ее пополам двадцать шесть раз, получить толщину высотой около 14 километров. Аналогичный пример, скажем, взять гору на 50% выше Эвереста и разделить ее наполовину двадцать шесть раз, тогда в конечном итоге останется что-то такое же тонкое, как страница книги.

Только с помощью лучших современных технологий можно рассмотреть атом золота*.

А как насчет свинца, серебра или углерода?

Любой другой чистый элемент вместо золота привел бы к тому же итогу: сократив вдвое легко помещающийся на ладони кусок двадцать шесть раз подряд — плюс-

---

* И вы узнаете об одной такой технологии через две главы.

минус один или два раза, — вы в конечном итоге увидите атом, который нельзя больше разложить, не получив что-то, отличающееся от исходного материала. Впрочем, сыр не является чистым материалом. Но он тоже состоит из прилепленных друг к другу атомов. Вся известная материя во Вселенной состоит из атомов.

Так из чего же сделаны сами атомы?

Вы еще не можете сказать, но у вас уже есть догадка, что они заполнены более мелкими компонентами, и эти крошечные кусочки одинаковы для всех атомов во Вселенной. Очень скоро вы отправитесь в их мир, но я уже могу сказать, что, так как количество этих мельчайших компонентов различается от одного атома к другому, то чистые материалы имеют очень разные свойства, а следовательно, как всем известно, стоимость. Любой биржевой брокер, конечно, задастся вопросом вашего психического здоровья, если вы попытаетесь обменять килограмм ртути (стоимостью около 23 фунтов стерлингов) на килограмм золота (около 26 тысяч фунтов) или плутония (около 2,6 миллиона фунтов, в зависимости от рынка) на том основании, что все они сделаны из одинаково структурированных атомов.

ТАК ЧТО ЖЕ ТАКОЕ АТОМЫ? ЧТО ПРИДАЕТ СОЗДАННЫМ ИЗ НИХ МАТЕРИАЛАМ ТАКИЕ РАЗЛИЧНЫЕ СВОЙСТВА И ФОРМЫ? И ПОЧЕМУ, ЕСЛИ ВСЕ СДЕЛАНО ИЗ ОДНОГО И ТОГО ЖЕ, МАСЛО МОЖНО РАЗРЕЗАТЬ НОЖОМ, А АЛМАЗ НЕТ?

Так что же они такое, эти атомы? Что придает созданным из них материалам такие различные свойства и формы? И почему, если все сделано из одного и того же, масло можно разрезать ножом, а алмаз нет?

С такими роящимися в вашей голове вопросами вы идете за молоком к кофе.

По дороге к холодильнику вы автоматически захватываете с собой магнитик в виде пальмы, чтобы прилепить его к остальным, но, когда он выскальзывает из ваших пальцев, прыгнув прямо на металлическую дверцу, вы замираете на месте.

До сих пор такое поведение магнита было вам достаточно хорошо знакомо.

Но не более того.

Как магнитам это *удается*?

Как холодильник узнал о приближении магнита? Или это магнит знал о холодильнике? Или они оба? Или это просто волшебство?

Насколько вы знаете, вы никогда не видели никаких взаимодействий магнита и холодильника.

Ни одна призрачная рука не высовывалась из одного из них, хватая и притягивая другого к своей поверхности.

Но, может, вы просто были не слишком внимательны.

Вы отлепляете магнит от холодильника и рассматриваете тыльную сторону грубо обработанной пальмы. Насколько можно утверждать, темная поверхность плоская.

Сосредоточившись и крепко зажав магнит между большим и указательным пальцем, вы прижимаетесь щекой к двери холодильника, пристально разглядывая воздух и поднося магнит все ближе к дверце.

Он уже в нескольких сантиметрах от нее.

Вы что-то чувствуете.

Силу.

Сила притяжения тянет магнит к холодильнику. Или холодильник к магниту. Или обоих друг к другу. Трудно сказать.

Но в воздухе нет ничего. Абсолютно точно. Вы не видите ни малейшего намека на что-нибудь такое, что могло бы объяснить, как они узнают о присутствии друг друга.

Теперь магнит уже в полсантиметре от холодильника, и сила притяжения становится намного сильнее.

Вам даже трудно удерживать магнит на месте.

И все еще ничего не видно.

Вы разжимаете руку. Магнит выпрыгивает из пальцев в направлении двери, куда и прилипает, настолько же обрадованный новым соседством, как и вы охвачены любопытством.

Веками множество мужчин и женщин удивляло это странное притяжение. Что-то потустороннее, не так ли? Магнит выпрыгнул из рук. *До его прикосновения* к холодильнику ничего не происходило, и еще там присутствовала сила. То же думали и наши предки, наблюдая за магнитами, так что, хотя у них и не было холодильников, они стали говорить о пугающем *дальнодействии*, чтобы описать то невидимое, что заставляет магниты работать.

На самом деле, немного напоминает гравитацию.

Никто не может *видеть* гравитацию.

Когда Ньютон придумал свою удивительную формулу для описания того, как объекты во Вселенной притягиваются друг к другу, он понятия не имел, *что именно* отвечает за обнаруженную им гравитационную силу. Зато это открыл Эйнштейн около века тому назад. Гравитация является не силой, а падением, утверждал он. Падением вниз по кривым пространства-времени.

Так с магнитами происходит то же самое? То есть магниты тоже создают крутые кривые в пространстве-времени?

Нет. Так быть не может. Иначе по отношению к ним будет падать все (дерево, мы сами, пиво, любые реальные вещи), а не только гвозди, железные опилки и другие потенциальные магниты. Вы же никогда не чувствовали, как ваши собственные пальцы притягиваются к магниту. Нет, должно быть что-то еще. И это что-то оказалось найдено. Около восьмидесяти лет назад. Это то, что мы называем *полем*. Квантовым полем, если выражаться точнее. А теперь, когда вы знаете о существовании атомов и магнитов, вы на пороге открытия чудес квантового поля.

ГЛАВА 2

КАК РЫБА В ВОДЕ

Представьте себе на мгновение, что вы – рыба и по какой-то причине решили взглянуть, что находится над вашим домом-океаном. Набрав максимально возможную скорость, вы выбираетесь из морских глубин вверх, подобно торпеде. Вы стремитесь к тому, что люди называют поверхностью, но что рыбы, вероятно, назовут потолком.

Вы плывете быстро. Еще быстрее. Вода скользит по вашей чешуе. Окружающий свет становится все ярче по мере приближения к границе вашего жидкого мира. И вот вы вылетаете на поверхность. Вокруг больше нет воды. Вы проноситесь сквозь голубую пустоту (мы, люди, называем ее атмосферой). Вы машете плавниками все быстрее, но не можете подняться выше. В отличие от птиц, но, как и положено рыбе, путешествие вверх внезапно заканчивается. Летя головою вниз и соскальзывая по склону пространства-времени, созданному присутствием Земли, вы плюхаетесь обратно в океан.

Через некоторое время, вернувшись в соленые глубины вашего жидкого дома, вы обсуждаете свой опыт с друзьями-рыбами, разделяющими ваше стремление к неизвестному. Вы сразу же сходитесь во мнении, что там, наверху, над потолком вашего огромного жидкого мира, плавать невозможно. Над океаном, заключаете вы, существует только голубая пустота.

Мы, люди, разбираемся в предмете лучше. Мы знаем, что над океаном есть воздух, а также то, что он далек от пустоты. Лишенные воздуха более чем на пару минут, мы умираем.

Однако большинство из нас не намного мудрее рыб: разве все мы не придерживаемся мнения, что в открытом космосе, над атмосферой, за пределами нашего драгоценного воздуха, нет ничего вообще? Разве мы не уверены, что космос — это черная пустота?

Как вы увидите из оставшейся части книги — это заблуждение.

Космическое пространство далеко от пустоты.

Когда вы в обличье рыбы на мгновение очутились над поверхностью океана, то побывали в другом мире, состоящем в основном из газа и пыли, а не из жидкости.

Мир, в который вы собираетесь войти теперь, гораздо более пространный. Он называется *квантовым миром* – миром фундаментальной материи и света.

В отличие от моря, состоящего из воды и заканчивающегося там, где начинается воздух, квантовый мир повсюду. В море, на земле, в составляющей нас материи и в космосе. Даже в «пустом» пространстве. Тем не менее поиск входа в это царство занял у человечества тысячелетия. Двери в квантовый мир скрыты глубоко внутри микромира. А так как воздух, гравитация и многие другие вещи могут испортить картину, то забудем о них на минуту.

И лучший способ сделать это – отправить вас обратно в космическое пространство.

Оторвав магнит от двери холодильника, чтобы снова проверить его поверхность, вы не наблюдаете на ней абсолютно никаких видимых изменений. Она такая же черная. И такая же гладкая. И все же вы чувствовали силу. Нет никаких сомнений. Очень странно.

Еще раз прижавшись щекой к холодильнику для повторения эксперимента, вы настолько сосредотачиваетесь, что все вокруг, кроме магнита и холодильника, исчезает. Пол, воздух, кусок золота, стены, кухня и квартира. Родной город. А также Земля, Луна и все остальное.

Вы плаваете в космическом пространстве, в мире мыслей, подчиняющемся известным сегодня законам природы. Здесь нет воздуха. Нет гравитации. Здесь вообще ничего нет, кроме вас, магнита, холодильника и того, что заставляет их взаимодействовать.

В настоящий момент нужно использовать такого рода ситуацию, так что не слишком беспокойтесь и сосредоточьтесь на задаче.

Щека ощущает прохладу двери холодильника. Магнит все еще в вашей руке. И, когда вы отпускаете его, начинается новое приключение: вы начинаете уменьшаться в размерах! На протяжении всего путешествия в пространстве-времени вы рассматривали Вселенную в огромных масштабах, чтобы понять мегамир, а когда понадобилось взглянуть на мир с точки зрения сверхскоростей, вы стремительно перемещались. Теперь вы на пути открытия для себя квантового мира, так что продолжаете сжиматься.

Намного.

Вы становитесь уменьшенной копией самого себя. Мини-копией всего несколько атомов в высоту.

Какова эта величина?

Давайте посмотрим.

Когда вы читаете эти строки, то книга или экран компьютера, вероятно, находятся на расстоянии ширины нескольких ладоней от ваших глаз. Самая мелкая вещь, которую зрение может воспринимать с такого расстояния, – это примерно одна двадцатая часть миллиметра, треть ширины человеческого волоса.

Прямо сейчас ваша мини-копия сократилась в 100 тысяч раз. Как раз до нужного размера, чтобы увидеть, происходит ли что-то в действительности между магнитом и холодильником.

Внимательно, хоть и несколько опешив от такого уменьшения, вы осматриваетесь в поисках призрачных рук, тянущихся навстречу друг другу. Вертите мини-головой влево и вправо, вверх и вниз.

И не видите ничего.

Вы знаете, что магнит находится где-то справа, а холодильник где-то позади левого уха, но они слишком далеко от точки вашего нового местоположения, чтобы их было видно.

Так что вы ждете.

И ничего не происходит.

Ничегошеньки.

После довольно долгого молчаливого наблюдения вы решаете попробовать что-то другое: где бессильно зрение, возможно, могут помочь *ощущения*. Помнится, в детстве, чтобы занять себя, вы играли в экстрасенса.

Вы несколько раз делаете глубокий вдох и выдох, чтобы сосредоточиться, а затем отключаете зрение. Вы подобны крошечному йогу в космосе. Размером меньше пылинки. С закрытыми глазами вы медленно разводите руки в стороны, как показывают в кино.

Сначала вы ничего не чувствуете. А затем что-то происходит.

Такое впечатление, что вы – рыба и все вокруг вас погружено... во что? Безусловно, не в воду... Вы открываете крохотные глаза, собираясь посмотреть, из чего состоит это «море», но ощущения немедленно выключают зрение, и вокруг снова ничего нет. Действительно очень странное впечатление. Даже немного страшно, но вы не трус и быстро делаете вывод, что, подобно многим другим вещам во Вселенной, то, что вы почувствовали, – реально, но невидимо.

Так что вы снова закрываете глаза, чтобы войти в квантовый мир, подобно йогу.

«Море» здесь, вокруг вас. Тут есть даже... токи? Да. Кажется. Возникшие, предположительно, в магните и заканчивающиеся на холодильнике. Вас окружают силовые петли, проходящие прямо сквозь нас, и вы понимаете, что то, что ощущается вами и заставляет магниты и холодильники взаимодействовать, есть так называемое *электромагнитное силовое поле.* Сквозь закрытые глаза оно выглядит как сотканный из силы туман, распространяющийся везде и всюду и сгущающийся рядом с магнитом и холодильником. Пульсирующие волны пробегают по нему со скоростью света, сообщая вам о сближении магнита и холодильника, а значит, рано или поздно они прилипнут друг к другу, а значит... Вы открываете глаза и с перекошенным от ужаса ртом смотрите на приближающийся огромный черный магнит, как раз собирающийся раздавить вас.

Вы отступаете назад, дрожа от испуга.

Теперь вы настолько близко к магниту, что почти видно шевелящиеся на его поверхности атомы. И даже текущие по нему микротоки. Какой они природы, электрические? Магнитные? Или и то и другое? Вы понятия не имеете, но точно ясно, что... ПОГОДИТЕ! ЧТО ЭТО БЫЛО?

Что-то случилось.

Вы это видели.

Никаких рук, тянущихся от магнита к холодильнику, не появилось, но зато был свет. Виртуальный или реальный, трудно сказать, но это определенно был свет. Он возник из ниоткуда, прямо перед вашими мини-глазами, с поверхности магнита. Или изнутри него? Вы поворачиваете голову в сторону его появления и видите дверь холодильника, огромную дверь, также движущуюся по направлению к вам...

Вы задерживаете свое мини-дыхание.

Вы в мгновении от неминуемой катастрофы.

Все больше странных жемчужин света появляются из пустоты, казалось бы, разделяющей магнит и холодильник еще мгновение назад; пустоты, определенно не выглядящей больше пустой. Жемчужины света вспыхивают вокруг вас между магнитом и холодильником, как будто множество крошечных ангелов влекут два объекта навстречу друг другу.

Завороженные зрелищем и пребывая в уверенности, что ваше мини-тело доживает последние секунды, вы задумываетесь, являются ли эти частицы света продуктами вашей фантазии или реальностью... Они кажутся виртуальными, так как длятся всего мгновение и появляются из ниоткуда, но имеют весьма конкретное воздействие на магнит... Да, эти яркие маленькие ангелочки переносят силу, влекущую магнит к холодильнику в вашем доме...

Вы закрываете мини-глаза.

И ждете момента, когда вас раздавит.

Бац!

Вы вновь на кухне, в шоке глядя на дверь холодильника, куда приклеился магнит с характерным металлическим звуком.

Вытирая капли струящегося по лбу холодного пота, вы, несмотря на полное одиночество, немного сконфужены, потому что подумали, что все снова было плодом вашей фантазии.

Хотя и ощущалось довольно реальным.

Вы только что стали свидетелем *дальнодействия* не вследствие волшебства, хотя признаюсь, это довольно жутковато. Вы, вне всякого сомнения, наблюдали таинственную силу, заставляющую притягиваться два магнита, — электромагнитное взаимодействие, переносимое виртуальными частицами света, настолько странными, что они существуют с единственной целью: переносить это электромагнитное взаимодействие. Они возникли между магнитом и холодильником словно из ниоткуда, но это не так. Вы только что обнаружили, что между любыми двумя объектами во всей Вселенной, будь они магнитами или нет, существует нечто, называемое *электромагнитным полем.* Море силы, из которого в любой момент могут выскочить виртуальные частицы света.

Прямо сейчас, пока вы смотрите на холодильник, бесчисленное количество маленьких виртуальных жемчужин света перемещаются между магнитом и дверью, но вы больше никогда не сможете их увидеть. Именно поэтому их называют виртуальными. Они появляются и исчезают в пустоте, не являющейся таковой, не позволяя никому увидеть их.

Такие виртуальные переносчики взаимодействий существуют повсюду вокруг прямо сейчас, даже внутри вас.

Все они принадлежат электромагнитному полю — невидимому туману, заполняющему не только пространство между холодильниками и магнитами, но и всю Вселенную.

А как насчет магнитов, отталкивающих друг друга? Вы, конечно, видели такие, не так ли?

Как вы скоро испытаете, летя через атом, виртуальные жемчужины света, с которыми вас только что познакомили, могут либо притягивать, либо отталкивать, либо не оказывать никакого влияния на составляющую и окружающую нас материю. Все зависит от того, о какой материи идет речь. На самом же деле все зависит от единственной вещи, которую ученые назвали *электромагнитным зарядом.* И точно так же, как можно измерить свой вес с помощью весов, с помощью приборов можно измерить и свой заряд. Хотя наш заряд в среднем равен нулю — человеческое тело электрически нейтрально (в противном случае магниты бы к вам прилипали, что было бы весьма раздражающим). Но отдельные частицы, составляющие ваше тело, имеют другой заряд.

В природе можно найти только два типа электромагнитных зарядов. Для удобства их называют положительными и отрицательными, плюсом и минусом.

Существует закон, по которому виртуальные жемчужины света отталкивают *себе подобные* (то есть одинаково заряженные) и притягивают противоположно заряженные. Плюс и плюс, а также минус и минус отталкиваются друг от друга посредством возникающего между ними виртуального света. Чем они ближе, тем больше виртуальных жемчужин света, тем сильнее отталкивающая сила. С другой стороны, плюс и минус любят сжимать друг дружку в объятиях. Как магнит и холодильник. И чем они ближе, тем сильнее притягиваются. В то же самое время нейтральные объекты эти жемчужины света не волнуют, и они могут быть нейтральными, обладая равным количеством положительных и отрицательных зарядов (подобно вашему телу), либо вообще не иметь никакого электрического заряда (некоторые частицы, с ними вы встретитесь позже, его не имеют). Таковы законы электромагнитного поля.

Теперь вы можете думать, что раз такое объяснение взаимодействия магнитов и холодильников нельзя увидеть своими глазами, все это может быть весьма полезным умозаключением, но не совсем соответствовать тому, как работает природа на самом деле. Тогда, можете возразить вы, электромагнитное поле – это всего лишь изображение, позволяющее ученым описать реакцию заряженных объектов на присутствие магнита. Описание. Конечно, обоснованное и образное. Но ничего больше.

Можно подумать, что все это очевидно, но вы неправы.

Поле, с которым вас только что познакомили, невидимый туман, пронизывающий всю Вселенную и активизирующийся вблизи и между заряженными объектами, гораздо шире этого определения.

Прежде всего, оно весьма реально.

На деле оно не только включает в себя все касающееся электрических или магнитных зарядов, но и является сущностью, дающей начало всем заряженным частицам, а также свету повсюду во Вселенной. Электроны, с которыми вы скоро столкнетесь, являются его выражением. Свет, воспринимаемый нашим глазом, совсем другой природы. И то и другое – не что иное, как пульсация поля.

Многие из самых выдающихся ученых на Земле сегодня считают электромагнитное поле фундаментальнее магнитов. И даже холодильников. Даже важнее света. И фундаментальнее вас. Как бы абсурдно ни звучало последнее заявление.

До конца этой части вы познакомитесь с существованием двух других квантовых полей, также заполняющих всю Вселенную. И поймете, что, как утверждает современная наука, вы, я, вся известная и видимая нам материя, весь разливающийся повсюду свет – лишь выражение пульсации этих полей. Мы, люди, на самом деле похожи на морских рыб. В море, созданном из полей. Так же, как и все остальное. И хотя наши предки когда-то жили в океане, им потребовались миллиарды лет, чтобы эволюционировать и открыть существование квантовых полей.

ГЛАВА 3

ВХОД В АТОМ

Вы безучастно и довольно долго рассматриваете магнит на холодильнике. Затем качаете головой и открываете дверцу, чтобы наконец достать молоко, которого вы так сильно хотели, прежде чем магнит обратил ваше внимание на феномен из мира призраков.

Вернувшись к оставленной на столе кружке, вы уже собираетесь влить туда молоко, как вдруг вид лежащего рядом золота заставляет вас остановиться.

Чем именно являются атомы золота, обнаруженные вами ранее, или атомы, шевелящиеся на поверхности магнита? Может быть, они напоминают маленькие круглые шарики? Или кубики? Как именно заряды предпочитают получать виртуальные жемчужины света из электромагнитного поля? И что, черт возьми, я имею в виду, говоря, что все они – выражения некоторых полей?

Как и следовало ожидать, эти вопросы отсылают вас обратно в мини-состояние, и вы оказываетесь плавающим посередине кухни вдали от всех знакомых предметов, с любопытством ожидая ответа, из чего состоит полученный вами атом золота.

Но это не тот самый атом. Скорее, самый маленький атом. Атом, составляющий 74% всей известной материи Вселенной: водород. Тот самый водород, ядра атомов которого в подобных Солнцу звездах сливаются, создавая более крупные, и побочным продуктом этого слияния является свет.

Говоря откровенно, видно вам не слишком много.

Перед вами точно находится *что-то*, но вам очень трудно определить, *где* оно, не говоря уже о том, *что* это такое. Пристальное разглядывание его мини-глазами не помогает, так что вы решили снова попробовать *ощутить* его по методике йогов.

Удивительно, но это работает.

Глаза закрыты, но вы можете представить себе картинку.

Что-то наподобие волны, колеблющей окружающее электромагнитное поле... волны, покачивающейся вокруг сферы... полой сферы или, скорее, полого лепестка... и это не совсем волна... но она сферическая, нет, в форме лепестка, пульсирующая, стремительно движущаяся... со скоростью, очень близкой к скорости света, так что мир, кажется, должен быть сильно искажен, не говоря уже об отсчете его времени в сравнению с вашим, но он не сосредоточен в определенном месте... Хорошо, давайте будем откровенны, вы понятия не имеете о том, что воображаете, но вся эта сферическая, в форме лепестка или любой другой форме, стремительно движущаяся* вещь действительно пере-

* «Стремительно движущийся» в данном контексте может даже означать «релятивистский», то есть перемещающийся на скорости, близкой к скорости света.

носит электрический заряд. Можно ощутить ее взаимодействие с электромагнитным полем точно таким же образом, как при приближении магнита.

Значит, это и есть атом? Все еще сосредоточенно думая, вы понимаете, что здесь нечто другое... Похороненное глубоко внутри, микроскопическое по сравнению с объемом движущейся волны, но что-то, должно быть, сильное, даже очень сильное, чтобы удерживать ощущаемый вами движущийся заряд от исчезновения.

Вы понимаете, что атом водорода обладает ядром, окруженным движущимся зарядом. Все атомы Вселенной имеют такую структуру: ядра разного размера, окруженные одной или несколькими электрически заряженными волнами.

Ученые назвали такое ядро *атомным ядром*, а нечеткую, заряженную, покачивающуюся волну — *электроном.*

И это — сбивающее с толку открытие.

Электрон не имеет ничего общего с воображенной вами крошечной точкой.

Чтобы убедиться в правильности ваших умозаключений, вы оставляете методику йогов в покое и открываете глаза. Совершенно неожиданно покачивающаяся волна исчезает, становясь чем-то другим, гораздо больше напоминающим частицу.

Хорошо.

Электроны, абсолютно идентичные этому, присутствуют в различных количествах во всех атомах Вселенной. Они являются основой всех наших электрических и магнитных устройств, будь то компьютер, стиральная машина, сотовый телефон, электрическая лампочка... и любой вещи. От них зависят все энергетические и коммуникационные средства.

Поэтому вы медленно, очень медленно протягиваете свою крошечную руку вперед, чтобы схватить его и изучить поближе.

Как ни странно, электрон очень трудно поймать. Каждый раз, когда вам удается обнаружить его краем мини-глаза, он начинает двигаться хаотично, как будто сама попытка обнаружить его заставляет электрон изменять свой курс непредсказуемым образом.

Это не игра вашего воображения.

Это реальный феномен. Одно из многих явлений, происходящих в квантовом мире, но не в нашем повседневном мире хрустальных ваз и чашек кофе.

Это – часть фундаментальной неопределенности природы, рассматриваемой с нашей точки зрения. Вы подробно познакомитесь с тем, что это значит, в шестой части книги, но уже сейчас чувствуете, что происходит что-то сверхъестественное. Нужно поймать этот электрон и заставить его говорить, думаете вы. Точно. Какого бы вы ни были крошечного размера, но вы – чистый разум и можете делать все что угодно. И будь вы прокляты, если какой-то там малюсенький электрон попытается это опровергнуть... хвать! Как только ваш мини-глаз засекает его присутствие, прямо тут, справа от вас, вы быстрее молнии набрасываетесь на него. И вот он здесь, в вашей плотно сжатой правой руке. Электрон шевелится внутри, будто бабочка,

ЭЛЕКТРОНЫ ПРИСУТСТВУЮТ В РАЗЛИЧНЫХ КОЛИЧЕСТВАХ ВО ВСЕХ АТОМАХ ВСЕЛЕННОЙ. ОНИ ЯВЛЯЮТСЯ ОСНОВОЙ ВСЕХ ЭЛЕКТРИЧЕСКИХ И МАГНИТНЫХ УСТРОЙСТВ, БУДЬ ТО КОМПЬЮТЕР, СТИРАЛЬНАЯ МАШИНА, СОТОВЫЙ ТЕЛЕФОН, ЭЛЕКТРИЧЕСКАЯ ЛАМПОЧКА.

практически со скоростью света хлопающая крыльями по ладони. Вы начинаете сжимать пальцы. Электроны — заряженные частицы; они взаимодействуют с другими имеющимися в руке собратьями с помощью виртуальных жемчужин света, вылетающих из электромагнитного поля.

Вы продолжаете все сильнее сжимать кулак, желая, чтобы электрон затих в своей крошечной тюрьме, и... внезапно вы его больше не ощущаете. Он исчез.

Вы разжимаете кулак.

Электрона там нет.

Вы абсолютно уверены, что не оставили ни одной крошечной щелки между пальцами, но все же он выскочил. И вы ничего не почувствовали. Он просочился сквозь ладонь, не коснувшись ее.

Он снова вернулся к невидимому ядру атома водорода, откуда вы его забрали.

Возмутительно!

Но как же ему это удалось? Как мог электрон выскользнуть из цепкой хватки, не задев вас? Честно говоря, он прошел сквозь вашу руку. Выпрыгнул. Рекордный прыжок. Квантовый скачок. Нечто ограниченное субатомным миром, не существующее в повседневной жизни на макроуровне кухонь, ваз и самолетов. Или что-то в таком роде.

Вы еще не успели разобраться с электроном, но уже знакомы с одним из его странных свойств: он может прыгать, как никто другой. Феномен, называющийся *квантовым скачком* или *туннельным эффектом*, и так сложилось, что не только электроны, но и *все* частицы, которые вы обнаружите в квантовом мире, способны на такие квантовые скачки или переходы.

Теперь, выяснив этот вопрос, давайте остановимся на секунду, чтобы вместе подумать о терминологии.

Когда ученые открывают что-то новое, необходимо дать ему имя. Для чего-то микроскопического, для квантового мира, они составляют слова-ассоциации, где за прилагательным «квантовый» следует существительное, как правило, взятое из обиходной речи. Так получаются «туннели», «прыжки» или «миры» — легко понятные термины, которые сами по себе означают то же самое, что и в повседневной жизни. Однако наличие слова «квантовый» служит предупреждением. «Квант» автоматически означает наличие чего-то подозрительного. В случае с рукой подозрительность квантового туннелирования заключается в следующем: электроны действительно проделывают туннели сквозь вещи… но никаких туннелей нет.

Квантовые скачки едва ли когда-либо осуществимы для людей, но представьте себе, если бы они были возможны. Вообразите: вы вернулись назад в прошлое, в свое детство, на эту самую кухню. Отец только что попросил вас убрать посуду со стола, но уже поздно, и вы вдруг чувствуете, как все сто километров земной атмосферы упали на ваши хрупкие плечи. Вы чуть слышно бормочете что-то совсем не напоминающее рычание медвежонка. Но ничего не помогает.

Стол с грязной посудой ждет вас.

В отчаянии вы садитесь на пол. И тут начинается. Вы вдруг оказываетесь в столовой, с другой стороны кухонной стены, рядом со столом, и все столовые приборы, тарелки и стаканы начинают проделывать туннели, совершать прыжки и тому подобное сквозь стену прямо на кухню. Это может звучать как сказка или отрывок из книжки про *Мэри Поппинс*, но, если честно, с этими квантовыми скачками никогда не угадаешь, куда могут запрыгнуть столовые приборы, посуда и стаканы. Так что в конечном итоге они вряд ли окажутся в посудомоечной машине, и отцу придется покупать все заново, потому что вы больше никогда их не найдете.

Звучит странно, не так ли?

Вот что такое квантовое туннелирование. Если перевести квантовые законы в нашу плоскость, то дверей, стен и неприкосновенности частной жизни не существовало бы. К счастью и довольно загадочным образом, они к нам не применимы.

Однако благодаря туннельному эффекту почти все в микромире способно пересечь любой барьер. Каким образом? Принято считать, что частицы могут осуществить это, потому что им позволено черпать энергию из своего квантового поля, моря, в котором они плавают, моря, действительно заполняющего все место в пространстве-времени. Столько энергии, сколько захочется. Мечта всех спортсменов.

Но это не подскажет вам, на что *похож* электрон, и я предпочел бы быть с вами вполне откровенным: вашей мини-копии, возможно, придется столкнуться здесь с легким разочарованием. Представить себе электрон невозможно из-за того самого квантового поля, которому он принадлежит.

Электромагнитное поле существует повсюду, и каждый отдельный электрон Вселенной не только принадлежит ему, но и абсолютно идентичен любому другому электрону, везде и всегда. Поменять их местами, и Вселенная не заметит. Из-за этого квантового поля, чьим выражением они являются, электроны нельзя описать как макроскопический объект. Они относятся к полю. Они являются его частью, как капля воды принадлежит безбрежному океану или порыв ветра – ночному воздуху, капли или порывы, которые вы не можете выделить в отдельности. До тех пор пока наблюдатель не смотрит, капли и порывы ветра идентичны самому океану или самому ветру. Смешанные с сущностью намного обширнее, чем они сами, они не имеют собственной индивидуальности.

В квантовом мире, когда за ними наблюдают, электроны становятся частицами с заданными свойствами, подобно каплям, взятым из океана, но их свойства не похожи ни на что виденное вами прежде. Они не ведут себя привычным образом или по крайней мере так, как может нами ожидаться, исходя из опыта повседневной жизни.

Даже если знать, где электрон, вам *не узнать*, как быстро он движется: его скорость становится непредсказуемой. Именно поэтому было так трудно найти электрон внутри атома водорода. Стоило вам его увидеть, как он начинал двигаться хаотично. Вы были не в состоянии следить за ним, и он исчезал из виду.

Аналогичным образом, если знать, сколько энергии имеет электрон, *нельзя* рассчитать, как долго он собирается сохранять ее.

Энергия и время, местоположение и скорость являются действительно независимыми друг друга понятиями полей квантового мира. Подробнее вы услышите обо всем этом в шестой части, но на данный момент, пока ваша мини-копия впервые путешествует по квантовому миру, вы можете считать мое замечание предупреждением (а возможно, приманкой для некоторых читателей). Вашей уменьшенной копии придется просто воспринимать все так, как вы делали это раньше, будучи маленьким ребенком, открывающим для себя мир: без предубеждений. Местоположение и скорость не могут быть известны одновременно? Хорошо. Так оно и есть. Квантовые законы допускают сверхъестественные прыжки и туннели? Хорошо, пусть так и будет. Объяснение придет со временем, а может, и нет.

Тем не менее все разговоры о квантовом туннельном эффекте звучат для меня полным бредом. Мне рассказывали, как однажды после прочтенной лекции по квантовой физике Эйнштейн сказал студентам: «Если вы меня поняли, значит, я выражался недостаточно ясно». Так что, если это тоже звучит для вас как нонсенс, то все в порядке. Природа не обижается. Она здесь, чтобы мы ее открыли, вот и все. Но действительно ли это реально?

Что ж, некоторые относились к квантовому туннелированию довольно серьезно и пытались найти ему практическое применение. Удивительно, но им это удалось.

Около тридцати лет назад, работая на компанию IBM в Цюрихе, немецкий физик Герд Бинниг и швейцарский физик Генрих Рорер были убеждены, что смогли бы использовать квантовое туннелирование для визуального осмотра любых поверхностей в феноменально малом масштабе. Ученые полагали, что оно позволит им наконец-то увидеть атомы.

Как правило, электрон не покидает свой атом, если не найдется местечка лучше. И обычно, если альтернатива появляется, она должна располагаться довольно близко, в противном случае электрону туда не попасть. Разве только он не использует свою квантовую силу, создав туннель сквозь пустоты и перепрыгнув через препятствия.

С помощью чрезвычайно тонкой и сверхзаточенной острой иглы, подключенной к регистратору измерения тока, Бинниг и Рорер сканировали поверхность материала, не прикасаясь к нему. Находясь довольно далеко от поверхности, они не должны были обнаружить ничего, так как расстояние между ней и иглой слишком велико для амплитуды движения электрона. Но они засекли электрические токи, соотносящиеся с прыжками электрона*. Чем ближе игла была к поверхности материала, тем больше обнаруживалось скачков и тем заметнее вырастал электрический ток. Сопоставив эти токи на графике, они получили 3D-изображение материала на атомном уровне с экстраординарными подробностями. Они построили микроскоп, называемый теперь *сканирующим туннельным микроскопом*, которые смог увидеть уже сами атомы. Его точность поразительна: от 1 до 10% диаметра атома водорода. Другими словами, если бы у атома водорода имелись ноги, то сканирующий туннельный микроскоп смог бы сосчитать их, а может быть, даже и количество пальцев.

Атомы золота, подобные тем, что вы обнаружили на своей кухне, были сканированы таким же образом несколько десятилетий назад. Сканирующие туннель-

---

* В случае если вам интересно, виртуальные фотоны, жемчужины света, переносчики электромагнитного взаимодействия, не имеют никакого заряда, поэтому не имеют отношения к токам.

ные микроскопы сегодня используются для получения представления о том, каким образом различные типы атомов переплетаются в окружающей нас материи, а также в самых современных, искусственно созданных материалах. С помощью такого микроскопа инженеры получили возможность управлять отдельными атомами. Квантовое туннелирование оказалось реальным. И оно имеет практическое применение.

За создание такого инструмента Бинниг и Рорер были удостоены в 1986 году Нобелевской премии по физике*.

Электроны, подобные тому, что вы пытались поймать, заселяют внешние границы всех атомов Вселенной. И они неуловимы. Но, несмотря на невозможность описать их внешний вид, используя терминологию повседневной речи, ученые научились принимать их странное поведение.

Насколько известно современной науке, электроны невозможно расчленить на какие-либо более мелкие частицы. В отличие от атома их нельзя расщепить, разделить или даже сломать. Они созданы электромагнитным полем, они – его выражение.

За то, что они не являются ничем, кроме себя самих, за то, что они – одно из самых основных, фундаментальных выражений электромагнитного поля, электроны называют *фундаментальными частицами*.

Быстро исчезающие жемчужины света, появлявшиеся между магнитом и холодильником, напротив,

* Они разделили Нобелевскую премию того года с немецким физиком Эрнстом Руска, создавшим другой тип микроскопа, названный *электронным микроскопом*. Таким образом, 1986 год оказался годом оптических приборов.

носят название *виртуальных частиц*. Они — *переносчики взаимодействий*, существующие только для передачи электромагнитной силы между электрически или магнитно заряженными частицами.

Атомы, будучи созданы из более мелких компонентов (электронов и того, что составляет их ядро), *не являются* фундаментальными частицами. Они состоят из их большого количества.

Далее, электроны взаимодействуют с остальным миром не только посредством виртуальных фотонов. Они также могут вступать в контакт с *реальными фотонами*, с реальным светом, обнаруживаемым человеческим глазом. Эта игра материи и света и заставляет нас видеть мир таким, какой он есть.

В настоящее время реальные фотоны, подобно электронам, также понимаются как созданные из ничего фундаментальные выражения электромагнитного поля: они — настоящая рябь невидимого моря, квантовая пульсация, способная вести себя как волны *и как* частицы.

Как раз такая волна фотонов теперь омывает атом водорода. Чтобы попасть сюда, им пришлось проделать долгий путь. Около миллиона лет они пытались вырываться из расплавленного ядра Солнца на его поверхность, которой достигли примерно восемь с половиной минут назад. Наконец-то свободные и не обремененные материей, они со скоростью света промчались сквозь космическое пространство все 150 миллионов километров, отделяющие поверхность разъяренной звезды от нашей планеты. Из всех мест, куда они могли направиться, эти фотоны в конечном итоге выбрали Землю, достигнув ее атмосферы лишь долю секунды назад, только чтобы зарядиться в ней и подлететь...

к окну вашей кухни. С этого момента у них осталось не так много дел. Они прошли сквозь оконное стекло и подлетели к атому водорода.

Ваша мини-копия наблюдает за их беспорядочным движением по кухне, надеясь увидеть момент их прикосновения к атому. Вместо этого все они пролетают сквозь него и разбиваются о стену кухни.

За исключением одного исчезнувшего.

Пропавшего.

Куда он делся?

Вы в удивлении озираетесь вокруг, пока не замечаете, что неуловимый электрон атома водорода движется теперь иначе. Если рассматривать его как окаймляющую ядро волну, то ее гребни сближаются друг с другом.

Как это возможно?

Электрон возбужден.

Он проглотил фотон.

Помните, как мы впервые встретились с этим странным явлением некоторое время назад во второй части, проверяя первый космологический принцип.

Но сейчас происходит что-то еще более интересное: через некоторое время электрон неожиданно выплевывает *точно такой же*, как исчезнувший, проглоченный фотон, летящий теперь в случайно выбранном направлении.

Поразмыслив мгновение, вы делаете единственно возможный вывод: наиболее известные фундаментальные частицы электромагнитного поля, а именно электроны и фотоны, могут взаимодействовать и взаимодействуют между собой. И эти электроны и фотоны могут превращаться друг в друга.

Подумав еще немного, вы понимаете, что на самом деле всегда знали это: разве вы не чувствуете тепло, купаясь в солнечном свете? Разве, когда вы сидите зимой перед затопленным камином, кожа не нагревается? Кожа, как и вся материя в нашем мире, состоит из атомов, внешние слои которых заполнены электронами. Когда с ними сталкивается исходящий от Солнца свет, атомы кожи и их электроны «ловят» фотоны, превращаясь в возбужденные электроны, начинающие двигаться несколько быстрее, создавая тепло, нравящееся (или нет) вашему телу.

Это такое невероятное открытие, что я еще раз повторюсь: материя и свет могут превращаться и превращаются друг в друга.

Все в нашем мире есть игра материи и света.

Но не только.

ГЛАВА 4

ЖЕСТОКИЙ МИР ЭЛЕКТРОНОВ

В двух последних главах, хоть вы всего лишь наблюдали за взаимодействием холодильника и магнита и скользили по поверхности атома, вы успели сделать великие открытия. Вы разгадали тайну «дальнодействия» электромагнетизма и увидели, как материя и свет могут играть друг с другом. Конечно, эта игра – только один из аспектов нашего мира, но действительно феноменально, что скромные человеческие чувства созданы, чтобы ощущать ее. Свет постоянно попадает на наше тело, возбуждая электроны нашей плоти, глаз и их сетчатки, нагревая создающую нас материю и сообщая ей некоторую энергию. Атомы также могут выплевывать обратно свет, проглоченный их электронами, что заставляет нас и окружающие предметы «светиться» одним или несколькими цветами, цветами атома — или множества атомов, — поглотивших фотоны. Это то, что придает цвет нашим глазам, коже, волосам и одежде, всем растениям и камням, а также особый оттенок далеким звездам. Лучи света падают на помидор; весь видимый свет поглощается, нагревая его или сохраняясь внутри, за исключением бесполезных для атомов помидора лучей красной части спектра, которые исторгаются обратно для дальнейшего путешествия, одновременно говоря глазам, что мы смотрим на превосходный красный овощ. Без электронов и фотонов мы не увидели бы ни помидоры, ни друг друга, а также не узнали бы, из чего состоит остальная часть Вселенной и подчиняются ли ее дальние уголки тем же физическим законам, что существуют вокруг нас. Но еще удивительнее то, что благодаря чувствам наши тела преобразуют все эти невероятные взаимодействия в обработанные мозгом ощущения. Человечество вывело из этих взаимодействий науку, а также выяснило наличие заполняющих всю Вселенную полей. И это не просто удивительно, а настоящее чудо.

БЕЗ ЭЛЕКТРОНОВ И ФОТОНОВ МЫ НЕ УВИДЕЛИ БЫ НИ ПОМИДОРЫ, НИ ДРУГ ДРУГА, А ТАКЖЕ НЕ УЗНАЛИ БЫ, ИЗ ЧЕГО СОСТОИТ ОСТАЛЬНАЯ ЧАСТЬ ВСЕЛЕННОЙ.

Теперь как насчет атомного ядра? Оно тоже состоит из электронов? Оно — еще одно выражение электромагнитного поля? В некотором роде да, до тех пор пока вы можете утверждать, что весь рассматриваемый вами атом водорода электрически нейтрален. Тогда ядро также должно иметь заряд, противоположный окружающим его электронам, таким образом, они взаимно уравновешиваются, если смотреть на расстоянии. Но почему же тогда вы не видите?

Пока ваше крошечное Я пристально всматривается в атом водорода, плавающий посреди кухни, вы вдруг замечаете, что этот водород ужасно похож на кучу пустого места по сравнению с его содержимым, независимо от того, из чего может состоять его ядро. Факт, что между ядром и электронами находится некоторое количество пустоты, на самом деле общий для всех известных атомов Вселенной.

Странно.

Почему же тогда магниту просто не пройти сквозь поверхность холодильника, чтобы обширные пустые пространства атомов магнита проникли в такие же обширные пустые пространства атомов металлической двери? Почему вместо этого магнит прилипает к ней? Разве не следует сталкивающимся атомам *просто столкнуться* и пройти мимо друг друга, как два облака пара, даже не заметив взаимного присутствия? Ну нет. К счастью. Иначе мир не был бы твердым. И причиной тому являются электроны, а не ядра. Чтобы выяснить почему, пригодится уже приготовленный вами атом золота.

Рассмотренный вами атом водорода является самым маленьким атомом на Земле. Атом золота больше. Вы оказываетесь рядом и разглядываете его.

Первое, что вы замечаете, это то, что у него не один-единственный волнообразный электрон, носящийся вокруг ядра водорода, а целых семьдесят девять абсолютно идентичных волнообразных электронов, кружащихся вокруг ядра.

Вторая замеченная вами вещь состоит в том, что, какими бы одинаковыми электроны ни казались, эти волнообразные создания не делятся своей территорией. Вообще. Они попросту избегают находиться в одном и том же месте в одно и то же время, природа запрещает им поступать иначе: независимо от атома, которому они принадлежат, их волнообразные сущности нигде не пересекаются, таким образом создавая весьма жесткие условия вероятного совместного проживания в границах любого атома. У них нет иного выбора, кроме как выстраиваться вокруг ядра слоями, как у лука, и именно так они и поступают. Только два электрона могут заполнить первую, внутреннюю оболочку. Только восемь – расположиться во второй, восемнадцать – в третьей, тридцать два – в четвертой и т. д.

Эти цифры известны и одинаковы для всех известных атомов Вселенной. То, что делает один атом отличным от другого, связано с количеством содержащихся в нем электронов, а не с природой этих электронов. Электроны всегда тождественны.

Самый маленький из атомов – водород – имеет один электрон, орбиталь которого находится в пределах первой электронной оболочки. Гелий имеет два электрона. Их орбитали заполняют первую оболочку. Неон, произвольно выбранный мной третий атом, имеет десять электронов. Его первые две электронные оболочки полностью заселены электронами. Химические и механические свойства всех атомов связаны с тем, насколько заполнена их внешняя атомная оболочка.

Если вам нужно добавить к атому дополнительный электрон, не получится просто засунуть его куда заблагорассудится, и, конечно, не в уже заполненный слой. Так что если бы электроны были похожи на точки, их трудно было бы представить. Хотя они действительно могут напоминать маленькие шарики при некоторых особых обстоятельствах (вы подробно познакомитесь с ними в шестой части), но, чтобы иметь свойства волны, они *не могут* ими являться. А волны способны с легкостью заполнять объем. Вот почему на заполненном электронном слое не осталось совсем никакого пространства для чужаков. Если бы дополнительный электрон (сам по себе либо принадлежащий другому атому) действительно решил стать частью уже созданного атома, ему пришлось бы поселиться в сторонке от коренных жителей, там, где еще есть место, либо занять место кого-то из них, вышвырнув его оттуда. Электроны просто не выносят, когда их волнообразной сущности кто-то касается. Это – не знающий пощады мир.

Такое правило непереносимости имеет имя. Оно называется *принципом запрета*, или *принципом Паули*. Он был открыт в 1925 году швейцарским физиком-теоретиком Вольфгангом Паули*, удостоенным за него Нобелевской премии по физике 1945 года.

---

* Случилось так, что в то время Паули только что бросила жена... предпочтя ему химика, что очень трудно пережить физику-теоретику, и Паули начал топить свое горе в алкоголе. Не удивительно, что название его принципа связано с запретом. Тем не менее, по иронии судьбы, из глубин депрессии он выяснил причину, почему мы можем жить на поверхности нашего мира,

Принцип запрета является причиной того, почему магниты прилепляются к дверям холодильника, не проникая внутрь, или, что может оказаться более важным, почему вы не можете проходить сквозь стены и почему вы не проваливаетесь сквозь пол. Он же объясняет, почему вы можете держать в руках эту книгу: атомы обложки обладают внешними электронами, категорически отказывающимися уступать свое место электронам кончиков ваших пальцев. И ваши электроны тоже не сдвинуть с места. Так что они сторонятся друг друга. И нет никакого способа, по которому ваша собственная сила может вынудить любой из них поступить иначе. Волны электронов не перекрываются. Никогда. Не пытайтесь проскочить сквозь стену, чтобы доказать, что я (или Паули) неправ. Вы разобьете себе нос, а электроны ничего не заметят.

И все же необходимо заметить, что, хотя электронам и нравится неприкосновенность личного пространства, они не прочь поменяться. И это позволяет им, к нашему большому счастью, создавать составляющую нас материю, что вы сейчас и увидите.

Вы собирались нырнуть в атом золота, но придется подождать, потому как раз в это время мимо пролетает атом кислорода.

Вы смотрите на него.

Меньше золота по размерам, кислород с его восемью электронами все равно гораздо больше водорода.

Его первая атомная оболочка заполнена, но есть место еще для двух электронов в крайней, внешней

не проваливаясь под землю, несмотря на то что он, казалось, потерял такую причину для себя лично.

оболочке – второй по счету, имеющей шесть электронов, но вмещающей восемь.

Одинокие электроны атома водорода не собираются упускать такую возможность.

Поблизости как раз два атома водорода, так что, как только кислород оказывается рядом, *хоп!* Одиночный электрон первого атома водорода выпрыгивает и оказывается среди семьи кислорода, чтобы больше никогда не пребывать в одиночестве.

Хоп! И в тот же момент другой электрон атома водорода заполняет последнее место.

А так как все электроны Вселенной абсолютно одинаковы, никто точно не может сказать, кто очутился там в первую очередь, а кто переехал позже. Идеальная ассимиляция.

У ядра, связанного со своими электронами виртуальными жемчужинами света, нет иного выбора, кроме как следовать за ними, так что теперь три атома прочно прилипли друг к другу. Два атома водорода и один – кислорода вынуждены сожительствовать.

Места для дополнительного электрона больше нет. Вся конструкция устойчива.

Делясь своими электронами описанным выше способом, атомы становятся частью более крупных структур, называемых *молекулами*. Только что созданная на ваших глазах молекула состоит из двух атомов водорода и одного атома кислорода.

Два H и один O.

H_2O.

Это вода – самая ценная молекула для жизни, насколько нам известно.

В универсальном масштабе вода обычно не собирается на кухне, скорее, это происходит в космическом пространстве, внутри огромных облаков звездной пыли, разбросанных внутри галактик, называемых астрономами *туманностями*.

Внутри этих туманностей произведенный взорвавшимися звездами кислород смешивается с водородом, который можно обнаружить повсюду.

Когда звезды умирают, они рассеивают вокруг свои семена, прокладывая путь будущим молекулам воды. А также многим другим молекулам.

Путем обмена одним или несколькими электронами можно связать друг с другом множество атомов самыми разными способами, образовывая цепочки различной степени сложности. Таким образом, природа создала молекулы различных размеров и свойств, от совсем крошечных (молекулы воды состоят только из трех атомов) до чрезвычайно длинных, как ваша собственная ДНК, которая с ее миллиардами присоединенных атомов несет в себе всю информацию, необходимую для создания кого-то вроде вас.

Чтобы пролить свет на генезис этих молекул, с чьей помощью зародилась жизнь на Земле, и разгадать тайну происхождения воды, покрывающей сегодня 70% поверхности нашей планеты, за последнее десятилетие в космос было отправлено множество спутников. Появилась ли вода из астероидов, столкнувшихся с нашей планетой около 4 миллиардов лет назад? Или из комет, сделавших то же самое? И принесли ли эти космические камни и ледяные глыбы или все вместе с собой молекулярные семена жизни? Мы вскоре узнаем, так как многие из этих спутников в настоящее время уже на месте или на пути туда.

А пока что мы точно знаем одну вещь: только шесть химических элементов были необходимы для создания всех необходимых для жизни и процветания на Земле молекул: углерод, водород, азот, кислород, фосфор и сера. Так называемые CHNOPS.

Между прочим, так как все ваше тело состоит из молекул, образованных из этих атомов, собранных различными способами, то вы – CHNOPS. Без обид.

Теперь, пока вы рассматриваете свое CHNOPS-тело, в вашем сознании всплывает другой вопрос: раз вы и воздух состоите из одних и тех же атомов, обменивающихся своими электронами, то почему тогда вы (к счастью) можете проходить сквозь воздух, но не можете пройти сквозь стену?

На самом деле важный вопрос.

Насколько нам известно, воздух наполнен атомами, которые имеют столько электронов, сколько хотите, поэтому они не должны позволить вам пройти. Никак. По принципу Паули.

Ответ в том, что не все атомы в воздухе делятся своими электронами и, следовательно, не так связаны друг с другом, как атомы, образующие твердое тело, ваше тело в частности. Вместо того чтобы препятствовать любому вашему движению, электроны, окружающие составляющие воздух атомы, раздвигаются, когда вы с силой прокладываете сквозь них свой путь, и попутно натыкаются друг на друга, создавая некий ветер. Это, кстати опять же, разница между газом и твердым телом.

В жидкости находящиеся поблизости атомы несколько теснее связаны друг с другом, но недостаточно, чтобы остановить вас, если только вы не попытаетесь проникнуть в нее слишком быстро, как при прыжке со скалы в отливающее стальным цветом море. В твердых телах атомы вообще не отходят в стороны, если их не заставить сделать это насильно — например, разрезав бумагу острыми ножницами.

И тогда, вместо того чтобы бороться за свое место, электрон будет вынужден уйти, оставив вакантное место для другого электрона. Когда атом теряет электрон (например, после попадания мощного фотона солнечного света), объединенный заряд ядра и электрона (электронов) больше не дотягивает до нуля. Лишенные одного или нескольких электронов атомы становятся тем, что ученые называют *ионами**. Ион, как правило, ищет к чему приклеиться, чтобы образовать молекулу. На самом деле, они отчаянно пытаются найти электроны. Выражаясь терминологией физики, они *бурно реагируют*.

И наоборот, создаваемые электронами внутри молекулы связи могут и нарушаться. Во время таких процессов обычно выделяется энергия, а это как раз то, зачем нужна еда. Химические реакции внутри тела расщепляют содержащиеся в пище молекулы, высвобождая энергию, которая затем многофункционально используется организмом для поддержания вашей жизнедеятельности.

Замечательно.

Это завершает наш обзор крошечного мира электронов. Вы прошлись лишь по внешней части трех

---

* Атомы, каким-то образом получившие один или более электронов, также называются *ионами*. Ионы — атомы, не имеющие достаточного естественного количества электронов.

атомов и все же уже выяснили, насколько глубоко современная наука разбирается в ежедневно происходящих в нашем теле процессах. Так что, прежде чем распрощаться со все еще таинственным атомным ядром, я подведу итог тому, с чем вы познакомились на протяжении последних нескольких глав.

Наружные части всех атомов Вселенной, размытые, волнообразные, массивные электрические заряды называются электронами. Они являются фундаментальными частицами электромагнитного поля и активно защищают свое личное пространство. Принцип запрета Паули не позволяет любым двум электронам оказываться в одном и том же месте в пространстве и времени. Несмотря на то что во всех атомах Вселенной больше пустоты, чем всего остального, именно это является причиной, почему вам не удастся пройти сквозь стену, провалиться в стул, в кровать или еще во что-нибудь твердое. Иначе существование превратилось бы в искусство выживания.

ПРИНЦИП ЗАПРЕТА ПАУЛИ НЕ ПОЗВОЛЯЕТ ЛЮБЫМ ДВУМ ЭЛЕКТРОНАМ ОКАЗЫВАТЬСЯ В ОДНОМ И ТОМ ЖЕ МЕСТЕ В ПРОСТРАНСТВЕ И ВРЕМЕНИ.

Таким образом, принцип Паули приводит к структурным и химическим различиям между атомами: поскольку электроны не могут разом оказаться близко к ядру, они располагаются вроде слоев лука вокруг атомного ядра, заполняя только свободные места, что заставляет атомы расти с увеличением количества содержащихся в них электронов.

Необходимо заметить, что электроны не являются единственными частицами, подчиняющимися принципу запрета Паули. Другие частицы тоже – но не все. Свет, например, нет. Вы можете запихнуть столько фотонов, сколько хотите, в любое выбранное вами место. Они не будут возражать. На самом деле им это даже нравится, и чем сильнее похожи два фотона, тем больше они любят обниматься друг с другом, как пингвины на севере. Лазеры являются следствием такого пристрастия: они представляют собой высококонцентрированный, высокоэнергетический пучок идентичных фотонов.

Теперь, когда вы усвоили это, у вас может сложиться впечатление, что электроны и свет являются единственными частицами, с которыми стоит считаться в нашей Вселенной. Но это не так. Вы скоро увидите и другие вещи внутри атомных ядер, я просто хочу подчеркнуть, что вокруг нас существуют даже частицы, которых не заботит ни желание электронов обеспечить неприкосновенность своей личной жизни, ни их существование вообще. Или что-то еще известное нам по этому вопросу. Они представляют собой частицы, не принадлежащие атомам. Фактически некоторые из них настолько надменны, что бóльшую часть времени выстреливают во все и вся, практически не оставляя следов. Для этих крошечных частиц Вселенная должна казаться довольно скучной и пустой. Даже Земля. Даже вы. Вы встретите их достаточно скоро.

Однако на данный момент у вас снова есть повод для праздника! С таким только что приобретенным багажом знаний об электронах и свете вы в курсе того, что было известно лишь ограниченному количеству людей полвека назад, и большинство из них были выдающимися учеными, так как получили за эти открытия Нобелевские премии.

И это еще не все.

Благодаря им теперь вы можете объяснить почти все, что происходит вокруг, от цвета помидора до твердости стены, земли или причины того, почему магниты выпрыгивают из пальцев, чтобы прилепиться к дверям холодильника.

Все, что ежедневно испытываете вы, я и все наши друзья, определяется играющими и превращающимися друг в друга материей и светом, а также электронами, категорически отказывающимися делиться своим небольшим количеством пространства-времени с точной копией самих себя.

В следующий раз, обнимая кого-то, не стесняйтесь представить себе виртуальные жемчужины света, создаваемые и становящиеся безрассудными по мере сближения ваших тел, прежде чем электроны подчинятся принципу Паули и решат, что вы не можете сблизиться еще больше. Я не уверен, что вы станете говорить об этом удивительном факте на первом свидании, но оставляю решение за вами.

Перед тем как продолжить путешествие по известной нам материи, есть еще одна хорошая новость. В 2014 году эксперименты, проведенные во впечатляющих подземных научных лабораториях Европейского центра ядерных исследований (ЦЕРН), расположенного на границе Швейцарии и Франции, подтвердили, что человечество теоретически обнаружило все, что нужно знать о составляющей нас материи.

Все.

Это не означает, что тайн больше не осталось (в шестой части их будет предостаточно). Но это означает, что начиная с 2014 года мы имеем картину известного содержания Вселенной, в значительной степени соответствующую всему, что можно исследовать или обнаружить в пределах действия современных технологий.

Картина, включающая в себя атомные ядра, которые вы сейчас готовы рассмотреть.

И если в вашу душу закралось предчувствие, что там снова обнаружатся странные вещи, вы абсолютно правы.

ГЛАВА 5

НЕОБЫЧНАЯ ТЮРЬМА

Ваш кофе становится все холоднее, а рука, держащая молоко, болит. Но вас это не волнует.

Ваша мини-копия только что решила погрузиться в глубины атома водорода, создавшего молекулу воды прямо на ваших глазах, в его ядро. Множество крошечных жемчужин света (виртуальных фотонов, виденных вами между магнитом и холодильником) появляются и исчезают вокруг, подтверждая, что ядро, к которому вы стремитесь, электрически заряжено, разрушая представление о том, что между электронами атома и его ядром ничего не существует.

Тем не менее в сравнении с угаданным вами размером атома вам приходится пересечь огромное расстояние, прежде чем достичь ядра водорода.

Но вы в конечном итоге находите его.

Так же как вращающийся вокруг него электрон, ядро атома водорода, кажется, не имеет определенной формы, но обладает массой. Но оно тяжелее. Намного тяжелее электрона: в 1836 раз. И имеет заряд, полностью противоположный заряду электрона.

Ядро водорода называется *протоном.*

Он больше электрона, но по сравнению с размерами самого атома (объем вместе с электронами) чрезвычайно мал. Британский физик новозеландского происхождения Эрнест Резерфорд открыл его существование в 1911 году, через три года после присуждения ему Нобелевской премии по химии за работу над совершенно новым явлением, названным *радиоактивностью.* Однако он не знал того, чего не *мог* знать, а именно что в отличие от электрона протон не является фундаментальной частицей. Внутри него существует свой мир.

Не тратя время на попытки осознать невозможное, вы закрываете глаза и разводите руки в стороны, чтобы, подобно йогу, *ощутить*, что представляет собой внутренний мир протона.

Вас сразу же захватывает настолько мощная сила, что все испытанное до сих пор кажется детской игрой, вы снова открываете глаза, смотря прямо перед собой.

Электромагнетизм может легко пересилить вас: некоторые магниты настолько прочно прилипают друг к другу, что вам никогда не удастся разъединить их.

Гравитация также может пересилить вас и на самом деле занимается этим: вы никогда не сможете освободиться от земной гравитации.

Но в целом это другой уровень сил.

Внутри протона, выглядящего чем-то вроде расплывчатой облачной сферы, вы улавливаете мелькание появляющихся и исчезающих бесчисленных виртуальных частиц, а также электромагнитных жемчужин света, виденных вами между магнитом и холодильником или между электроном и протоном. Но они не являются виртуальными фотонами. Они — переносчики нового взаимодействия, и новая сила, вместе с квантовым полем, которому она принадлежит, обеспечивает устойчивость всей вселенской материи.

Без нее все, что мы знаем, исчезнет в мгновение ока. Все. Включая ваше тело.

Виртуальные частицы, переносящие эту удивительную силу, силу, сохраняющую материю в неизменном состоянии, в сотни раз мощнее фотонов, переносчиков электромагнитного взаимодействия. Они являются переносчиками так называемых *сильных взаимодействий.*

Но если бы они были «просто» переносчиками, то почему не видно фундаментальных частиц нового поля? Виртуальные фотоны заставили заряженные частицы взаимодействовать, и где же это взаимодействие?

Не дожидаясь следующей мысли, вы прыгаете внутрь протона, снова закрываете мини-глаза, поднимаете мини-руки и пытаетесь... почувствовать... найти цель переносчиков мощного взаимодействия... Будучи окруженным таким количеством энергии, необходимо произвести огромное усилие для того, чтобы сосредоточиться, но в конце концов вы справляетесь. Вам удается различить три вещи, три нечеткие, волнообразные, тяжелые маленькие частицы, которые ученые называют *кварками.* Название может показаться странным, но разве не то же относится ко всем новым именам, прежде чем мы привыкаем к ним?

Никто кроме вас прямо сейчас никогда не видел кварк воочию. Они даже не существуют самостоятельно – их сильные виртуальные маленькие собратья, постоянно появляющиеся и исчезающие вокруг, просто не позволят этому случиться. Чем дальше отходят друг от друга кварки, тем более мощными становятся переносчики сильных взаимодействий, возвращая кварки обратно гораздо эффективнее, чем любая другая известная сила в природе.

Поэтому жизнь для трех заключенных внутри протона кварков довольно ограничена, являясь практически тюрьмой.

А их виртуальные тюремщики, переносчики сильных взаимодействий? Кто они? Какие они? Они не фотоны, это точно. Они не являются частью электромагнитного поля, помните: они – выражение абсолютно другого поля, *квантового поля сильного взаимодействия*.

И они настолько эффективны в работе по склеиванию кварков вместе, что их прозвали *глюонами*.

Кварки и глюоны.

Они составляют все протоны нашей Вселенной.

Теперь нечто странное об этой самой крошечной из тюрем, в которую ваша мини-копия нанесла визит: большинство из нас свято верит, что если оказаться за решеткой, будучи человеком, то свобода означает очутиться от камеры и ее стражей так далеко, насколько возможно. А вот для удерживаемых в протонах кварков, преступники они или нет, все наоборот. Для них свобода заключается в близком расстоянии. Чем больше они сближаются, тем свободнее могут делать все, что заблагорассудится. Свобода кварков – действительно очень странное понятие: мир возможностей открывается им, как только они становятся ближе друг к другу.

За открытие этого своеобразного типа свободы трое американских ученых, Дэвид Гросс, Фрэнк Вильчек и Дэвид Полицер, получили в 2004 году Нобелевскую премию по физике. Действительно трудная для понимания концепция. Настолько тяжелая, что когда я встретил Дэвида Гросса и Фрэнка Вильчека в Кембридже за пару лет до получения премии, то, помню, поинтересовался, не должен ли я попросить их вернуть мне деньги, потраченные на таблетки против головной боли, заработанной в попытках понять их работу.

Кварки и глюоны.

Элементарные частицы – кварки, созданные из самих себя.

И глюоны.

Переносчики самой мощной известной нам силы – *сильного ядерного взаимодействия*, удерживающего кварки вместе, позволяя им быть свободными, только когда они близки друг к другу, гарантируя, таким образом, что составляющая нас материя не разорвется на кусочки.

Кварки и глюоны.

Действительно странные имена, используемые для описания сущности реальности, такой далекой от нашей повседневной жизни, что она вполне может показаться весьма незначительной. Однако сильное взаимодействие с его кварками и глюонами вовлекает в себя около 99,97% составляющей наши тела массы. Если бы человек весом 60 килограммов сию минуту потерял все свои кварки и связывающие их глюоны, то он или она мгновенно похудел бы до веса 18 граммов. И очевидно бы умер.

Чтобы понять, что узнало человечество до сих пор о нашей реальности, или даже выяснить, из чего она состоит, кварки и глюоны весьма необходимы. И это, кажется мне, довольно веская причина их изучать. Несмотря на то что они в скором времени позволят нам вернуться назад в прошлое примерно через секунду после зарождения пространства и времени.

Итак, как мы уже упомянули, поле, к которому относятся эти новые частицы, называется *полем сильного взаимодействия* или *сильным полем*. Это, конечно же, квантовое поле, так как бóльшая часть странного квантового поведения обнаруживалась ранее при участии электронов и света – исчезновение и появление где-нибудь в другом месте или, например, туннелирование здесь не применимо. Но, что важно подчеркнуть, хотя поле сильного взаимодействия – *не то же самое*, что электромагнитное поле, тем не менее оно также заполняет всю Вселенную. Это еще одно море, если хотите, чьи капли – кварки и глюоны, а не электроны и фотоны. И ничто не мешает частицам принадлежать обоим полям: электрически заряженные кварки принадлежат электромагнитному полю так же, как полю сильного взаимодействия. Они могут взаимодействовать с переносчиками взаимодействий каждого из полей: с помощью света *и* глюонов. Но на коротких расстояниях глюоны гораздо мощнее света.

Итак, а что насчет нового моря? Каковы его фундаментальные частицы?

Поле сильного взаимодействия имеет шесть типов частиц, шесть различных сортов кварков, которые могут выскочить из него в любое время, в любом месте, если имеется достаточное количество энергии. Хотя только два типа из них находятся в ядре атома. Это так называемые *верхний* и *нижний кварки*. В каждом протоне Вселенной есть два верхних кварка и один нижний, так что было бы справедливым сказать, что у протонов больше подъемов, чем спусков, что, возможно, объясняет, почему они счастливы в своей субатомной тюрьме.

Но протоны – не единственные существующие кварковые тюрьмы, как вы теперь увидите внутри вашего атома золота.

Уставшая от водорода мини-копия выпрыгивает из него на кухонный стол, где вы разрезали свое сокровище на кусочки.

Атом золота все еще там – вы ныряете в него.

Скрытое глубоко под 79 вертящимися вокруг него электронами ядро гораздо больше атома водорода. Для уравновешивания заряда 79 электронов имеется 79 протонов. Но здесь также есть и другие нечеткие сферы, окружающие – отделяющие? – эти протоны. Незаряженные сферы. Вы можете насчитать 118 из них.

Будучи электрически нейтральными, они называются *нейтронами*. Они тоже являются кварковыми тюрьмами, обнаруженными английским физиком, сэром Джеймсом Чедвиком, оказавшимся помощником выдающегося ученого Резерфорда*. В 1935 году Чед-

---

* Резерфорд, один из самых впечатляющих экспериментаторов всех времен, также обнаружил, что атом имеет ядро (я уже упоминал о нем ранее в этой части). Чедвик работал в Кавендишской лаборатории Кембриджского университета, возглавляемой Резерфордом.

вик получил за свое открытие Нобелевскую премию по физике.

Внутри каждого протона глюоны удерживают два верхних кварка и один нижний. Верхних – большинство. В нейтронах наоборот: нижние ведут – два к одному.

Итак, каким образом складываются все эти тюрьмы для образования атомного ядра? Почему они не отодвигаются друг от друга? Или не сталкиваются? В конце концов, все протоны положительно заряжены. Они должны отталкиваться.

Но этого не происходит. Почему? Потому что сильное поле и его переносчики не позволяют им так делать, хоть и очень странным образом. Остаточным путем.

Чтобы выяснить, что это значит, мини-копия принимает смелое решение внимательно следить за неуловимыми глюонами, сторожащими кварки внутри протона. Вот они. Вы не в состоянии их видеть, но можете ощутить по методике йогов. Они появляются и исчезают, чтобы удержать кварки от самостоятельных прогулок.

Но вдруг происходит нечто очень странное.

Что-то вылетело. Выскочило из протона. Но что? Глюон? Почему бы и нет, в конце концов? Они же стражи, а не пленники...

Но нет, это не глюон.

Нечто не похожее на него, в любом случае.

Вы заостряете йоговское восприятие... и вот, пожалуйста.

Получается, что глюоны вообще не ходят поодиночке. Они должны найти другой глюон. Друга.

Объединившись с нужным напарником, они превращаются в нечто другое.

Вы осматриваетесь, и прямо там, слева, между двумя кварками снова происходит то же самое.

Глюон вылетает из поля, так же как и его напарник, они прилипают друг к другу и... *бац!* Подобно тому как свет может трансформироваться в электрон, два глюона превращаются в два кварка! Кварк-дуэт, который больше не связан с другими кварками, охраняемыми глюонами! Они выходят на свободу в качестве нового объекта, чтобы оставить кварковую тюрьму, частью которой являлись!

Вы видите, как новоиспеченные кварки удаляются.

И направляются прямо к ближайшей кварковой тюрьме. По существу, они стали переносчиками еще одной силы; действующей уже не на кварки, а на сами кварковые тюрьмы. Достигнув ее, они снова превращаются в глюоны и начинают охранять кварки уже там...

Именно благодаря таким превращениям нейтроны и протоны сосуществуют внутри атомных ядер. Путешествуя из одной тюрьмы в другую, два оборотня — кварки-глюоны — обеспечивают устойчивость атомных ядер. Эти обменивающиеся частицы, кварк-дуэты, странствующие по тюрьмам, называются *мезонами*. А сила, которую они переносят, — *сильным ядерным взаимодействием*. Это — сила притяжения. И весьма мощная.

За гипотезу о существовании мезонов, выдвинутую задолго до их обнаружения экспериментальным путем, японский физик-теоретик Хидэки Юкава был удостоен в 1949 году Нобелевской премии по физике.

Отплясывающий странный твист, кипящий суп из кварков и глюонов, какой можно обнаружить внутри всех протонов и нейтронов, также ответствен за недостающую массу, о которой мы уже упоминали давным-давно, недостающую массу, заставляющую звезды светить*.

Внутри звезд, как вы теперь прекрасно знаете, мелкие атомы сливаются вместе для образования новых, более крупных. Это означает, что звезды объединяют вместе протоны и нейтроны, и происходит так, что соединившимся нейтронам и протонам уже не нужно столько виртуальных глюонов для охраны своих кварков (или мезонов для охраны их тюрем), сколько было необходимо, когда они существовали по отдельности. Это немного похоже на слияние двух компаний: некоторые сотрудники становятся лишними, и их увольняют... В ядрах звезд лишние глюоны, кварки и мезоны тоже выбрасываются. Так как они переносят энергию, а энергия есть масса, то выброс снижает массу вновь слитого ядра. Именно поэтому все образованные путем слияния ядра не такие тяжелые, как взятые по отдельности. Однако в отличие от уволенных *людей* эта недостающая масса превращается в энергию, обменный курс которой равен $E = mc^2$, что заставляет звезды светить.

Таким образом, гравитационная энергия в глубинах звезд используется для формирования атомов, процесса, включающего в себя массу, превращающуюся в тепло, свет и множество иных частиц, присутствующих вокруг, но не уловимых глазом. Хотя бóльшая часть

* Если вы забыли, см. первую часть, главу 3.

реальности скрыта от наших чувств, во Вселенной все взаимосвязано.

ГЛАВА 6

ПОСЛЕДНЯЯ СИЛА

Вы уже узнали о существовании двух квантовых полей, а именно одного, отвечающего за все электромагнитные взаимодействия, и одного, приводящего к возникновению мощнейшей известной человечеству силы, довольно грамотно названной сильным ядерным взаимодействием, включающее в себя *остаточное взаимодействие.*

Отчасти эти взаимодействия и их поля являются двигателями создания материи. Несмотря на то что магниты могут притягиваться либо отталкиваться, электромагнитное взаимодействие обеспечивает сохранность электронов вокруг атомных ядер. Электроны могли бы отделиться или столкнуться с ядром. Но этого не происходит. Виртуальные жемчужины света мешают им осуществить это. Электромагнитное поле дает атому устойчивость электронных оболочек и способы обмена заряженных электронов для создания молекул и формирования образующей нас материи.

С другой стороны, сильное ядерное взаимодействие состоит в заботе о самих атомных ядрах. Оно удерживает вместе протоны и нейтроны, образуя атомные ядра. Не будь его, все ядра бы распались, и мы мгновенно превратились бы в туман из протонов и нейтронов. То же касается Земли и всего остального.

И, наконец, сильное взаимодействие удерживает заключенные внутри этих протонов и нейтронов кварки, связывая их вылетающими из поля глюонами.

> ПУСТОТЫ НЕ БЫВАЕТ, ВСЕ ВЗАИМОДЕЙСТВУЕТ СО ВСЕМ, ВПЛОТЬ ДО САМЫХ ПОТАЕННЫХ ЧАСТЕЙ АТОМОВ, СОЗДАННЫХ И ОСТАЮЩИХСЯ ЦЕЛЫМИ БЛАГОДАРЯ ЧРЕЗВЫЧАЙНО СИЛЬНЫМ ВЗАИМОДЕЙСТВИЯМ.

Таким образом, вы совершили путешествие по двум полям, увидели их взаимодействующие частицы и переносчиков силы, придающих миру жесткую, хотя неуловимую осязаемость. Вы наблюдали фотоны и электроны, играющие и превращающиеся друг в друга. Вы подсматривали за глюонами и кварками, шевелящимися в ядрах атомов драгоценного золота и обычного водорода, самого маленького и самого распространенного кирпичика вселенской материи, того самого водорода, который звезды расплавляют в своих сердцах для создания субстанции, из которой состоим мы с вами.

Водород, недостаток которого рано или поздно вызовет гибель всех звезд во Вселенной...

Осмысливая последнюю фразу, вы вдруг вспоминаете, что произойдет с Солнцем через пять миллиардов лет, и немедленно возвращаетесь в нормальный размер, оставив вашу мини-копию плавать где-то в слишком маленьком для восприятия человеческим глазом мире.

Ваше восприятие Вселенной очень изменилось с тех пор, как вы лениво наблюдали за звездами с пляжа тропического острова. Теперь вы знаете, что пустоты не бывает, что все взаимодействует со всем, вплоть до самых потаенных частей атомов, созданных и остающихся целыми благодаря чрезвычайно сильным взаимодействиям.

***

Небо за окном кухни приобретает красный оттенок. Солнце садится где-то на западе, раскрашивая плоские облака в пылающие цвета.

Ваша рука болит из-за того, что слишком долго держала пакет с молоком, но теперь, потягивая из чашки остывший разбавленный кофе, вы с отсутствующим видом подходите к окну, смотрите на небо и вдруг понимаете, что значит быть частью семьи звезды.

Все звезды Вселенной излучают и заливают свои космические окрестности светом и частицами, всеми прямыми или косвенными побочными продуктами термоядерных реакторов своих сердец. И в то время как их гравитация – создаваемая ими в пространстве-времени кривая – заставляет каждый отдельный близлежащий или пролетающий мимо объект падать по отношению к ним, ветра из частиц и света выдуваются наружу, в космос, вдаль, создавая пульсацию невидимых фоновых полей, заполняющих все вокруг.

Вселенная действительно походит на огромный океан, и некоторые (весьма серьезные) космические инженеры даже представляют себе строительство космических кораблей с огромными парусами, чтобы поймать в них эти солнечные ветра и направить свои корабли к краям Вселенной, подобно космическим морякам, плывущим по склонам пространства-времени без всякого топлива...

На землю опустилась ночь, а вы все еще не шелохнулись. Небо прояснилось. Вы смотрите на звезды. Их не так много, хотя, может, дело в слишком интенсивном световом загрязнении. Тем не менее теперь вы знаете, что звезды, что вы можете увидеть здесь, не те же самые, на которые вы любовались на тропическом острове. Теперь вы собираете фотоны, излученные звездами, живущими в другой части Млечного Пути. И они вполне обычные звезды, огромные шары, чья гравитационная энергия строит большие атомы из маленьких, сливая их ядра вместе.

Весьма примечательно и скорее вопреки тому, к чему мы, люди, привыкли, все в космическом пространстве кажется созидающей силой.

Кажется, да, потому что вы еще не видели всего уже известного науке.

Для этого необходимо третье квантовое поле.

Третье море, заполняющее всю Вселенную точно так же, как другие два; море, переносчиками фундаментального взаимодействия которого не являются ни фотоны, ни глюоны, ни мезоны.

И как раз его можно рассматривать как поле разрушающее, уничтожающее то, что сделали другие. Оно является последним из четырех взаимодействий, управляющих Вселенной.

Эта последнее взаимодействие также ядерное: такое же сильное, как вы только что выяснили, оно действует только на составляющие атомных ядер. Но оно гораздо слабее, чем сильное взаимодействие, и поэтому называется *слабым ядерным взаимодействием*. Вездесущее квантовое поле, у которого есть свои фундаментальные частицы и переносчики взаимодействия, называется *квантовым полем слабого ядерного взаимодействия.* Спонтанный распад атомных ядер, процесс, известный как *радиоактивность*, является одной из его характеристик.

Теперь, прежде чем увидеть действие радиоактивности на практике, может оказаться полезным вспомнить, что она унесла жизни многих исследователей. Не сознавая, что смертельный невидимый свет облучает их, медленно разрушая тела, они работали с необработанными, высокорадиоактивными материалами голыми руками... Замечательный французский ученый польского происхождения Мари Кюри – единственный дважды лауреат Нобелевской премии по физике (в 1903 году за совместное исследование радиоактивности) и по химии (в 1911 году за открытие двух новых элементов: радия и полония) – была одной из них. Она могла и не знать, от чего умерла, но то, чему вы сейчас станете свидетелем, будет как раз тем, что увидела бы она, имей сегодняшние знания, вместе с удобной возможностью превратиться в мини-Мари.

Выливая холодный кофе в раковину, вы сжимаетесь обратно в мини-копию, а мини-глаза пользуются моментом, чтобы адаптироваться к темноте.

Вы снова рядом с атомом золота.

Он прямо перед вами, атом настолько сильный и твердый, что для его создания потребуется энергии больше, чем необходимо для притяжения звезд. Золото создается не во время жизни, а во время смерти звезды в результате взрыва. Когда наше Солнце погибнет, оно тоже создаст некоторое количество золота, которое, кто знает, может быть, в один прекрасный день появится в виде кольца на пальце (щупальце?) неизвестных существ будущего.

Но, когда вы рассматриваете его, этот атом совсем не выглядит таким ценным, как, кажется, полагает значительная часть человечества.

Чем тогда золото так желанно?

Изменяется ли оно с течением времени? Ловит ли пролетающие мимо атомы для создания необыкновенных молекул?

Вы ждете некоторое время, наблюдая, так ли это.

Но нет.

Ничего не происходит.

Ну разумеется.

Тот факт, что с золотом никогда ничего не происходит, — одна из причин его ценности. Золото не ржавеет. Оно не окисляется (что происходит, когда электроны атома кислорода связываются с атомами металла). Оно не подвержено действию коррозии. Золото является самым пластичным из всех металлов, и, если у вас есть достаточный кусок, из него можно вытянуть длиннющую тончайшую проволоку (платина и серебро порвутся задолго до того момента). Из множества атомов золота можно легко создать вещь практически любой формы. И чем бы она ни была, она все равно будет проводить электричество, то есть электрон, введенный на одном конце длинной цепи из атомов золота, проделает по ней свой путь и выйдет с другой стороны.

ЗОЛОТО НЕ РЖАВЕЕТ, НЕ ОКИСЛЯЕТСЯ, НЕ ПОДВЕРЖЕНО ДЕЙСТВИЮ КОРРОЗИИ. ЗОЛОТО ЯВЛЯЕТСЯ САМЫМ ПЛАСТИЧНЫМ ИЗ ВСЕХ МЕТАЛЛОВ, ИЗ АТОМОВ ЗОЛОТА МОЖНО ЛЕГКО СОЗДАТЬ ВЕЩЬ ПРАКТИЧЕСКИ ЛЮБОЙ ФОРМЫ.

Все эти исключительные свойства могут приводить к практическим использованиям, не всегда заканчивающимся обручальным кольцом, но бесценным.

Добавьте факт, что золото – редкий, трудно добываемый металл, полученный в результате смерти звезды, и сразу становится понятно, почему он так дорогостоящ. Так что оставим его в покое, потому что с ним действительно ничего не происходит.

Чтобы увидеть нечто иное, понадобится другой атом, который, как ни странно, пролетает мимо.

И он гораздо больше.

Насколько можно сказать, у него 94 электрона, вращающихся вокруг ядра, состоящего из 94 протонов и 145 нейтронов. 239 кварковых тюрем. На 42 больше, чем у золота.

Этот атом – одна из форм скандально известного элемента под названием *плутоний*. А так как в нем 239 кварковых тюрем, он называется плутонием-239. Существуют и другие виды плутония, так же как есть и другие виды золота*, кроме того, что обнаружилось на вашей кухне. Они могут иметь в ядрах больше или меньше нейтронов, но всегда одинаковое число протонов, иначе они перестали бы быть плутонием или золотом.

И раз уж изучать золото не так интересно, то что-то подсказывает вам, что внутри ядра плутония-239 вскоре внезапно произойдет странное явление.

Без колебаний вы проходите его электронные оболочки слой за слоем. Пересекаете огромные пустоты,

---

* А также другие виды водорода и практически любого другого атома.

заполненные виртуальными фотонами. Вот и ядро. 239 кварковых тюрем оказываются прямо перед вами. Сильное ядерное воздействие сложило их в аккуратную стопку, но интуиция подсказывает, что целью должен стать один из нейтронов.

Вы ныряете внутрь.

Там два нижних и один верхний кварк, прочно удерживаемые вместе сильными глюонами.

Однако как раз в момент вашего появления в один из нижних кварков ударяется внезапно появившаяся виртуальная частица, которой вы раньше не видели, только для того, чтобы превратить нижний кварк в верхний. Принадлежащий ему нейтрон, таким образом, сразу становится протоном, создавая хаос. Теперь все атомное ядро выходит из равновесия. Эффект мгновенный и драматичный.

Шестое чувство велит вам спасаться, мини-копия вылетает из ядра и электронных оболочек, успев увидеть многократный распад ядра плутония на все более мелкие части, которые пытаются – иногда терпя неудачу – забрать с собой несколько электронов. Сверхэнергетические частицы вылетают на каждом этапе процесса, в том числе еще одна, не виденная вами раньше. Плутоний распался. Прямо на ваших глазах. И все продукты этого распада в настоящее время разлетаются в стороны. Фейерверк, в конечном счете, уничтоживший сам себя. Не считая других атомов плутония-239 вокруг. Но на вашей кухне их больше нет. Так что все быстро стихает.

Вы только что стали свидетелем одного из аспектов четвертой известной силы природы: слабого ядерного взаимодействия с его виртуальными частицами — переносчиками взаимодействий, способными превращать кварки друг в друга. Эти переносчики взаимодействия называют *W- и Z-бозоны.*

То, что вы только что видели, является распадом атома на более мелкие и более стабильные атомы. Это было спонтанное деление атомного ядра, прямая противоположность его слиянию. Процесс *радиоактивного распада.* То, что и является *радиоактивностью,* слабое ядерное взаимодействие отвечает за нее с помощью переносчиков, W- и Z-бозонов.

Вольфганг Паули, все тот же Паули, который придумал принцип запрета, изучал такой атомный распад около ста лет назад. В отличие от вас он не знал о существовании полей, но, сравнивая то, что он наблюдал до и после радиоактивного распада, понял, что часть энергии исчезает. Таким образом, он предположил существование до сих пор неизвестной частицы, виновной в захвате энергии, частицы с крайне малой массой, не имеющей никакого электрического заряда, частицы настолько неуловимой, что после своего выброса она проходит через всю известную нам материю практически беспрепятственно.

В настоящее время известно, что эта новая частица существует. Вы только что видели ее. Из всех выбрасываемых частиц радиоактивного распада это единственная, которую вы не видели раньше. Она называется *нейтрино.*

Американский физик Фредерик Райнес и его коллеги экспериментально доказали его существование в 1956 году; почти сорок лет спустя, в 1995 году, Райнес получил за него Нобелевскую премию по химии. Однажды он выразился, что нейтрино – это мельчайшая частица реальности из когда-либо представленных себе человеческим существом. Сегодня мы знаем, что эти нейтрино (а их много) подчиняются только полю слабого ядерного взаимодействия и гравитации. Они полностью нечувствительны к электромагнитным полям и полям сильного взаимодействия.

С их точки зрения, атомы являются такими же, какими они показались вам на первый взгляд, – пустыми.

И это хорошо.

Почему?

Потому что если бы нейтрино взаимодействовали с атомами, то у нас были бы большие проблемы, так как они в большом количестве производятся внутри Солнца.

Точнее, в очень большом.

Около 60 миллиардов нейтрино врезаются в каждый квадратный сантиметр вашей кожи.

Каждую секунду.

И они даже не замечают вас. Никто.

Однако, как ни досадно это может прозвучать, для них не существует разницы между вами и, скажем, ничем. Они пролетают сквозь вас. А потом сквозь Землю*. И продолжают свое путешествие по космосу, как будто ни вас, ни нашей планеты никогда не было и в помине.

---

* Это в течение дня. Ночью они продолжают проходить сквозь вас, но *уже* пройдя сквозь Землю.

Далее, всех нас учили, что радиоактивность опасна и что нужно по возможности избегать радиоактивных материалов, таких как плутоний, уран, радий или полоний, – и совершенно справедливо. Но так как для нейтрино нет разницы между вами и ничем, то бояться их не стоит.

Причина связана с другими частицами, выделяющимися в процессе радиоактивного распада, и, к счастью, вы уже знакомы с ними.

При распаде ядра атома оно расщепляется и может испускать нейтрино, кварковые тюрьмы, электроны и свет. Последняя троица опасна.

Самая крупная часть из трех, в свою очередь, состоит из связки четырех кварковых тюрем: двух нейтронов и двух протонов. Она называется *альфа-частицей* и соответствует лишенному электронов атому гелия. Поэтому, чтобы стать атомом, ядру необходимо «украсть» откуда-то два электрона, трюк, осуществить который он может несколькими способами. Он может нагло стащить парочку у соседнего атома, альтруистично поделиться с соседним атомом или добросердечно «усыновить» беспризорные электроны.

В первом случае лишенный электронов атом начинает искать себе другие электроны... Если поблизости оказались живые существа (вроде нас с вами на кухне), то с электронами, украденными из атомов кожи, может произойти странная химическая реакция, приводящая к так называемым *радиоактивным ожогам.* Вот почему альфа-частицы опасны.

Второй тип частиц, выделяющихся в процессе радиоактивного распада, – *бета-частицы*, испускаемые, к примеру, в процессе радиоактивного распада — сильно заряженные электроны, которые могут вытолкать другие электроны (что приведет к той же опасности). Последними в троице окажутся высокоэнергетические фотоны, *гамма-лучи* — мы встретили их в предыдущем космическом путешествии, отметив тогда их невероятно высокую энергетическую частоту.

Попадая на атом, гамма-луч может лишить его одного из электронов, превратив атом в ион, стремящийся найти другой электрон, снова создавая ожоги на нашей коже.

Но гамма-лучи также могут иметь и гораздо худшие последствия.

Ничто не обязывает их остановиться на поверхности нашего тела. Они могут проникать в него и вызывать локальный хаос глубоко внутри, не только выбрасывая электроны из атомных домов, но и разбивая молекулы вроде молекул ДНК, в самом сердце клеток, тем самым изменяя команды, используемые организмом для обеспечения жизнедеятельности наших тел. Обычным результатом становится рак и (или) генетические мутации.

Все эти потенциальные последствия страшны. Трудно было бы утверждать обратное. Но есть и светлая сторона: подобно гравитации, электромагнетизму и сильному взаимодействию, радиоактивность, даже будучи разрушительной силой, является естественным процессом, происходящим всегда и везде, даже в вашем теле, с очень медленной скоростью. Беспокоиться стоит, только если кто-то подвергается воздействию высокого уровня радиации.

На самом деле, мы должны быть благодарны, что радиоактивность вообще существует. Она может убить, да, но в первую очередь, без нее вы бы не появились на свет. На Земле, глубоко под вашими ногами, наша планета содержит множество непрестанно распадающихся атомов. Теперь там меньшее их количество, чем в прошлом, но все же мантия Земли радиоактивна. При распаде атомов испускаемые ими частицы врезаются в своих соседей, вырабатывая тепло, весьма способствующее обогреву планеты. Без радиоактивности не было бы сейсмической или вулканической активности. Поверхность Земли стала бы мертвой ледяной миллиарды лет назад. Жизнь в известной нам форме не существовала бы вообще.

Радиоактивность разрушает атомы. Радиоактивность убивает. Но она необходима, чтобы согреть наш мир, возвращая часть накопленной звездами энергии внутри атомов, создавших нашу родную планету.

И напоследок короткий комментарий, прежде чем позволить вам отправиться в путешествие к истокам происхождения пространства и времени: атомная энергия в целом, путем деления или слияния атомных ядер, вовлекает в процесс мощные энергии, и человечество пытается собрать их с большей или меньшей эффективностью с помощью ядерных установок. Мы можем только надеяться, что такие технологии в один прекрасный день станут экологически чистыми и безопасными, так как их потенциал поразителен.

Несмотря на довольно негативные отзывы прессы и не имеющее оправдания использование ядерной энергии в прошлом, мы никогда не должны забывать, что без нее наше существование было бы невозможным. Без радиоактивности жизнь на Земле прекратилась бы.

Такова жизнь, как мы, конечно же, знаем.

ЧАСТЬ 5 | У ИСТОКОВ ПРОСТРАНСТВА И ВРЕМЕНИ

ГЛАВА 1

УВЕРЕННОСТЬ

Когда я начал интересоваться тем, что некоторые назовут классической теоретической физикой, мне было двадцать два года. Я изучал чистую математику уже несколько лет и очень любил ее за красоту. Как говорил греческий философ Платон двадцать пять веков назад, когда никто понятия не имел, что происходит на небесах: «Математика – язык, которым боги разговаривают с людьми».

Когда я поступил в Кембриджский университет, чтобы углубленно изучить математику и теоретическую физику, то сразу же подумал: «Отлично! Время для глубоких размышлений о реальном мире!»

Я так же мало знал о том, что произойдет со мной, как и вы, вероятно, не в курсе того, что случится с вами в следующих главах.

В течение лета, предшествовавшего первому году обучения в Кембридже, я прочитал несколько учебников, а также трудов ученых прошлого и настоящего, чтобы получить более ясное представление того, что может сказать наука об окружающем нас мире. Особое внимание я уделил изучению квантового мира. В конце концов, как мы выяснили в четвертой части, микромир лежит в основе всего, чем мы являемся. Именно там мы нашли строительные блоки всего содержащегося во Вселенной – и даже более того, чтобы использовать общую теорию относительности Эйнштейна, нужно понимание того, что содержит Вселенная, иначе его уравнения не подскажут нам, как она выглядит в больших масштабах.

Многие Нобелевские премии по физике были присуждены ученым за прорывы в изучении микромира.

Само собой разумеется, я был очень взволнован предстоящим обучением и, как только начал заниматься теориями этих пионеров мысли, стал записывать некоторые из их невероятных высказываний, чтобы убедиться, что правильно их понял:

«Думаю, я могу с уверенностью сказать, что никто не понимает квантовую механику».

Ричард Фейнман, лауреат Нобелевской премии по физике 1965 года.

«Господь Бог изощрен, но не злонамерен».

Альберт Эйнштейн, лауреат Нобелевской премии по физике 1921 года.

«Ни один пригодный для описания зрительных образов язык не в состоянии описать квантовые скачки».

Макс Борн, лауреат Нобелевской премии по физике 1954 года.

«Тот, кто не был потрясен при первом знакомстве с квантовой теорией, скорее всего, просто ничего не понял».

Нильс Бор, лауреат Нобелевской премии по физике 1922 года.

«Другое высказывание: может быть, Господь все-таки злонамерен».

Альберт Эйнштейн.

Таких заявлений от отцов-основателей данной отрасли науки вполне достаточно, чтобы поколебать уверенность даже самых самоуверенных студентов. Тем не менее вместе с двумя сотнями других молодых мужчин и женщин со всего мира я посещал ошеломительные лекции и прошел сквозь то, что в свое время называли «третьей частью экзамена по математике на степень бакалавра с отличием», возможно, самый старый экзамен по математике на планете. Он состоял в основном из заданий по чистой математике, а объем изучаемого нами нового материала был настолько огромным, что у нас было мало времени действительно поразмышлять о философии в принципе.

А потом настал знаменательный день.

Через девять месяцев после моего прибытия в Кембридж профессор Стивен Хокинг, один из самых известных (и блестящих) физиков нашего времени, предложил мне стать его аспирантом в исследовании черных дыр и происхождения Вселенной. Глубокие размышления входили в обязательную программу. Так что следующее лето я провел, получив совершенно другой взгляд на все, с чем мог познакомиться, ну хорошо, абсолютно на все – и в значительной степени достиг той точки, которой достигли и вы на настоящее время в книге. Имея такого научного руководителя, как Хокинг, я собирался собрать все изученное воедино и достичь гораздо большего. Теперь ваша очередь сделать то же самое.

И что осталось увидеть?

Хорошо, вот вам затравка.

В 1979 году специальная Нобелевская премия по физике была присуждена трем ученым-теоретикам: американцам Шердону Ли Глэшоу, Стивену Вайнбергу и ученому из Пакистана Абдусу Саламу.

В течение многих лет ученые пытались понять некоторые весьма специфические аспекты слабого ядерного взаимодействия, которое вы недавно наблюдали. Глэшоу, Салам и Вайнберг обнаружили нечто невероятное: электромагнитные и слабые взаимодействия являются не чем иным, как двумя аспектами другого взаимодействия, другого поля, существовавшего давным-давно. Они обнаружили, что в первые дни существования Вселенной по крайней мере два из невидимых квантовых морей, наполняющих нашу действительность, являлись одним, так называемым *электрослабым полем*.

Открытие само по себе стало экстраординарным прорывом (отсюда и Нобелевская премия), но при этом проложило путь к чему-то гораздо большему: заманчивой перспективе объединения *всех* известных сил природы в одну (а следовательно, и к созданию объединенной теории).

Стремление к такому объединению скрывается за всем, что вы испытаете с настоящего момента до конца данной книги. Имея в виду данную цель, вы попадете к истокам пространства и времени, внутрь черной дыры и даже покинете пределы Вселенной.

Однако, чтобы попасть туда, сначала нужно выяснить, что останется, если убрать все ее содержимое.

ГЛАВА 2

НЕТ ТАКОЙ ВЕЩИ, КАК НИЧТО

Вы все еще на кухне.

Ночь темна и тиха.

Если раньше вы думали, что мир прекрасен, то с багажом полученных во время путешествий знаний все совершенно изменилось. И кажется каким-то более глубоким, заряженным силой и тайной.

Даже ваша скромная кухня.

Воздух вокруг наполнен плавающими атомами, скользящими вниз по кривой земного пространства-времени.

Атомами, изначально создающимися в ядрах давно умерших звезд.

Атомами внутри вас, везде, разделяющимися в результате радиоактивных распадов.

Под ногами пол, электроны которого отказываются пропускать внутрь ваши, в результате чего вы можете стоять, ходить и бегать.

Земля, ваша планета, комок материи, созданной из трех известных человечеству квантовых полей, удерживается воедино гравитацией, так называемой четвертой силой (хотя она и не сила), плывет внутри и сквозь пространство-время.

Все это звучит настолько абсурдно или чудесно, что вы решили сварить себе еще одну чашку кофе и отправиться в гостиную на уютный, твердый, успокаивающе старый диван.

Вы пытаетесь навести порядок во всех мыслях, роящихся в вашем уме. Может быть, где-то за пределами того, где мы с вами уже побывали, спрятан смысл жизни? И действительно ли то, с чем вы познакомились до сих пор, имеет смысл?

***

Перед тем как отправиться в места еще более отдаленные, чем виденные до сих пор, позвольте мне сказать следующее: разгадка тайн мира – далеко не завершенная работа. Наука не может получить ответы на все вопросы, хотя у нее их много. На самом деле они зависят от того, каковы ваши ожидания, поэтому здесь я должен предупредить вас – в конце может оказаться меньше смысла, чем в начале. Американский физик-теоретик Эдвард Виттен однажды сказал: «Исключая безопасность вашего дома, Вселенная не создана для вашего удобства»*.

Вероятно, стоит иметь эту фразу в виду, отправляясь в абсолютно неизведанное плавание, потому что, как ни унизительно звучит данное заявление, но оно предлагает всем нам необыкновенную свободу интерпретировать то, что мы видим, по-своему. И это хорошо. Чем больше различных точек зрения, тем лучше для человечества и для науки.

Теперь, как я и намекнул в конце последней главы, прежде чем мы уверенно откроем дверь в неизвестное, для начала необходимо ознакомиться с концепцией

---

* Эдвард Виттен является одним из отцов-основателей так называемой *теории струн*, с которой вы столкнетесь в конце седьмой части. Виттен, между прочим, первый и единственный среди физиков был удостоен Филдсовской премии (в мире математиков – эквивалент Нобелевской премии).

того, что ученые называют *вакуум*. Он является основой того, как наша квантовая реальность в настоящее время понимается физиками-теоретиками — это ментальная конструкция, которая помогла нам сделать невероятно точные, неоднократно проверенные бесчисленным множеством экспериментов предположения.

Возьмем любое место, область Вселенной и избавимся от всего его содержимого. И я имею в виду от всего вообще.

Как ни странно, то, с чем вы остались, — не пустота, даже если вы тщательно убрали все имеющееся там.

Имеет ли это смысл? Едва ли. Но природу не волнует то, что считаем разумным мы, люди.

Теперь закройте глаза.

Зачем?

Потому что некоторые вещи вокруг нас не выносят наблюдателей, а вакуум, с которым вы собираетесь познакомиться, как раз одна из них.

Чтобы убедиться, что вы готовы, на минуту расслабьтесь и вспомните о самолете, летящем домой с прекрасного тропического острова.

Вы, возможно, помните, что заснули сразу после взлета. И правда, если спросить об этом странно выглядящего соседа, то он, вероятно, сообщил бы, что бо́льшую часть полета вы громко храпели.

Так что же именно произошло во время полета, пока вы проспали восемь часов? Какие часовые пояса вы пересекли на своем пути? Интересно, а какой путь проделывает *любой* летящий в небе самолет, когда никто не следит за ним?

Все, что вы знаете о полете, это то, что вы наблюдали перед засыпанием и после пробуждения. Вы смотрели в иллюминатор и видели, как самолет оторвался от взлетно-посадочной полосы далекого острова, а позже — благополучно приземлился на родине. В промежутке между этими событиями в вашем мозгу не сохранилось абсолютно никаких отпечатков маршрута полета. Вы просто не знаете, что произошло.

Теперь, а что если кто-то сказал вам, что самолет проделал весьма неожиданный маршрут? Через Юпитер, например. Или сквозь Землю, как нейтрино, или вперед и назад во времени? Я предполагаю, что было бы трудно в это поверить.

Однако во сне или нет, но вы совершили в третьей части такое странное путешествие на 400 лет вперед, в будущее Земли, за восемь часов вашего собственного времени. Таким образом, мы должны взглянуть на произошедшее более пристально.

Сейчас вы знаете, что если бы это произошло на самом деле, то вашему самолету пришлось бы лететь чрезвычайно быстро. Более того, он был бы вынужден отправиться далеко в космос на околосветовой скорости, прежде чем вернуться на Землю почти через 400 лет.

В реальной жизни вы можете найти убедительные аргументы против такого маршрута или иных подобных странных путей следования самолета. Но все-таки: а что, если бы я сказал, что, пока вы спали, самолет не только *совершил полет* туда и обратно в космос, но и одновременно проделал *все возможные и невозможные пути* оттуда и с того момента, как вы заснули, до того момента, где и когда вы проснулись? Через всю Землю и обратно. Вокруг Юпитера и обратно. Все возможные.

Вы, вероятно, больше никогда не станете воспринимать мои слова серьезно, правда?

Хорошо.

Это означает, что вы наконец-то готовы взглянуть на вакуум.

Кофе, вазы, диван, дом – все пропадает.

Вы вернулись в мир, который может посетить только разум, а вы являетесь чем-то немного больше тени: полностью прозрачной и едва ли имеющей очертания. Не поддающимся воздействию и не влияющим на окружающее нечто.

Однако то, что вас окружает, не совсем понятно.

Насколько вы можете сказать, здесь нет ничего.

Повсюду только темнота, уходящая в бесконечность.

Уже привыкший к такой резкой смене декораций, вы неспешно плывете по тому, что очень напоминает Вселенную, очищенную от всего содержимого.

Вначале вид довольно успокаивающий. Но вскоре, признайтесь, становится скучно. От нечего делать вы начинаете переосмысливать только что рассказанное мной о сне в самолете.

Может ли самолет, может ли *реальный* самолет действительно полететь полностью непредсказуемым образом? Непредвзятое суждение о разнообразных петляющих маршрутах – это одно. Но реальный полет через центр Земли? Или туда и обратно во времени? Ну давай же!

Что ж, вы правы. «Давай же!» – единственная естественная реакция на такую нелепую мысль.

И все же вы должны оставаться непредвзятым, так как то, что может показаться сумасшедшим для самолета, может быть весьма реальным для частицы.

Так давайте начнем думать вместо него о частице, за которой никто не наблюдает. Представьте ее перемещающейся из одного места в другое и обнаруживаемой вами только в конечных точках отправления и прибытия. Теперь снова тот же вопрос: если не видеть, то какую траекторию проделает частица, чтобы добраться от одной точки в другую?

Конечно, это зависит от...

Нет, *не зависит*. Для самолета идея может показаться абстрактной, но для частицы она – факт. Частица действительно проделывает *все* вообразимые пути, рациональны они или нет, до тех пор пока никто за ней не наблюдает. Частицы двигаются и ведут себя совсем иначе, чем все, что вы когда-либо видели или ощущали в повседневной жизни. Наверное, вы уже получили представление об этом во время наблюдений за внутренним устройством атома, увидев, что электроны и все остальное не просто сферические комочки материи. Теперь мы подходим к еще более глубокой истине: квантовые поля делают с частицами странные вещи.

Принадлежность к квантовому полю означает, что частицы действительно занимаются тем, что все время делятся на множество изображений самих себя. И выбранные всеми этими образами маршруты заполняют все место в пространстве и времени, и у вас имеется лишь шанс, в действительности, лишь вероятность найти частицу в *том* конкретном месте и времени, где вы мысленно пытаетесь ее обнаружить.

Что еще хуже: перед обнаружением частицы материи или света ее бесчисленные образы могут разделиться и стать чем-то еще, прежде чем обратно превратиться в частицу, которой они были вначале. Подобно тому как свет может стать электроном, а электроны светом, все частицы Вселенной могут перевоплощаться в нечто еще, пока мы не следим за ними. Квантовые частицы — коварные гномы: все, что может случиться, случается, если оставить природу без наблюдения. И если вы не верите мне на слово, взгляните сами.

***

Что-то происходит с бесконечной ночью пространства, в котором вы плывете: вокруг вас начинает материализовываться белый куб в виде комнаты без дверей, и вскоре вы оказываетесь внутри этого помещения, стены которого сплошь усыпаны крошечными, совершенно белыми датчиками. Миллионами датчиков.

Прямо перед вами в центре этой комнаты без окон и дверей стоит вертикальный металлический столб толщиной с руку и высотой от пола до потолка.

Единственное, что есть в комнате кроме него, — желтая машина, выглядящая как одно из механических устройств для метания теннисных мячей — теннисных пушек. Этот невзрачный маленький робот, кажется, смотрит на вас через отверстие трубы.

По-видимому, запрограммированный на вежливость, он говорит:

— Привет.

У него нет рта, глаз, ушей или чего-нибудь подобного. Тем не менее он разговаривает, причем довольно ржавым голосом.

— Привет, — отвечаете вы на всякий случай, готовясь задать ему вопрос.

Робот прерывает вас, объясняя, что заполнен жужжащими частицами, которые он теперь будет выбрасывать, одну за другой, на противоположную сторону комнаты.

Если вы поинтересуетесь, будут ли это частицы света или материи, ответом будет: возможно и то и то — так как — и вы сейчас в этом убедитесь — материя и свет по большому счету будут вести себя одинаково.

Видимо, не в состоянии ждать ответа, робот тут же начинает обратный отсчет:

— Три... два... один...

Труба исторгает из себя частицу, и мгновение спустя на другой стороне комнаты звучит сигнал. А у вас появляется странное ощущение, что робот весьма доволен собой.

Вы чуть отклоняетесь в сторону и видите, что один из стенных датчиков за металлическим столбом почернел.

— Вопрос № 1: как попала туда частица? — спрашивает машина.

Не обращая внимания на его бесцветный менторский тон, вы проходите по комнате и останавливаетесь перед роботом. Прямая линия соединяет точку, из которой труба выплюнула частицу, с почерневшим датчиком. Прямая линия этой видимой траектории почти касается металлического столба, но не совсем.

— Вот ее траектория, — объявляете вы, поднимая палец, чтобы указать на единственно возможное направление, которое могла принять частица.

— Неверно, — тут же реагирует робот.

— Что-что? — переспрашиваете вы удивленно.

— Ответ неверен, независимо от указываемого тобой направления, — заявляет робот, заставляя вас изменить мнение о его якобы запрограммированной вежливости.

– Но есть только один возможный путь! И в настоящее время я на него смотрю.

– Полагаясь на чувства и интуицию, – продолжает машина, – ты продолжишь отвечать неверно. Каждый попавший сюда впервые человек совершает ту же ошибку. Законы квантовых частиц не соответствуют тем, что управляют твоей повседневной жизнью. Твои чувства и интуицию нельзя использовать на частицах. Забудь про них.

Каким бы фамильярным ни показалось его обращение, робот совершенно прав. Несмотря на довольно невзрачный внешний вид, он исполняет в данной книге роль самого передового компьютера в мире – и так же, как компьютеры часто являются лучшими друзьями ученого в реальной жизни, помогая визуализировать их теории, так и наш робот-суперкомпьютер будет полезен в оставшейся части книги.

Он может сымитировать все, что подчиняется законам природы в известном человечеству виде. Белая комната, в которой вы находитесь, например, создана компьютером. Но все происходящее в ней подчиняется известным законам природы.

Теперь может показаться, что брошенная нашим роботом частица полетела совершенно прямо, но частицы принадлежат микромиру и, следовательно, находятся за гранью здравого смысла. Компьютер сказал, что вы неправы, потому что только что произошедшее не имело ничего общего с тем, что могут обнаружить глаза или насколько у вас развита логика. Компьютер говорит о природе, а природа в этом вопросе выражается четко и ясно: квантовые частицы ведут себя не как теннисные мячи, а как квантовые частицы. Чтобы переместиться из одного места в другое, они совершают *все* возможные траектории в пространстве и во времени до тех пор, пока эти пути связывают их отправную точку с конечной. Выпущенная роботом частица отправилась буквально во все направления. Одновременно. Слева и справа от столба. И сквозь него. И вне комнаты. И в будущее и обратно — до того момента, пока не попала в датчик на стене.

Не волнуйтесь: вам не обязательно понимать. На самом деле не имеет значения, понимаете ли вы или нет, это просто способ работы природы. Частицы, за действиями которых никто не наблюдает, *действительно* проходят по всем возможным путям, предлагаемым пространством-временем. Металлический столб в центре комнаты ничего не меняет. На самом деле он там только для того, чтобы донести основную мысль визуальными средствами. Уберите его, и частица все равно будет путешествовать слева *и* справа от него.

Стенные датчики, с другой стороны, показали разницу: попав в один из них, частица в конце концов позволила себя *где-то* обнаружить.

Желтый робот рядом с вами начинает трястись и нагреваться. Вы задаетесь вопросом, не сломается ли он, но, предвидя его, он вдруг начинает говорить снова:

— Все в порядке. Я замедляю время. Это отнимает энергию. В следующий раз, когда ты моргнешь, я выброшу еще одну частицу. Ты увидишь, как выглядела бы комната, если бы можно было заметить все совершаемые частицей пути по дороге от отверстия трубы до стены.

Сами того не осознавая, вы невольно мигаете, и робот действительно начинает новый отсчет времени. И течение времени начинает замедляться.

– Три... два... один...

Частица в замедленном темпе вылетает из робота. Сначала она выглядит как размытое облако. Поменяв положение и оказавшись прямо за роботом, вы видите разделение частицы на кажущееся бесконечным количество остаточных изображений самой себя. Это – настоящая волна, пульсация, распространяющаяся по своему фоновому полю во всех направлениях в пространстве и времени, в том числе справа и слева от столба, сквозь него и стены комнаты, делясь на столько возможностей, сколько может представить себе разум, прежде чем внезапно сфокусироваться в единственной точке на другом конце комнаты, попав в другой датчик. Звучит сигнал, датчик выходит из строя, и время восстанавливает свою нормальную скорость.

То, что вы только что видели благодаря любезности компьютерного моделирования в белой комнате, – то, что, ученые полагают, происходит с ненаблюдаемыми частицами. Когда кто-то наблюдает, набор правил изменяется. Когда радары следят за самолетом на протяжении полета, самолет не может оказаться в любом другом положении, кроме как засеченном ими. Точно так же, когда кто-то вроде датчика на стене пытается обнаружить частицу, то она находится уже не везде, а где-то. Однако, в отличие от самолета с пассажирами внутри, когда никто не смотрит, частица на самом деле везде.

***

На первый взгляд, это может напоминать упавшее в лесу дерево: если никто не слышал звук падения, то разве был шум? И раз уж мы об этом заговорили, действительно ли оно упало?

Но мы здесь не говорим о философии — мы говорим о природе; о том, какие они — окружающие *нас* частицы, из чего они состоят и как ведут себя.

Далее, почему частиц — природу — волнует, наблюдает за ними человек или нет? Что ж, многие ученые уже задумывались над этим вопросом. И он навел некоторых из них на кое-какие сумасшедшие ответы, с которыми мы встретимся позже, в шестой части. На данный момент достаточно сказать: то, что вы только что наблюдали, оказалось правдой после бесчисленного количества проведенных экспериментов. Частицы сначала повсюду, а затем их больше нет: в модели робота датчики, наблюдая, вынуждали выбрасываемые им частицы ударять о стену где-то в комнате.

— Если ты запутался, то ты прав, — говорит робот. — Я показал тебе, что само по себе действие по исследованию реальности меняет ее природу.

— Извини, что ты сказал? — спрашиваете вы, нахмурившись.

— Реальность меняется, когда ты наблюдаешь за ней, — тускло повторяет робот. — Ты прав, что запутался.

Похоже, микроскопический квантовый мир представляет собой смесь возможностей.

Квантовые поля, которым принадлежат все частицы, есть сумма всех возможностей, и почему-то из всех существующих вариантов выбирается только *один, просто увиденный*, просто из-за самого действия *обнаружения*, и это происходит всякий раз, когда кто-то пытается исследовать природу частицы. Никто не знает, почему и как это происходит, но результат всегда одинаков. Многообразие становится единичностью, когда взаимодействуешь с квантовым миром. Похоже на то, как, с чьей-то точки зрения, все мысли, которые вы можете иметь или не иметь в своей жизни на заданную тему, вдруг сводятся к одной-единственной, когда кто-то слышит, как вы произносите ее вслух. То же самое сделали датчики на другой стороне белой комнаты. Они *вынудили* выброшенную роботом частицу в конечном итоге *где-то* остановиться, а не продолжать блуждать повсюду, лишив ее универсального характера.

Как только возможные последствия этого факта начинают доходить до вашего сознания, ваша кожа покрывается мурашками, даже если вы просто тень. Может ли это означать, что, имея нужные устройства обнаружения, вы можете создать собственную реальность? Просто пытаясь обнаружить частицы, не могли бы вы заставить их – и саму материю – двигаться таким образом, чтобы формировать всю Вселенную по своему желанию? Виттен говорил, что Вселенная не сделана для вашего удобства, но, возможно, он ошибался.

Перед тем как вы начнете хвастаться, мне очень жаль, но придется сказать вам, что Виттен в конце концов был прав и только что обретенная власть – мираж. Вы не можете создавать Вселенную, потому что, несмотря на все возможности квантового мира, невозможно предугадать, какая из них станет реальной после обнаружения. Это – часть магии полей, образующих Вселенную. Квантовый мир превращает то, что мы считали определенностью, в возможности или вероятности, чтобы проводить эксперименты, результат которых никто не может угадать с полной уверенностью. Так же как подбрасывание в воздух монетки или кидание костей. Ученые думали, что эта неопределенность связана с пробелами в их знаниях, но затем было доказано, что это не так, благодаря знаменитой теореме*, опубликованной в 1964 году физиком из Северной Ирландии Джоном Стюартом Беллом. Его неравенства позволили французскому физику Алену Аспе экспериментально показать, что существование возможностей вместо определенностей является свойством микромира, которое мы просто должны принять.

Хорошо.

Но какое отношение имеет все это к вакууму, который вы собирались исследовать? Что ж, это как раз то, чем вы теперь займетесь.

Заполненная датчиками белая комната исчезает вместе с металлическим столбом в ее центре и не удосужившимся даже попрощаться желтым роботом.

Вы вернулись в середину того, что кажется космической ночью, в одиночестве, в окружении небытия.

Вы уменьшились до размеров мини-копии и наблюдаете какое-то движение.

Это как если бы... как если бы частица (а может быть, и две, вы точно не уверены) только что появилась прямо перед вами, прежде чем исчезнуть во вспышке света.

Вокруг ничего не было, потом что-то появилось, и больше снова ничего нет.

Странно.

---

* Неравенства Белла в русской терминологии. *Прим. пер.*

И это происходит снова. И снова. Бесчисленное множество раз, везде.

То, что вы наблюдаете, по-видимому, спонтанное рождение частиц из ничего. И прежде чем они по какой-то причине исчезнут, эти частицы проделают все возможные пути, которые позволит им пройти квантовая свобода.

Последнюю часть этого заявления вы можете допустить. Вы видели в белой комнате, как бесконтрольно ведут себя квантовые частицы. Но как же им удается просто вылетать из ничего?

Ну хорошо, их окружает не ничто. Вокруг существуют квантовые поля.

Для того чтобы возникнуть, частицам нужно позаимствовать некоторую энергию из квантовых полей. А так как эти поля заполняют любое место в пространстве и времени, частицы могут буквально появляться в любом месте и в любое время. Вот причина, почему нигде во Вселенной нет такого понятия, как истинная пустота.

Вы продолжаете смотреть в темноту, и вдруг, как будто бы с ваших глаз сняли повязку: перед вами мгновенно обнажается ее истинное содержимое. Частицы. Сливающиеся. Повсюду. Заполняющие все, выстреливающие сквозь кипящий фон пульсирующих петель, виртуальные частицы, движущиеся и взаимодействующие друг с другом, появляющиеся и исчезающие во вспышках света или энергии. Необычный фейерверк происходит повсеместно, не оставляя пустым ни одного места. Практически полная противоположность того «ничто», которое, как вы, вероятно, когда-то думали, заполняет огромную пустоту космического пространства.

И это именно то, что ученые называют *вакуум*.

Он – то, что остается, когда удаляют все: квантовые поля на их самом низком возможном уровне энергии, с виртуальными частицами, самопроизвольно вылетающими из них только для того, чтобы передвигаться везде, прежде чем уйти обратно в небытие.

Еще раз повторюсь: во Вселенной не существует такого понятия, как пустота.

В месте, из которого удалено все, как можно было бы резонно ожидать, ничего не осталось. Но дело в том, что, так же как нельзя забрать из любого места пространство и время, так и невозможно извлечь вакуум квантовых полей.

В 1948 ГОДУ НИДЕРЛАНДСКИЙ ФИЗИК ХЕНДРИК КАЗИМИР ВЫДВИНУЛ ГИПОТЕЗУ, ЧТО ВАКУУМ ЯВЛЯЕТСЯ РЕАЛЬНЫМ ФАКТОМ ВСЕЛЕННОЙ, А НЕ ПРОСТО ТЕОРЕТИЧЕСКИМ ВЫМЫСЛОМ.

Но если вакуум действительно не пуст – если вакуум квантового поля определяется всеми могущими выскочить из него частицами, – тогда в голове возникает довольно логичный вопрос: вакуум одинаков везде или природа может менять его в зависимости от места? Переспросим, употребив его грамматическое множественное число: имеется много *вакуумов*?

В 1948 году нидерландский физик Хендрик Казимир выдвинул гипотезу, что вакуум, определенный как описано выше, является реальным фактом Вселенной, а не просто теоретическим вымыслом и что вокруг нас не только должны существовать различные его виды, но они также должны оказывать весьма конкретное влияние на наш мир. Эффект, который может быть обнаружен.

Представьте себе установленную на поворачивающиеся ролики стену, отделяющую наполненную воздухом комнату от другой комнаты, заполненной водой. Можно было бы ожидать увидеть, как стена, мягко подталкиваемая напором воды, движется на роликах в направлении заполненного воздухом помещения. Теперь представьте две крошечные, параллельно расположенные металлические пластины, обращенные друг к другу. Если предоставить их самим себе, то, так же как и стена, отделяющая заполненные водой и воздухом комнаты, они должны двигаться: отталкиваться или притягиваться друг к другу из-за разницы в разграничивающем их вакууме и вакууме, находящемся в свободном пространстве вне их обеих.

Почему?

По той простой причине, что вне пластин больше места, чем между ними. Поэтому виртуальные частицы, вылетающие из ниоткуда между пластинами, отличаются от тех, что появляются снаружи, что и делает вакуумы разными.

В результате пластины должны двигаться – и они так и поступают, что в 1997 году было экспериментально доказано американским физиком Стивом Ламоро и его коллегами. Это явление известно как *эффект Казимира*.

Эффект Казимира подтверждает, что пустоты не существует, и идет дальше, показывая наличие различных типов вакуума, которые могут привести к возникновению силы: *силы вакуума**.

---

* Поскольку наши электронные устройства становятся все меньше и меньше, инженерам придется все больше и больше принимать этот эффект во внимание.

Между прочим, вы уже могли заметить, что только что нашли решение весьма сложной головоломки.

Как вы уже с недавних пор знаете, все частицы во Вселенной не что иное, как выражения квантовых полей. Они как волны в море. Они похожи на подброшенные в воздух шары. Они одновременно частицы и волны, порождаемые квантовым полем, которому принадлежат, и распространяющиеся по нему.

Теперь вспомните, как, исследуя микромир, вы заметили, что все фундаментальные частицы, с которыми вы сталкивались, всегда были одинаковыми, а любые два электрона неизменно оказывались абсолютно идентичными*.

Как такое могло происходить?

В повседневной жизни такого совершенства просто не существует. Чтобы вы ни делали или ни строили, на что бы ни смотрели или о чем бы ни думали — нет двух совершенно точно одинаковых предметов. Или людей (даже близнецов). Или птиц. Или мыслей. Ничего. Даже если предметы *выглядят* одинаково, они не тождественны. Так как же тогда все электроны и другие фундаментальные частицы всегда *абсолютно* и *совершенно* идентичны любому другому в своем роде?

Ответ в том, что все элементарные частицы по всей Вселенной процветают на тех же объектах, что могут проглотить их обратно в любой момент: в вакууме квантового поля. В невидимых фоновых морях, заполняющих всю Вселенную.

---

* То же самое верно для кварков, глюонов, фотонов и всех других фундаментальных частиц всех квантовых полей.

Все электроны – идентичные выражения электромагнитного поля, все они вылетают из его вакуума и распространяются в нем. И так же поступают все фотоны.

Каждый раз, когда электрон становится реальным, он пробуждается от своей призрачной летаргии в результате всплеска в окружающем вакууме электромагнитного поля. Каждый раз, когда появляется глюон, он возникает из некоторой энергии, отданной или взятой из вакуума поля сильного взаимодействия. Каждый раз, когда происходит радиоактивный распад, вовлекается вакуум поля слабого взаимодействия и из него выстреливают элементарные частицы – нейтрино. И чем большей энергией обладает вакуум, тем больше элементарных частиц может вылететь из него.

Хорошо, мы подобрались к теме вплотную, так что давайте продолжим. Кажется, что все поля ведут себя одинаково, что все они подчиняются тем же законам. Теперь как насчет гравитации?

Везде, где действует гравитация, также существует и гравитационное поле, хотя это поле и другое, по крайней мере на настоящий момент, потому что никто не знает, как оно может быть *квантовым*. Как вы увидите позже, никто не знает, как заставить частицы вылетать из вакуума гравитационного поля, не создавая катастрофических проблем. Но если бы это было возможно, то гравитация имела бы собственные частицы, которые, как и в случае всех других полей, действительно бы вылетали из гравитационного поля, перенося его взаимодействие. Эти частицы называют *гравитонами*. Они еще не обнаружены, и кривые пространства-времени по-прежнему остаются лучшим способом объяснить действие гравитации.

Но даже без гравитонов и даже если она не квантовая по своей природе, гравитация все-таки поле. Таким образом, общее количество полей, используемых человечеством для описания всего известного до сих пор, равно четырем.

Но почему четырем?

Почему должно быть четыре фундаментальных поля?

Почему не пять, десять, сорок два или 17 092 008 полей для объяснения поведения природы?

А как насчет соответствующих им вакуумов? Может, они просто сосуществуют, не замечая взаимного присутствия? Звучит странно, не так ли? Разве жизнь не была бы проще, если бы имелось только одно поле?

Была бы.

А простота – это то, что, к чему всегда стремятся физики-теоретики. Она влечет их воображение, и поэтому они попытались объединить четыре упомянутых выше известных поля в одно.

Одно поле, что правит всеми, могли бы сказать вы.

Хотя легче сказать, чем сделать.

Элементарные частицы каждого поля не являются теми же самыми. А одно из них (гравитационное) вообще не имеет каких-либо обнаруженных частиц.

И возбуждение одного поля приводит к разным последствиям в сравнении с другими полями. И они не предполагают одинаковых электрических зарядов. И на самом деле вообще не обладают теми же самыми свойствами: электромагнитное поле имеет широкий диапазон действия и может притягивать или отталкивать, в то время как гравитационное поле только притягивает, а поле сильного взаимодействия имеет весьма малый радиус действия, а...

И все-таки...

Для создания сплава двух различных материалов их необходимо нагреть. Если сделать это при достаточно высокой температуре, они сплавятся в нечто совершенно новое, новый материал, объединяющий свойства их обоих.

В отношении слияния полей может работать та же теория. Но понадобится невообразимое количество энергии – для объединения электромагнитного поля и поля слабого ядерного взаимодействия в одно потребуется температура около миллиона миллиардов градусов.

Один миллион миллиардов градусов, безусловно, находится за границами природы, насколько мы знаем сегодня.

Но это не всегда могло быть так.

На самом деле, такое огромное количество энергии *существовало* вокруг очень давно, когда Вселенная была моложе и меньше. И пытавшимся выяснить на бумаге, как вела себя тогда природа, Глэшоу, Саламу и Вайнбергу удалось объединить электромагнитное поле с полем слабого взаимодействия, открыв, таким образом, электрослабое поле. Они обнаружили, что при экстремальных условиях одно поле содержало в себе два поля, которые сегодня отдельно управляют магнетизмом и радиоактивностью.

Следующим шагом является объединение этого нового поля с третьим известным квантовым полем, полем сильного взаимодействия, того, что управляет взаимодействием кварков и глюонов внутри атомных ядер. Сделав это, мы могли бы создать что-то, что помпезно окрестили *теорией великого объединения*. Для его появления необходимо затратить еще больше энергии.

Насколько больше?

На головокружительное количество. Такого невообразимого, что добавление пары-тройки миллиардов градусов не сыграет заметной роли.

Итак, откуда мы знаем, что это реально?

Откуда мы знаем, что Салам, Глэшоу и Вайнберг оказались правы? И, кроме ощущения того, что одно поле целесообразнее трех или четырех, откуда мы знаем, что в конечном итоге действительно ожидается обнаружить теорию великого объединения?

Потому что физики предсказали, что при объединении полей для создания одного нового у него должны появиться собственные фундаментальные частицы и переносчики силы. Для проверки были построены *ускорители частиц*, в которых уже существующие частицы разбиваются друг о друга. В таких коллайдерах частицы не только распадаются, показывая нам, из чего они состоят; выделяющаяся в результате столкновения огромная энергия также возбуждает все находящиеся в состоянии покоя поля нашей Вселенной.

Достигнутая в результате таких столкновений максимальная энергия по состоянию на 2015 год соответствует отметке 100 миллионов миллиардов градусов. Звучит как громадное количество энергии, но стоит помнить, что здесь речь идет об ускорителе *частиц*. Он ускоряет не коров или планеты, но невероятно крошечные частицы. В реальном выражении энергия, производимая столкновениями микроскопических частиц, будет едва мощнее полета комара. Локально, однако, выделяемая энергия огромна. И, как и предсказывали Салам, Глэшоу и Вайнберг, на свет появились совершенно новые частицы (в частности, W- и Z-бозоны) – частицы, имеющие смысл только с точки зрения электрослабого взаимодействия.

Не знаю насчет вас, но меня такие достижения никогда не перестают удивлять.

А какова роль гравитации во всем этом? Чтобы превратить четыре поля в одно целое, гравитация должна сыграть определенную роль, так почему ее выпустили? Ответ на этот (хитрый) вопрос станет целью всей седьмой части книги.

Но не будьте нетерпеливы, потому что из того, что вы увидели до сих пор, вы узнали почти все, что нужно, о составляющей нас материи, за одним большим исключением: массы.

Раз на то пошло, можно задаться вопросом, как же вы еще не слышали о ней раньше: ведь, кажется, это довольно важная тема, не так ли?

Итак, откуда же берется масса?

Как вы знаете, в своих сердцах звезды создают крупные атомные ядра из мелких.

Значит, звезды создают массу таким образом?

Нет.

На самом деле совсем наоборот.

Выбрасывая излишние глюоны во время процесса слияния, нейтроны и протоны теряют часть своей энергии, а следовательно, и массы, как гласит уравнение

Эйнштейна $E = mc^2$*, создавая тем самым источник энергии, заставляющий звезды светить. Вы видели, как это происходило. Но уравнение также утверждает кое-что еще: если атомные ядра теряют массу за счет избавления от глюонов, значит, глюоны и *были* той массой. Что говорит, что часть массы атома происходит от самого существования супов из виртуальных глюонов, удерживающих кварки в тюрьме. На самом деле, когда ученые внимательно рассмотрели эту гипотезу, то поняли, что «энергия глюонного супа», существующая внутри всех нейтронов и протонов Вселенной, отвечает не за какую-то часть, но за огромную долю от массы известной нам материи. Огромную долю. Но не за всю массу.

Уравнение не объясняет нам, например, почему кварки и электроны обладают массой. Или, скорее, *каким образом* они ее получают, потому что когда-то они были безмассовыми.

Салам, Глэшоу и Вайнберг показали, что давным-давно, когда наша еще чрезвычайно юная Вселенная расширялась и охлаждалась, электрослабое поле разделилось на электромагнитное поле и поле слабого взаимодействия. Но я прежде не говорил вам, что из-за этого пришлось появиться еще одному полю.

Другому квантовому полю, с собственными переносчиками взаимодействий и прочим.

Эти переносчики не могут переносить ни одну из сил, с которыми вы уже встречались, и не существует никакой другой силы... так что же они делают? Ну ладно, они придают массу некоторым частицам, оставляя

---

* Помните: чем больше протонов и нейтронов в ядре атома, тем меньше стражей-глюонов требуется для удержания кварков в их тюрьме.

другие безмассовыми. Фотоны и глюоны, например, не ощущали и не ощущают присутствия массы. Они могут путешествовать по своему полю, не замечая ее. Таким образом, они сохранились безмассовыми и до сих пор передвигаются со скоростью света.

Но кварки, электроны и нейтрино заметили ее присутствие и получили массу. Поэтому они больше не могут достичь скорости света*.

Опять же, откуда мы знаем, что это правда? Каким образом известно, что загадочное поле отвечает за массу этих частиц?

Ну хорошо, как и все поля, это новое поле должно иметь собственные фундаментальные частицы.

Однако, как и следовало ожидать, их не так легко увидеть или обнаружить.

Согласно расчетам, чтобы разбудить спящее поле и заставить родиться его фундаментальные частицы, потребуется огромное количество энергии — даже больше, чем для электрослабого поля. Тем не менее в 2012 году, как бы удивительно это ни звучало, ученым удалось сделать именно это на БАК, самом мощном ускорителе элементарных частиц Европейского центра ядерных исследований близ Женевы**. Они обнаружили фундаментальную частицу, принадлежащую

---

* Нейтрино действительно имеют массу, но она настолько мала, что ускользала от всех, пока необычайная хитрость японского физика Такааки Кадзита и канадского физика Артура Макдональда не доказала, что она не равна нулю. Они вместе получили Нобелевскую премию по физике в 2015 году.

** БАК расшифровывается как Большой адронный коллайдер. Все частицы, подверженные полю сильного взаимодействия, называются *адронами*. Протоны являются адронами, и БАК в основном занимается тем, что заставляет протоны очень энергично сталкиваться.

данному полю. Она была недостающим куском головоломки: стало известно происхождение всей известной массы Вселенной, будь то из-за глюонов или нет.

Она действительно подтвердила, что физики с самого начала были на правильном пути.

Средства массовой информации называют эту обнаруженную частицу *бозоном Хиггса* (хотя может быть много ее различных видов), а породившее ее поле известно как *поле Хиггса* или *поле Хиггса — Энглера — Браута.* Британский физик-теоретик Питер Хиггс и бельгийский физик-теоретик Франсуа Энглер совместно получили в 2013 году Нобелевскую премию за свое открытие (которое предсказали более сорока лет назад вместе с Браутом, к сожалению, скончавшимся в 2011 году*). Иными словами, они обнаружили, как 13,8 миллиарда лет назад, когда наша Вселенная остыла, возникла некоторая часть массы. Весьма впечатляющее достижение для них и всего человечества.

Несмотря на то что открытие вызвало сенсацию, необходимо еще раз подчеркнуть, что поле Хиггса не отвечает за массу *всего,* из чего все мы состоим. Только за некоторую долю. Бóльшая часть массы нейтронов и протонов происходит, как уже говорилось выше, от силы, удерживающей кварки внутри своих границ, от варящегося там кварко-глюонного супа. Если бы поле Хиггса внезапно выключилось, то кварки стали бы безмассовыми, и мы бы умерли. Но масса протона и нейтрона едва ли изменилась бы.

Теперь, когда роль поля сильного взаимодействия в обладании нашим существом массы доказана; когда

---

* Нобелевская премия присуждается только ныне живущим ученым.

вы знаете, откуда взялась вся масса всей известной материи, вспомните все те частицы, которые вы видели вылетающими из вакуума ранее в этой главе. Вы видели их... но не должны были. Природа не позволяет частицам появляться самим по себе, не заплатив цену.

Эта цена, как вы сейчас увидите, – существование нового типа материи под названием *антиматерия*.

ГЛАВА 3

АНТИМАТЕРИЯ

На протяжении практически всей истории Земли ее поверхность была практически неизвестна человеческим существам. Сегодня мы легко можем получить доступ к спутниковым изображениям всей планеты, но, как сейчас, так и несколько веков назад, когда лишь несколько клочков земли в Европе, Америке и Азии были нанесены на карту живущими там людьми, исчерпывающая картина мира отсутствовала. Поэтому бесстрашным исследователям многих цивилизаций приходилось покидать безопасные берега и плыть сквозь шторма и бури, чтобы выяснить, что (если оно вообще существует) лежит за пределами их родины. Один за другим они открывали отдаленные участки суши, на которую никогда не ступала нога человека. Они также обнаруживали другие цивилизации. Небольшие территории, со всех сторон окруженные водой, назвали островами. Крупные – континентами. Каждое открытие расширяло царство человека, и в то же самое время, продвигаясь все дальше, наши предки поняли очень простой факт: мы все живем на поверхности невероятно богатого, но довольно маленького шарика, летящего сквозь просторы огромной Вселенной.

Миновали десятилетия.

Пройдя сквозь смесь насилия, жадности и любопытства, Земля стала лучше известна; неизвестность постепенно переключилась с того, что находится где-то за горизонтом, на все над нашими головами. Космос стал новой тайной, задумываться над которой все желающие могли, просто задрав голову вверх. Но расстояния в нем потрясают воображение. Пока писалась данная книга, антропогенные спутники были посланы на несколько сотен миллионов километров от Земли, чтобы попытаться выяснить происхождение воды и, возможно, строительных блоков самой жизни на нашей планете. Людей перестали отправлять в рискованные приключения. Этим за нас занимаются роботы. Но так как ажиотаж по поводу межпланетных путешествий снова в тренде, возможно ли в начале двадцать первого века оставаться на Земле и все еще быть первооткрывателем?

МЫ ВСЕ ЖИВЕМ НА ПОВЕРХНОСТИ НЕВЕРОЯТНО БОГАТОГО, НО ДОВОЛЬНО МАЛЕНЬКОГО ШАРИКА, ЛЕТЯЩЕГО СКВОЗЬ ПРОСТОРЫ ОГРОМНОЙ ВСЕЛЕННОЙ.

Конечно.

Можно стремиться спуститься на дно океана, среды, настолько враждебно относящейся к нашим технологиям (не говоря уже о наших телах), что гораздо меньше людей сделало шаги там внизу, чем ступило на Луну.

Или можно иметь в целом другой подход и заниматься наукой.

Хотя наука не может быть столь же гламурна, как парусные каравеллы или пилотируемый космический корабль, но она может унести вас *в любое место.* Со дна моря на край нашей видимой Вселенной. И за ее пределы. Как вы уже, наверное, заметили, читая эту книгу, разум может забрать вас в места, недоступные телу, и в места, где никто никогда не бывал прежде. Если глубоко погрузиться в природу пространства и времени или квантового поведения частиц и света, не окажется двух читателей книги, совершающих точно такое же путешествие, – никто не вообразит одинаковые вещи. Занимаясь созданием галактик и виртуальных частиц света в вашем уме, вы вошли в мир теоретических исследований, мир без ограничений.

Никто никогда заранее не знает, в каком направлении может быть найден неоткрытый остров или континент. И многим исследователям пришлось потерпеть неудачу для того, чтобы проложить путь великому открытию. Бесспорно, удачи бывают, но они не гарантированы. Учитывая последние открытия, шансы на нее, однако, есть. То же самое верно и для науки, и открытие антиматерии следует этому древнему пути пионеров. Гений одного человека помог всем остальным увидеть следующий удивительный факт: составляющая нас материя; материя, образующая планеты, звезды и галактики, – *всего лишь половина материи,* – и он не понял это по чистой случайности. Он опирался на то, что было сделано до него. Очевидно, что на работу Эйнштейна о том, как движутся вещи, если они делают это очень быстро, и на любопытные способы поведения квантовых частиц. Этим человеком был Поль Дирак. Он создал квантовую теорию поля и, следовательно, открыл антиматерию. Дирак был британским ученым, в 1932–1969 годах являлся Лукасовским профессором математики Кембриджского университета, занимая одну из самых престижных научных должностей мира. Она принадлежала Исааку Ньютону в 1669–1702 годах, как и Стивену Хокингу в 1979–2009 годах.

Так что такое антиматерия?

Вы уже знаете, что означает $E = mc^2$: масса может быть преобразована в энергию, а энергия – в массу. С довольно высокой скоростью обмена. И, как вы только что видели в предыдущей главе, данная энергия может заимствоваться на короткий промежуток времени из вакуума, из полей, для создания частиц.

Теперь вернемся к мини-копии.

***

Вы все еще в пустой Вселенной, окруженной вакуумом, а именно вакуумом электромагнитного поля.

Прямо перед вами из него вылетает электрон.

Почему? Потому что он может. Вот так вы видите появление электрона. Бац! Именно так.

Минуту назад не было ничего кроме вакуума. Теперь там есть электрон, и электрон имеет массу. Сам факт его появления означает, что некоторое количество бездействующей энергии было преобразовано в массу. Уравнение $E = mc^2$ в действии. Легко для понимания.

Но электрон также обладает электрическим зарядом. Тогда сам собой напрашивается вопрос: откуда же этот электрический заряд появился?

Масса возникает из энергии, а масса и энергия эквивалентны, поэтому появление массы из заимствованной энергии является уравновешивающим процессом. Просто переходом энергии из одной формы в другую. Но электрический заряд – совершенно другая проблема. После появления электрона возникает отрицательный электрический заряд. До этого момента его нет. После него – есть. И это, безусловно, неприемлемо. Как я уже упоминал в конце предыдущей главы, нельзя создать что-то из ничего, не уплатив определенную цену. В реальной жизни так никогда не бывает – слышу я ваш вздох, – но хотя бы в квантовом мире такое происходит.

Итак, как же поступить с этим зарядом? Может, просто закрыть на него глаза?

Мы не можем, потому что их слишком много. Каждый электрон во Вселенной несет в себе заряд, и многие другие фундаментальные частицы тоже.

Так откуда же взялся заряд?

Что ж, самый простой ответ часто является самым правильным, вот он: электрон никогда не появляется в одиночку. Он должен вылететь вместе с идентичной ему частицей, за исключением ее заряда, который является противоположным. Такая частица называется *антиэлектрон*.

Такое понятие ввели, чтобы общий заряд всех пар когда-либо созданных электронов и антиэлектронов был равен нулю. Нет больше необходимости прибегать к $E = mc^2$ или чему-то еще. Такой феномен не нарушает никаких законов: общий заряд равнялся нулю задолго до появления электронов и антиэлектронов и по-прежнему равен нулю.

Именно то, в чем блестяще разобрался Поль Дирак.

«Ну и что здесь особенного?» – поинтересуетесь вы.

Ну что сказать, о существовании в точности похожей на электрон частицы с противоположным зарядом было до сих пор неизвестно. Никто не видел антиэлектрон.

ПРОЦЕСС, ПОСРЕДСТВОМ КОТОРОГО ЭЛЕКТРОН И ЕГО АНТИЭЛЕКТРОН ПОЯВЛЯЮТСЯ ИЗ НИЧЕГО, НАЗЫВАЕТСЯ РОЖДЕНИЕМ ЭЛЕКТРОН-ПОЗИТРОННЫХ ПАР.

Сегодня мы обнаруживаем их повсюду.

Процесс, посредством которого электрон и его антиэлектрон появляются из ничего, называется *рождением электрон-позитронных пар**; существует также обратный процесс: когда электрон встречается с антиэлектроном, они *аннигилируют*, то есть пропадают, *пуф*! И исчезли, а их масса превратилась обратно в энергию, в свет, в мгновение.

Электроны и антиэлектроны создаются из электромагнитного поля и возвращаются в него при аннигиляции.

Далее, раз электроны существуют сами по себе и все они созданы из электромагнитного поля во время рождения электрон-позитронных пар, следовательно, антиэлектроны также должны существовать сами по себе. Что они и делают. Но их нельзя найти повсюду.

В 1928 году Дирак назвал антиэлектрон «дырой в море» того, что мы теперь называем квантовым электромагнитным полем, так как он соответствовал некоторому отсутствующему заряду.

Его «дыра» – антиэлектрон был экспериментально обнаружен пять лет спустя в 1933 году, и тогда же Дирак получил Нобелевскую премию по физике за необычайную проницательность. Его теория полей включает в себя все те самые поля, виденные вами повсюду, с тех пор как вы начали исследовать микромир и обнаружили антиматерию.

Американский физик Карл Дэвид Андерсон стал тем первым ученым, кто действительно *обнаружил* антиэлектроны Дирака. Но вместо того, чтобы назвать их антиэлектронами, он дал им новое, до сих пор употребительное название: позитроны. Андерсон получил Нобелевскую премию за свою исследовательскую работу три года спустя, в 1936 году.

Так родилась антиматерия.

Я уже говорил, что половина материи является антиматерией. Но если ей были только антиэлектроны, они бы не составляли половину *всего*. А как насчет антикварков, и антисвета, и антиглюонов?

Ну что сказать, что верно для электрона – справедливо для всех частиц.

У всех них имеются свои противоположности.

Существуют антикварки, равно как и антинейтрино и антифотоны. Но некоторые частицы, не имеющие заряда, могут выступать с обеих сторон и быть *собственными* античастицами. Хороший пример тому свет: раз фотоны и антифотоны не переносят заряд, они идентичны.

Так почему же мы не видим вокруг нас все остальные античастицы?

Ответ в том, что они *есть*, они вокруг нас, вокруг вас, но не в больших количествах, потому что всякий раз, когда появляются, живут лишь очень короткий промежуток времени. Помните, что любая античастица, сталкивающаяся со своей противоположной частицей, немедленно аннигилирует с ней, только чтобы исчезнуть во вспышке энергии и света согласно уравнению $E = mc^2$.

Однако где-нибудь еще во Вселенной весь мир может оказаться построенным из антиматерии. В антимире, если вам нравится такое определение. Никто не знает, существуют ли антимиры, но если существуют и если вам когда-нибудь случится столкнуться с кем-то оттуда в космическом пространстве, не жмите друг другу руки. Вы и ваша антикопия превратитесь в бомбу и немедленно взорветесь. Феерично*.

Тем не менее некоторое количество антиматерии вокруг имеется. Даже внутри вас прямо сейчас.

Например, при радиоактивном распаде каждый раз создается некоторая антиматерия, только чтобы аннигилировать с ее сестрой-материей, становясь настолько мощным лучом света, что он обычно выстреливает сквозь ваше тело, но ни вы, ни кто-либо другой даже не замечаете этого.

Ваши глаза не могут видеть таких лучей, потому что, как мы обсуждали ранее, глазам просто не нужно было развивать возможности для их обнаружения. Но то, что не могут увидеть они, получится у технологий – и некоторым сообразительным инженерам удалось превратить данное открытие в эффективные медицинские диагностические и исследовательские

* Насколько феерично? Ну, согласно уравнению $E = mc^2$, чтобы выделилось примерно в три раза больше энергии, чем у сброшенной на Хиросиму атомной бомбы, потребуется аннигилировать только *один грамм* антиматерии с ее сестрой-материей. Значит, встреча 70-килограммового вас с антикопией была бы эквивалентна 210 тысячам таких ядерных бомб. Хорошенькое же рукопожатие получится!

инструменты. Например, томографы ПЭТ. Они используются в больницах. ПЭТ расшифровывается как позитронно-эмиссионная томография. Врачи вводят в организм жидкие «индикаторы», являющиеся радиоактивными и излучающими позитроны во время реакции распада. Позитроны аннигилируют со встречающимися на их пути электронами, превращаясь в мощные гамма-лучи, обнаруживаемые вне вашего тела сканером ПЭТ для последующего создания 3D-изображений того, как функционирует ваш организм. Действительно блестящая методика.

Хорошо.

Теперь вы знаете о полях и их вакуумах.

Об их возможном объединении.

О массе, зарядах и антиматерии.

А это значит, вы готовы путешествовать за пределы того, что видели в первой части, в направлении Большого взрыва и далее, за его пределы, к истокам пространства и времени.

Так что на вашем месте я бы сделал глубокий вдох, прежде чем перелистнуть страницу.

ГЛАВА 4

СТЕНА ЗА СТЕНОЙ

В течение многих лет, не задаваясь этим вопросом специально, вы совершенно бессознательно, вероятно, считали самим собой разумеющимся фактом, что Вселенная в основном состоит из пустоты, полностью неподвижна и неизменна. В отличие от наших предков, вы, наверное, слышали о Большом взрыве, но, возможно, никогда не задумывались о том, что он может *означать* в действительности.

На самом деле, во многих отношениях мы все напоминаем плавающих в море рыб. За исключением того, что, как вы уже знаете, мы плаваем не в состоящем из воды море, но во многих морях сразу, классифицированных нашим другом Дираком; морях, называемых полями и заполняющих всю Вселенную; полями, чьим неоднородным и довольно сложным выражением являемся и мы.

Поразмыслив, вы приходите к мнению, что, пожалуй, это утверждение логично. Таким образом становится гораздо легче понять все: время, массу, скорость и расстояние, переплетенные внутри данных полей.

ВЫ, НАВЕРНЯКА, СЛЫШАЛИ О БОЛЬШОМ ВЗРЫВЕ, НО, ВОЗМОЖНО, НИКОГДА НЕ ЗАДУМЫВАЛИСЬ О ТОМ, ЧТО ОН МОЖЕТ ОЗНАЧАТЬ В ДЕЙСТВИТЕЛЬНОСТИ.

Вселенная огромна. Невообразимо большие пространства лежат между любыми двумя звездами, галактиками и скоплениями галактик. Но никаких пустот нет. Есть только поля, позволяющие удаленным друг от друга объектам взаимодействовать путем обмена частицами, так называемыми переносчиками взаимодействий, никогда не пересекаясь.

Поля связывают всё со всем.

В этой мысли есть что-то почти обнадеживающее.

И так как вы собираетесь перемотать обратно всю историю Вселенной, вплоть до рождения пространства и времени, то вы можете задаться вопросом: могли ли все эти вопившие, плакавшие, певшие, писавшие, рисовавшие, плясавшие шаманы, святые и блаженные на тему «Бог един и многолик одновременно» на протяжении веков истории человечества оказаться правы?

Ну, в некотором смысле, возможно.

Но они точно не знали почему.

А наш робот-суперкомпьютер знает и снова выходит на сцену.

Ярко-желтая теннисная пушка опять появляется прямо перед вашим носом. У нее по-прежнему отсутствует лицо, и она смотрит на вас через выбрасывающую частицы трубу, но на этот раз вам хватает ума не рассматривать его как «просто» механизм.

Ощущая себя сильным и воодушевленным надежностью всех приобретенных знаний, вы готовите свой разум к повторной попытке воображения всей истории Вселенной.

Из пустоты раздается металлический голос:

– Готов? – спрашивает он.

Вы знаете, что машина собирается перенести вас к истокам пространства и времени, но робот не оставляет времени на ответ, и мгновением позже вы вместе с ним оказываетесь в небе. Над домом. Вашим домом.

Компьютер переместил вас оттуда, где вы были, в небо над родным городом.

И теперь вы оба стрелой летите вверх.

Вы пересекаете различные слои атмосферы Земли и снова выходите в открытый космос над родным миром.

– Я собираюсь взять тебя в полет по лучшей в мире компьютерной имитации, – заявляет робот. – Запрограммированные, подобно мне, подчиняться уже разгаданным законам природы, даже самые мощные суперкомпьютеры на Земле бьются за то, чтобы увидеть то, что увидишь ты.

– Тогда вперед! – восклицаете вы, чувствуя волнение от предстоящего путешествия, нетерпение выйти за границы видимого и пересечь все чередующиеся, обернутые вокруг Земли слои прошлого.

Вы знаете, что, если отправиться к звездам обычным путем, обладая телом, а не с помощью разума, на путешествие придется потратить значительное время, а когда вы доберетесь до цели, звезда не будет такой, как *сейчас*. Она претерпит изменения. Подобно тому как если бы вы захотели сейчас поехать в Нью-Йорк, путь туда займет несколько часов. Нью-Йорк, в который вы приедете, будет отличаться от того Нью-Йорка, в который вы отправлялись. Люди, машины, облака и капли дождя – ничто не будет больше располагаться в том же самом месте.

При полете к далекой звезде в отдаленной галактике разница будет еще больше. Ко времени прибытия в пункт назначения Вселенная расширится. Реликтовое излучение, общая температура Вселенной, да и поверхность последнего рассеяния станут холоднее. Однако, совершая обычный космический полет, прошлого никогда не достигнуть.

Так как же тогда компьютерное моделирование может перенести вас в прошлое – причем весьма отдаленное?

Ответ быстро приходит на ум: чтобы очутиться в момент появления Вселенной, чтобы увидеть его воочию, не надо никуда лететь. Вы просто предоставляете времени двигаться в обратном направлении, и это именно то, что начинает происходить.

Не шелохнув пальцем, вы отправляетесь в новое путешествие, путешествие обратно во времени через историю Вселенной, чтобы достигнуть Большого взрыва и выйти за его пределы из точки вашего местонахождения.

Проявив неожиданную чувствительность, робот-компьютер даже любезно потухает, чтобы его присутствие не мешало вам видеть.

В одно мгновение вы попадаете на 7 миллионов лет назад.

Поверхность последнего рассеяния, ограничивающая конец видимой с Земли Вселенной, понемногу становится ближе – и она наполнена чуть-чуть более горячим реликтовым излучением. Но 7 миллионов лет не так много по сравнению с историей Вселенной длиной 13,8 миллиарда лет, и ничего там, в небе, особенно не отличается от находившегося там минуту назад. Однако Земля под вами изменилась. Там, внизу, нет ни городов, ни мегаполисов, ни мерцающих уличных фонарей. Первые люди только начинают отличаться от человекообразных обезьян. Ваши далекие предки пока еще волосатые охотники на диких зверей. Человечество действительно проделало довольно длинный путь...

Следующая вспышка, и вы уже на 65 миллионов лет в прошлом.

Динозавры только что вымерли в результате смеси мощных вулканических извержений и катастрофического столкновения с астероидом диаметром 10 километров, оставив в живых только мелких млекопитающих. Некоторые из них однажды, пройдя путь последовательных этапов эволюции, стали теми самыми, только что виденными вами волосатыми предками, а затем и нами.

Еще одна вспышка, и вы переместились еще на 4 миллиарда лет назад.

В Землю только что врезалась планета размером с Марс, оторвав от нее кусок, чтобы создать Луну. Реликтовое излучение определенно начинает становиться все горячее, а поверхность последнего рассеяния теперь действительно выглядит ближе, чем раньше. Вся видимая отсюда Вселенная составляет менее 70% своего размера в 2015 году.

Вы перематываете еще пару миллиардов лет назад.

Видимая Вселенная уже меньше половины исходного размера. Земли еще не существует. На ее месте прямо перед вами умирают звезды, колоссальные взрывы которых распространяют составляющую их материю по всему космосу. Спустя несколько сотен миллионов лет их обломки и пыль соберутся в огромные облака, а гравитация поспособствует формированию по крайней мере одной новой звезды — Солнца — и его планет.

Другая вспышка, и вы за 5 миллиардов лет до рождения Земли, за 9,5 миллиарда лет до *вашего* появления на свет.

Видимая Вселенная составляет менее 25% своего размера в 2015 году, поверхность последнего рассеяния гораздо ближе. Между вами и этой стеной происходит формирование галактик вокруг гигантских черных дыр, иногда приводя к столкновениям невообразимой мощности.

Еще вспышка — и вы отброшены на 13,7 миллиарда лет назад.

Вы все еще там, где когда-нибудь появится Земля, но окружающая вас видимая Вселенная теперь меньше 1,5% от исходного размера. Вы находитесь в Темных веках.

Темные века, сквозь которые вы путешествовали в первой части книги, были холодными, потому что момент вашего полета совпал с видимым с Земли в 2015 году, спустя более чем 13,7 миллиарда лет расширения.

Однако 13,7 миллиарда лет назад все не являлось ни холодным, ни темным. И теперь вы именно там.

Первые звезды еще не вспыхнули, так что ни одна из видимых материй не возникла в результате ядерного синтеза в ядрах звезд. Поэтому вы окружены мельчайшими существующими атомами: в основном водородом и гелием. И ярко светящееся излучение – микроволновое фоновое излучение – вообще не микроволновое. Вы можете увидеть его своими глазами. Это свет, первоначально заполнявший нашу Вселенную; свет, ярко сияющий повсюду; свет, ставший микроволновым излучением гораздо позже, после нескольких миллиардов лет расширения Вселенной.

Еще вспышка, и вы еще на 100 миллионов лет дальше, 13,8 миллиарда лет назад. Поверхность последнего рассеяния, поверхность в конце видимой Вселенной, теперь в одной световой минуте от вас, означая, что видимая Вселенная имеет глубину лишь в одну световую минуту, меньше одной восьмой части расстояния, разделяющего Землю и Солнце.

Вся Вселенная прозрачная уже шестьдесят секунд.

И горячая.

3000 °С в любом месте.

Вы все еще в Темных веках, но все вокруг вас светится так ярко, что вы задаетесь вопросом, действительно ли подходит им выбранный термин.

Вы останавливаетесь.

Спустя мгновение компьютер моментально начинает перематывать время еще немного дальше, пусть и в более медленном темпе, и вы попадаете в странное, буквально невидимое место. Еще одна минута назад в прошлое, и вы начали то, что звучит как последнее путешествие...

Поверхность последнего рассеяния находится прямо перед вами.

Вы делаете глубокий вдох, готовый пересечь ее, чтобы выйти за пределы стены, чтобы добраться до невидимого.

Время перематывается дальше...

И вот вы за стеной...

Вы вошли в часть прошлого Вселенной, никогда не видевшего света.

Вы и в самом деле не можете ничего больше видеть.

Свет здесь не распространяется. Вокруг просто слишком много энергии.

Но вы знаете, что делать.

Вы сразу же переключаетесь на методику йогов и с удивлением понимаете, что Вселенная за пределами только что пересеченной поверхности *большая*.

И древняя.

Ей по крайней мере 380 тысяч лет.

Ваше путешествие еще далеко от завершения.

Вы снова фокусируетесь на том, что вокруг, что происходит сейчас, за стеной в конце видимой Вселенной.

Температура окружающей среды составляет 5000 °С. Все электроны, в один прекрасный день начавшие связывать свободные атомные ядра, чтобы стать водородом и гелием, существуют здесь сами по себе. Фотоны врезаются в них, возбуждаясь, прежде чем их отшвырнет назад излучение, чтобы они снова столкнулись с другим электроном. Электромагнитное поле настолько заполнено энергией, что все его фундаментальные частицы превращаются друг в друга практически мгновенно.

Еще вспышка, и вы оказались как минимум за тысячи лет до того момента, как Вселенная стала прозрачной.

Вы окружены плотным бульоном из частиц, представляющих собой смесь всех возбуждений квантовых полей, их элементарных частиц и переносчиков взаимодействий. Все натыкается друг на друга, не позволяя ничему никуда деваться. Вокруг слишком много энергии. Все появляется. Сталкивается. Исчезает. И пока время продолжает перематываться, Вселенная все еще сжимается, плотность энергии растет, а мир в ней становится все более и более жестоким.

Тем не менее вы пытаетесь не запутаться и сосредоточиться на вашем путешествии назад во времени. Вы — чистый разум, и путешествие по методике йогов выглядит очень и очень реалистичной имитацией. Вселенная продолжает сжиматься, ее ткань, пространство-время, чудовищно изогнулась. Ничто из того, что вы знаете или можете представить себе, не обладает такой разрушающей и деформирующей силой.

На долю секунды вы удивляетесь, почему вы не слышали больше о гравитации на данном этапе, но у вас нет времени задуматься. Вы вернулись назад в прошлое еще на несколько тысяч лет и теперь окружены невообразимым пеклом. Ваше виртуальное сердце начинает колотиться все сильнее и сильнее, по мере того как температура, давление и влияние гравитации на видимое вами вокруг достигают невероятного уровня.

Теперь вы за 380 тысяч лет до того, как Вселенная стала прозрачной. Если заглянуть сейчас с помощью телескопа на Земле на более 13,8 миллиарда лет назад, вы находитесь в 380 тысячах лет за стеной, отмечающей предел видимой Вселенной.

Глядя в противоположную сторону, вы практически в трех минутах от того, что можно было бы назвать рождением пространства и времени.

Время продолжает течь в обратном направлении, разрушаются даже атомные ядра, позволяя всем кварковым тюрьмам нейтронов и протонов свободно передвигаться на собственное усмотрение. Сильное ядерное взаимодействие захлестывает окружающая энергия. Протоны и нейтроны, самые устойчивые структуры, даже начинают некий неистовый танец, в котором избитые созданными из кварков переносчиками взаимодействий ошеломленные протоны превращаются в нейтроны, исчезая из Вселенной.

Окружающая температура?

100 миллиардов градусов.

Везде.

Но вы не останавливаетесь.

Вы продолжаете перемещаться. Во время перемотки секунды за секундой все окружающие частицы света превращаются теперь в пары материя-антиматерия. Везде. И кажется, что последней столько же, сколько и предыдущей. И как тогда одной из них в конечном итоге удалось стать преобладающей, удивляетесь вы в полутрансе. Чтобы это равновесие нарушилось, здесь должно было произойти нечто из ряда вон выходящее. Тайна, которая может быть даже открыта в этом году или в следующем, когда обновленный и с увеличенной мощностью ускоритель элементарных частиц БАК (снова запущенный в ЦЕРН в июне 2015 года) начнет ее разгадку.

Вы бы хотели задержаться тут еще ненадолго, чтобы прояснить ее для себя и сообщить в ЦЕРН, но вы здесь не командуете и уже мчитесь сквозь Вселенную, заполненную супом из такой громадной энергии, что все кругом трясется, гравитация гнет и ломает все, поля возбуждаются до уровней, лежащих за пределами здравого смысла.

Это не вес звезды заставляет гравитацию путем искривления пространства и времени налагаться на каждое поле вокруг, а энергия всей Вселенной выдавливается через сферу диаметром 100 световых лет*. Такая сфера, в центре которой сегодняшняя Земля, могла бы вмещать не более 5000 звезд. В то время она содержала энергию для образования сотен миллиардов галактик, каждая из которых имеет сотни миллиардов звезд. Не говоря уже о пыли.

Тем не менее, как бы вам ни нравилось рассматривать все вокруг, вы продолжаете лететь против течения времени.

---

* Если вам интересно (и это правильный подход), почему Вселенная имеет в ширину 100 световых лет, а не пару световых минут, вы найдете ответ в пятой части.

Теперь вы уже в одной миллионной доле секунды от конечного пункта назначения.

Температура достигла 100 миллионов миллиардов градусов.

При таком огромном количеством энергии вокруг даже стражи кварковых тюрем, глюоны, не могут удерживать своих пленников. Нейтроны ломаются. Кварки, теперь свободные, начинают взаимодействовать со своими антикопиями, превращаясь в чистую энергию.

Посмотрев вокруг, вы понимаете, что говорить о разнице между материей, светом и энергией теперь целиком излишне.

Поля, которые были самостоятельными образованиями на протяжении всего пути во времени от Земли сюда; поля, которые на Земле описывают все мыслимые процессы с помощью различных взаимодействий, теперь сливаются воедино, как и следовало ожидать. Электрослабое поле активно. Поскольку некоторые из знакомых частиц, которые вы привыкли видеть повсюду, исчезают, новые фундаментальные частицы, принадлежащие электрослабому полю, вылетают со всех сторон. Поле Хиггса исчезает. А вместе с ним и обладающие массой бозоны Хиггса, так долго остававшиеся скрытыми от человеческих знаний.

Видимые вами теперь частицы – это W- и Z-бозоны, с которыми мы встречались ранее, переносчики взаимодействий электрослабого поля.

Вокруг этих частиц так много энергии, что они, с таким трудом создаваемые на Земле, тут повсюду.

Вселенная сейчас раскалена до 100 миллиардов миллиардов градусов, и законы природы начинают заметно отличаться от тех, с которыми вы знакомы на протяжении всей жизни.

Кварки и антикварки исчезают.

Глюоны поглощаются фоновым излучением.

Одна тысячная миллиардной миллиардной миллиардной доли секунды после того, что является ни больше ни меньше как предполагаемым источником происхождения пространства и времени, события, которое мы могли бы назвать началом всех начал, того, что в один прекрасный день станет всей нашей видимой Вселенной, и того, что теперь является сферой 10 метров в ширину, продолжающей сокращаться.

Все, что она содержит, в настоящее время нагрето до фантастических миллиардов миллиардов миллиардов градусов. И по мере ее нагрева все больше и больше все образующие составляющую нас материю поля объединяются, чтобы стать великим единым полем.

Только гравитация находится вне этого объединения сил.

Находясь так близко к началу начал, вы начинаете думать, что осталось случиться не так уж многому.

На самом деле вы только что достигли того места, что получило название Большого взрыва: момент, в который накопленная в большом едином поле энергия стала превращаться в частицы.

Но удивительно: несмотря на то, что экспериментальная физика никогда не достигала такого места, компьютер, кажется, не желает останавливаться, в первую очередь чтобы показать, что история Вселенной там не начинается. Действительно, к большому удивлению, пока время продолжает перематываться, материя и энергия всей Вселенной внезапно исчезают — и вопреки тому, что можно было бы ожидать, все резко остывает, в то время как вся доступная энергия превращается в еще одно поле, с которым вы не встречались раньше, поле, заполненное собственными частицами.

Оно называется *инфлатонным полем*.

Поле считается ответственным за начальное расширение Вселенной.

Каким бы сумасшедшим это ни показалось, но теперь все вдруг снова ускоряется, и вся Вселенная непостижимым образом врезается сама в себя на невообразимой скорости, увлекая вас вслед за собой.

За меньшее время, чем потребовалось бы свету, чтобы пройти сквозь ядро атома на вашей кухне, вся Вселенная сжимается с десяти метров в диаметре до размера в миллиарды раз меньше протона.

Ученые назвали эту стадию *инфляционной моделью Вселенной**. Вы только что прошли ее, следуя в обратном направлении. Позади нее больше нет ни материи, ни чего-то еще.

Все известные поля исчезли.

Законы природы совершенно не похожи на знакомые вам из обыденной жизни или из путешествия до этого момента.

Примерно в этот момент три силы или поля, управляющие всей известной материей и антиматерией Вселенной в настоящее время, в том числе составляющей вас материей, как считается, слились с гравитацией.

Вы бы продолжили перематывать время дальше, за Большой взрыв, следуя по всему пути рождения нашей Вселенной, но происходит что-то не то.

---

* Вы услышите об инфляции больше в седьмой части.

Понятия пространства и времени, используемые вами до сих пор, больше не применимы.

Гравитационное искривление пространства-времени слишком сильно. Квантовые эффекты тоже.

Без времени, без пространства, без пространства-времени путешествие дальше невозможно, да и не имеет никакого смысла при обстоятельствах такого рода.

Вы еще не достигли начала начал и не имеете никакого понятия, как придумать способ попасть туда.

Так обидно.

И вдруг вам хочется посмотреть на все со стороны, потому что до сих пор вы всегда оставались *внутри* Вселенной. Но само понятие снаружи, кажется, также не имеет никакого смысла.

То, чего вы здесь достигли, — это поверхность второй стены, отличной от поверхности последнего рассеяния, которая ограничивала то, что можно увидеть с Земли. Это стена непроницаема не для света, но для современных знаний.

Позади нее находится царство *квантовой гравитации*, где все известные поля природы могут быть объединены в одно целое квантовым способом.

Там Вселенная становится загадкой, в которой переплетены науки XXI века, вера и философия. В некотором смысле это то место, где наше знание останавливается, сменяясь чисто теоретическими исследованиями. Для путешествий за пределы поверхности последнего рассеяния вы не можете использовать собирающие космическое излучение телескопы, но ученые построили ускорители элементарных частиц, позволившие им достичь температур и давлений, которые они рассчитывали обнаружить за пределами Вселенной, и это сработало. Ученые открыли новые законы и сумели проплыть назад по течению времени, хоть и косвенным образом. Пока вы читаете эти строки, они уже сконструировали и продолжают создавать телескопы нового поколения для обнаружения уже не излучения, а гравитационных волн, пульсации, распространяющейся сквозь саму ткань пространства-времени. Такие телескопы могут обнаружить сигналы, исходящие из-за пределов поверхности последнего рассеяния, из того далекого прошлого, где вы только что побывали. Но путешествовать за стеной квантовой гравитации, известной также как *Планковская эпоха*, — совсем другое дело. Никто не уверен даже в том, каким образом следует *думать* о том, что лежит за ее пределами. Вся видимая Вселенная была тогда настолько крошечна, что, чтобы проверить это в уме, нужна теория о чем-то чрезвычайно большом, свернутом до мизерных размеров, теорию, в которой квантовые законы со своими квантовыми скачками и прочим применимы к самой Вселенной. Необходима гравитация *и* квантовые эффекты. Требуется квантовая гравитация и многое другое. А у нас их нет. У нас нет исследовательских рамок. Таким образом, дальше вы проникнуть не можете. Собственно, вам даже не позволено предположить, что лежит за пределами стены Планка ни в пространстве, ни во времени, потому что эти два понятия не имеют там никакого смысла. Когда ученые

ПОКА ВЫ ЧИТАЕТЕ ЭТИ СТРОКИ, УЧЕНЫЕ КОНСТРУИРУЮТ ТЕЛЕСКОПЫ ДЛЯ ОБНАРУЖЕНИЯ УЖЕ НЕ ИЗЛУЧЕНИЯ, А ГРАВИТАЦИОННЫХ ВОЛН, ПУЛЬСАЦИИ, РАСПРОСТРАНЯЮЩЕЙСЯ СКВОЗЬ САМУ ТКАНЬ ПРОСТРАНСТВА-ВРЕМЕНИ.

говорят, что возраст Вселенной составляет 13,8 миллиарда лет, они имеют в виду, что прошло 13,8 миллиарда лет с тех пор, как обрели смысл используемые нами понятия «пространство», «время» и «пространство-время». И этот момент случился приблизительно за 380 тысяч лет до поверхности последнего рассеяния, за 380 тысяч лет до того, как реликтовое излучение заполнило космическое пространство. И этот момент произошел за несколько миллионных миллиардных миллиардных миллиардных долей секунды до Большого взрыва. В конечном итоге ученые могут с полным правом сказать, что именно такое количество времени прошло с момента возникновения пространства и времени. Но это не означает, что наша Вселенная родилась тогда. Так же как не означает, что она является единственной существующей Вселенной. А также что она является единственной когда-то существовавшей.

***

Вы снова в своей гостиной, на разбитом старом диване и поражены так глубоко, что вцепились в его подлокотник.

Вы путешествовали сквозь пространство и время. Видели галактики. Звезды. Поля. Наблюдали, как работает гравитация, каково ее влияние на форму и судьбу пространства-времени, зависящего от содержимого Вселенной.

Да. Вы сделали это.

И тут с вами начинает происходить кое-что удивительное, как если бы вы были на пороге свершения потрясающего открытия...

Мысли роятся в вашей голове. Вы снова чувствуете себя ребенком, вдруг сознающим, что мир можно постигнуть; что мир каким-то образом, до какого-то момента *уже понят* и компьютер показал все это все для вас, чтобы...

Из общей теории относительности Эйнштейна вы узнали, что могли бы выяснить историю Вселенной от начала до конца, зная лишь то, что в ней содержится.

Теперь вы знаете, что содержимое Вселенной состоит из квантовых полей, движущихся, развивающихся и взаимодействующих между собой, полей, которых на сегодняшний момент три, но которые когда-то были *единым целым*, очень-очень давно.

Эти поля являются матерями и отцами всех частиц и античастиц Вселенной и причиной того, почему все элементарные частицы одинаковы, находятся ли они здесь, внутри вашего тела или в любой другой галактике, в настоящем или в прошлом.

И все это может означать только одну вещь.

Только то, что, возможно, вы стали Богом.

Да.

Богом.

Вы знаете о гравитации.

Вы знаете, что лежит внутри Вселенной.

Соедините эти два пункта вместе, и вы получите знание всего.

Истории Вселенной.

Ее прошлого.

Ее настоящего.

Ее будущего.

Вы – почти Бог, хотя бы по определению.

Ваше лицо освещает улыбка, вы немедленно хватаете свой мобильный и набираете номер единственного человека, которого можете вспомнить в такой момент.

– Кто это?

Голос на другом конце звучит подозрительно. Это двоюродная бабушка.

– Это я!

– О! Привет, дорогой мой. Как ты там? Тебе уже лучше?

– Лучше? Я чувствую себя удивительно! – восклицаете вы.

– Приятно слышать. Что-то случилось?

– Я путешествовал и познавал Вселенную, и... ну хорошо, я знаю, это звучит глупо, но я могу создавать и развивать Вселенную вроде нашей, просто используя воображение. Должно быть, это именно то чувство, когда чувствуешь себя Богом.

Бабушка выдерживает паузу.

– Понимаю, – говорит она.

– Что ты понимаешь? – спрашиваете вы, удивляясь, почему она так явно не разделяет ваш энтузиазм.

– Ничего. Ничего. Это просто то, что, ну хорошо, я уже слышала эту фразу раньше.

– Слышала?

– Люди любят изображать из себя богов, не так ли? Ты помнишь моих любимых подруг Кати и Габи?

– Нет, не помню, но послушай, что я...

– Позволь мне закончить, дорогой. Так вот, Кати, Габи и я в прошлые выходные ездили стрелять из лука. Дело в том, что Кати и Габи очень любят этот спорт и научили и меня: обладая некоторыми вполне элементарными знаниями об устройстве нашего мира, зная, как стреляет лук и откуда вылетает стрела, ты можешь предугадать, куда она попадет. Очаровательно, не правда ли?

– Конечно, бабуль, это баллистика, закон Ньютона.

– Правда? Что ж, хорошо, что сказал. А ты можешь применить его ко всей Вселенной?

– Что?

– Ты же что-то говорил вначале, или я ошибаюсь? Ты, по-видимому, нашел что-то, к чему мог бы применить свою баллистику или любые другие законы природы?

– Я... начальные условия, ты имеешь в виду?

– Я не знаю. Хочешь, я попрошу Кати и Габи позвонить тебе, чтобы вы могли поговорить об этом? Они действительно разбираются в таких вещах.

– Нет, нет, нет! Нет никакой необходимости...

– Ну хорошо. Перезвонишь мне, когда найдешь свои начальные условия?

– Я... да, хорошо.

– Спасибо за звонок, дорогуша. Ты очень мил. Ну, до скорого.

И с этими словами она вешает трубку.

И пока вы недоуменно смотрите на свой телефон, позвольте мне сказать следующее: как вы, наверное, поняли, она права. Чтобы понять что-то о Вселенной, необходимо два вида данных. Первым из них является закон или свод законов. Вторым – начальные условия.

Чтобы применить ко Вселенной как единому целому те идеи, что были у вас до сих пор, чтобы узнать всю ее судьбу с чистого листа, было бы недостаточно всех законов мира.

Вам все еще нужно неопровержимое начальное условие, состояние, к которому можно применить законы эволюции. А у вас его просто нет. И что еще хуже, как же вы можете быть уверены, что узнанные вами законы гравитации и квантовых полей применимы в самом начале существования Вселенной?

Со вздохом вы вновь усаживаетесь на диван и берете в руки кружку кофе с чувством, что некоторые важные данные все еще отсутствуют...

ГЛАВА 5

ПОТЕРЯННЫЕ КУСКИ ПРОШЛОГО ПОВСЮДУ

Пространство.

Время.

Пространство-время.

Что такого остается выяснить о них, что вы еще не видели?

Частицы. Переносчики взаимодействий.

Поля.

Гравитация.

Разве вы не испытали их на себе, чтобы узнать?

И почему вы чувствуете себя так тревожно?

Вы открываете глаза.

К вашему удивлению, вы больше не у себя дома, а сидите в тесном кресле в странно знакомом самолете.

На месте 13А, если быть точным.

Остальные пассажиры выстраиваются в очередь в проходе, готовясь к высадке.

В растерянности вы смотрите в иллюминатор, но нет никаких сомнений: вы действительно вернулись назад, в ваш самолет будущего. И он только что приземлился в 2415 году. Плохо соображая, вы встаете, шагаете вслед за другими пассажирами к выходу и приходите в себя посреди длинных, словно бесконечных стеклянных коридоров с видом на море.

Как вы здесь оказались?

Мгновение назад вы были дома. Вы только что звонили двоюродной бабушке по завершении путешествия по всей известной Вселенной.

Вы помните, что вокруг Земли очерчена сфера радиусом 13,8 миллиарда световых лет, содержащая все прошлое человечества, которое можно собрать с помощью излучения. За ее пределами есть еще один слой реальности, существовавший 380 тысяч лет. Что находится дальше? Никто не знает.

Пока вы продолжаете идти по все увеличивающемуся количеству коридоров, а яркое солнце 2415 года освещает город своими лучами, проходящими путь до Земли будущего за 8,3 минуты, бездонно глубокое чувство одиночества вдруг охватывает вас.

В чем смысл всего этого?

Как может наша Вселенная быть такой огромной, а мы настолько маленькими? Обречены ли мы навсегда затеряться в пространстве и во времени, мучимые осознанием данного факта? Или же мы, люди, находимся в начале долгого пути технологического прогресса, который когда-нибудь сделает далекие миры ближе? Может, это именно здесь происходит? И вы на пороге того, чтобы увидеть одну из тех многих возможностей будущего, которого может достичь наша планета. Будущего, в котором близкое неотличимо от далекого, в котором прошлое и будущее – лишь направления передвижения для наших потомков?

Путешествия во времени являются человеческой фантазией на протяжении веков, но вы никогда не слышали ни о ком, кому действительно бы это удалось.

Стивен Хокинг однажды устроил вечеринку для путешественников во времени, в полдень 28 июня 2009 года. Чтобы убедиться, что на ней объявятся только те самые путешественники, он разослал приглашения только после вечеринки. Но никто не пришел.

Так что же намеревается сообщить вам новое путешествие, *вам*, не имеющему никакой значимости организму, затерянному в необъятности пространства и времени?

Извилистый стеклянный коридор, по которому вы шагаете, в конце концов приводит в холл огромного аэропорта, который, возможно, правильней называть времяпортом. Сотни людей выстраиваются в очередь, чтобы пройти через что-то напоминающее таможню. Зал очень ярко освещен. Свет проникает внутрь сквозь гигантские окна с видом на вырастающие из моря небоскребы. Встав в одну из многочисленных очередей и смешавшись с другими пассажирами, вы вдруг чувствуете страх, что испытываемое сейчас не сон, а реальность, а снилось именно возвращение домой. Понятно, что это вызывает тревогу.

Если реальность здесь, что же тогда случилось с вашим прошлым?

Если вы действительно пролетели 400 лет с момента взлета, значит, оставленное вами прошлое все еще где-то там? И можете ли вы при желании вернуться назад, чтобы прожить ту прошлую жизнь до конца, или она безвозвратно утеряна? А отославшие вас с острова домой друзья, они что, давно умерли? Вас осеняет, что это, должно быть, тот самый случай путешествия во времени.

Взаимодействие пространства и времени, может быть, сложно уяснить, но вам трудно представить себе, что один и тот же человек может проживать несколько жизней в одной и той же Вселенной одновременно, зная о них все. Даже если поля, кажется, позволяют вам сделать то же самое, что происходит в случае частиц, на которые никто не смотрит.

Но что возможно для одиночных частиц, кажется невозможным для их многомиллиардных объединений, таких как человеческое тело. И пока ваш разум с некоторой грустью размышляет об этом факте, вы почти на физическом уровне ощущаете непреодолимую пропасть, отделяющую вас сейчас от всех любимых людей, и печаль щемит ваше сердце.

Но в том, что вы видели до сих пор, есть определенное утешение. Прошлые жизни ваших близких превратились в последовательность изображений, движущихся в пространстве и времени. Весь свет и другие безмассовые частицы, когда-либо отскакивавшие или взаимодействовавшие с их телами даже мимоходом, создали память об их существовании, некий образ, снаряд, несущийся со скоростью света от Земли в направлении далекой неизведанной пульсации невидимых, но вездесущих полей. А так как вы отправились на 400 лет в будущее, то видимая память их жизней в настоящее время омывает поверхность планет и звезд, лежащих в 400 световых годах от Земли. Их образ будет продолжать двигаться, распространяясь все дальше, возможно периодически попадая в какие-нибудь собирающие излучение инопланетные устройства, до тех пор пока существует Вселенная.

А как насчет составляющей нас материи? А насчет тех атомов, что родились миллиарды лет назад в ядрах давно погибших звезд, до того как собраться вместе, чтобы сформировать тела ваших друзей и близких? Все их миллиарды миллиардов частиц теперь разлетелись по всему миру... Вы даже можете оказаться рядом с ними прямо сейчас. По крайней мере с одной.

Возможно, мы не так уж малы в общем ходе событий, думаете вы, поразмыслив. Наш отпечаток здесь и останется тут навсегда, и приятно знать, что память о нашей жизни всегда будет существовать, путешествуя среди звезд.

Время, пространство и поля делают нас всех принадлежащими чрезвычайно большой реальности.

Раскинув руки в сторону, чтобы ощутить образующие вас поля, и подняв их высоко в воздух, чтобы увидеть их взбирающимися по невидимому склону, создаваемому Землей в окружающем ее пространстве-времени, вы начинаете понимать, как на самом деле могут быть связаны между собой все сценарии прошлого, настоящего и будущего.

– С вами все в порядке, сэр? – спрашивает вдруг одетая в униформу женщина.

Выйдя из задумчивости, смутившись, что не заметили ее приближения, вы с трудом выдавливаете из себя что-то вроде «спасибо, все в порядке» – но некоторые вещи в жизни не меняются. Даже в 2415 году каждый немедленно ощущает себя в чем-то виновным, столкнувшись лицом к лицу с хорошо обученным таможенником.

— Откуда вы прибыли, сэр? — спрашивает она.

— Из начала двадцать первого века, — отвечаете вы, пытаясь придать своему голосу повседневную интонацию, насколько это возможно в поездках такого рода.

— Пожалуйста, следуйте за мной, сэр, — говорит женщина, всем своим тоном безошибочно давая понять, что это приказ, а не просьба.

И пока почти все остальные прилетевшие пассажиры поблизости бросают на вас укоризненный взгляд за созданные вами проблемы, вы выходите из очереди и следуете за офицером через зал.

— Что-то не так? — осведомляетесь вы, когда дверь перед таможенником распахивается.

— Пожалуйста, заходите, сэр, — вот единственный полученный ответ.

Внутри обнаруживается еще один (довольно враждебно выглядящий) офицер, сидящий за большим письменным столом. Позади, над его головой, на большом плакате написано: «Отделение психологической разгрузки для путешественников во времени. Любая агрессия в отношении наших сотрудников приводит к немедленному привлечению к ответственности».

Очевидно недовольный еще одним пациентом, офицер нетерпеливо указывает вам на стул напротив.

Вы в отчаянии оглядываетесь по сторонам, вас начинает бросать в пот. В комнате пусто. Там только стол, недружелюбный офицер, плакат и... уже знакомая желтая труба, выглядывающая из-за стола. Все ваши заботы мгновенно улетучиваются, как только вы признаете своего выбрасывающего частицы компаньона.

Это что, еще одно компьютерное моделирование? — задаетесь вы вопросом. Если да, то оно точно заставило вас почувствовать себя немного лучше, понять свое место во Вселенной и порассуждать о природе жизни и смерти.

Стремление понять реальность является по большому счету личным желанием, и ни суперкомпьютер, ни я не должны навязывать вам свои взгляды. Ваше право иметь собственные идеи. Тем не менее я должен предупредить, что до сих пор вы всего лишь пробежались по обеим теориям, используемым учеными для описания Вселенной: квантовой теории поля и теории гравитации Эйнштейна*. Конечно, они обе выглядят логично и элегантно, но вы должны знать, что существуют проблемы со многими связанными с ними концепциями.

На самом деле, если быть полностью честным, *никто* еще толком не понимает Вселенную.

Даже реальность вокруг вас прямо сейчас или на диване, или на тропическом пляже покрыта тайной. Но одно можно сказать наверняка. Считается, что все тайны, лежат ли они вокруг, или внутри вас, или далеко за пределами Большого взрыва, в конечном итоге приводят к объединению квантовых полей с помощью квантовой теории гравитации.

И хотя, по правде сказать, такая универсальная теория неизвестна, по крайней мере одно из свойств квантовой гравитации было найдено. Ключ, если вам так нравится. Ключ, дающий дразнящий намек на то, что находится за стеной Планка.

---

* Специальная теория относительности, теория относительности Эйнштейна о (быстро) движущихся телах, включена в обе теории.

Это хорошие новости.

Плохая новость заключается в том, что существует единственное известное окно, которое можно открыть этим ключом, – сквозь него, предположительно, можно будет в один прекрасный день путешествовать, пусть даже только в нашем сознании, за границы начала пространства-времени. И именно поэтому робот явился, чтобы забрать вас из времяпорта. Комната, в которой вы находитесь, исчезает, еще раз сменяясь ночным ландшафтом глубокого космоса; вы начинаете расспрашивать робота о том, куда отправляетесь, но вас обрывают на полуслове.

– Я беру тебя с собой в черную дыру, – объявляет машина.

Так как вы уже побывали в одной в самом начале космических приключений, то, возможно, поинтересуетесь, что же вы упустили во время первого ее посещения.

Ответ в кои-то веки достаточно прост.

Вы были недостаточно близко.

ЧАСТЬ 6 | НЕОЖИДАННЫЕ ТАЙНЫ

ГЛАВА 1

ВСЕЛЕННАЯ

Если вы задумаетесь, то во Вселенной, которой мы принадлежим, есть нечто особенное. Ее название, Вселенная, происходит от латинского *universe*, где *uni* означает «один», а *verse* — «превращаться в», так что ее имя изначально означало «превращаться в одно», с самого начала подчеркивавшее весьма специфическую, поднимаемую ей проблематику.

Любой произведенный *внутри* нашей Вселенной опыт можно повторять многократно. Хотите проверить закон всемирного тяготения Ньютона на Земле? Выстрелите из лука. Не уверены, что поняли его? Выстрелите еще раз. Снова и снова. Набравшись терпения, вы увидите, что, зная исходное положение, угол и скорость, можете предсказать, куда приземлится стрела. То есть все, чем занимается баллистика. И это работает. В противном случае от луков и стрел уже давным-давно бы отказались, а Англия принадлежала бы Франции.

Таким образом, имея закон и начальные условия, вы доказательно можете предсказать, куда попадет стрела, и защитить целую страну.

Для Вселенной в целом это немного сложнее.

Даже если бы у вас был закон, объясняющий все и применимый везде, как бы вы заставили его работать? Каким образом использовали бы его, чтобы предсказать, как Вселенная, в которой мы сегодня живем, стала именно такой? Для этого должны были наличествовать начальные условия. Которых нет.

Но вы могли бы попробовать перехитрить природу. Начав перематывать время в обратном направлении с сегодняшнего дня, возможно, когда-то вы и добрались бы до исходного события, произошедшего давным-давно. Это как раз то, что сделали ученые. Как раз то, чем *вы* занимались в пятой части. И они, и вы достигли стены Планка. Она является достаточно хорошим стартом, так как соответствует тому моменту, когда пространство и время стали тем, чем являются сейчас.

Но она не устраняет тот приводящий в расстройство факт, что, в отличие от эксперимента со стрелами, у вас есть только одна Вселенная. Вы не можете попробовать создать вторую, с другими начальными условиями, чтобы проверить, что из этого выйдет. Не в лаборатории, во всяком случае.

Но что, если наша Вселенная — *не единственная*? Что если мы были частью еще одной Мультивселенной, отличающейся от той, с которой вы познакомились в конце второй части? Не может ли *наша* реальность оказаться лишь одной из множества возможных реальностей, которые все имеют разные начала, может быть, даже разные законы и, следовательно, очень разное настоящее?

Гипотеза о такой Мультивселенной – вопрос, с которым вам скоро придется столкнуться, потому что она является частью ответа, придуманного современной теоретической физикой для тайн, с какими вы поэкспериментируете в этой части.

На самом деле этот раздел книги будет немного отличаться от предыдущих. В первой и второй частях вы путешествовали по мегамиру. Вы узнали о гравитации. В третьей части вы увидели, на что становится похожа наша реальность при очень быстром перемещении по ней, а затем в четвертой части вы попали в микромир. Короче говоря, до сих пор вы знакомились с относительностью времени и пространства и с квантовой физикой. Но нигде до сих пор вы не смешивали гравитационную и квантовую теории вместе. Это то, что станет теперь вашей целью.

Для этого нужно будет немного поупражнять свой ум, точно так же, как вы поступили бы со своим телом в спортзале.

Смешивание гравитационной теории и квантовой физики означает смешивание микро- и мегамира. И, чтобы подготовиться, вашему разуму придется научиться постоянно перепрыгивать туда и обратно в обоих направлениях.

Поступая таким образом, вы увидите, что *не в порядке* с рассмотренными до сих пор теориями.

Сделав это, вы отправитесь в сопровождении робота к тому месту, где действуют одновременно и гравитация, *и* квантовые эффекты.

Сейчас, однако, давайте взглянем на тайны современной науки вдвоем, только вы и я.

Можно утверждать, что в физике существуют три вида тайн.

Первые присущи самим теориям; они являются теоретическими. Вторые коренятся в наблюдениях и экспериментах. Они обычно, но не всегда поддаются исследованиям. Третий тип тайн возникает, когда никто *ничего больше* не может понять. Черные дыры и физика предсуществования пространства-времени относятся ко всем трем типам. Они – одновременно мосты и препятствия, лежащие между нами и святым Граалем современных исследований: теория, соединяющая квантовый мир и динамические аспекты пространства-времени, открытые Эйнштейном. Вот почему они так интересны.

И именно поэтому робот намерен забрать вас к черной дыре.

Но почему черная дыра? Почему не истоки самой Вселенной?

Потому что как в случае черной дыры, так и при рождении Вселенной огромное количество энергии ограничено довольно небольшим объемом. В обоих случаях очень большое сжимается в очень маленькое, а также нельзя проигнорировать ни гравитацию, ни квантовые эффекты.

В этом смысле черные дыры и происхождение Вселенной выглядят очень похоже.

Хотя, конечно же, никто не может взглянуть на Вселенную снаружи. Экспериментальным путем, даже если бы у нас был закон, регулирующий поведение всего видимого или невидимого, мы не смогли бы проверить, дают ли различные начальные настройки разные эволюционные модели для Вселенной в целом. Мы не можем создать Большой взрыв в лабораторных условиях, и мы не видим, а значит, не можем проанализировать новые вселенные, появляющиеся там, в ночном небе.

Вот почему черные дыры полезны.

Начнем с того, что их много. Возьмите практически любую галактику во Вселенной, и в ее центре, вероятно, обнаружится сверхмассивная черная дыра. Там могут оказаться и несколько дыр поменьше, с массами в несколько раз меньше нашей звезды, разбросанные повсюду. По состоянию на 2016 год самая большая обнаруженная черная дыра в 23 миллиарда раз превышает массу Солнца. Она находится от него на расстоянии примерно 12 миллиардов световых лет, в очень молодой галактике на то время, когда она испускала улавливаемое нами сегодня излучение. С другой стороны, теоретически даже самые маленькие черные дыры можно измерить по так называемой *планковской системе единиц*, справедливой для среды, где учитываются как гравитационные, так и квантовые характеристики. В цифровом выражении планковская длина соответствует примерно $1{,}6 \cdot 10^{-35}$ метра. Крошечная длина, так что черные дыры могут оказаться вообще практически любого размера.

> **ПО СОСТОЯНИЮ НА 2015 ГОД САМАЯ БОЛЬШАЯ ОБНАРУЖЕННАЯ ЧЕРНАЯ ДЫРА В 23 МИЛЛИАРДА РАЗ ПРЕВЫШАЕТ МАССУ СОЛНЦА. ОНА НАХОДИТСЯ ОТ НЕГО НА РАССТОЯНИИ ПРИМЕРНО 12 МИЛЛИАРДОВ СВЕТОВЫХ ЛЕТ.**

Как черные дыры, так и очень юная Вселенная имеют некоторые важные общие черты. И те и другие предусматривают границы, за пределами которых гравитация не может быть использована без включения квантовых эффектов. Этой границей является стена Планка, стена, которую вы видели, путешествуя назад во времени за пределами Большого взрыва в конце последней части. В момент рождения Вселенной эта стена существовала повсюду. Что касается черных дыр, как правило, скрытых от взора, то за их воротами открывается только один путь: *горизонт событий*. Вы пересечете его в конце этой части.

Это путешествие станет ключом, открывающим доступ к седьмой части, где вы отправитесь в последнее путешествие: в экскурсию по Вселенной с точки зрения самых популярных современных теорий, в теорию всего как стремления к объединению пространства, времени и квантовых полей. Но эти теории, называемые *теориями струн*, такие сумасшедшие и сочетающие в себе мультивселенные, параллельные вселенные, сверхразмеры и все прочее, что вы вполне можете начать думать, что ученые действительно свихнулись.

И если бы не тайны, разгадываемые ими, то так бы оно и было.

После всего, что вы испытали, прежде чем достичь этой страницы, может показаться забавным узнать, что далекие от разгадки почти всего физики двадцатого века оставили нам картину Вселенной по большей части заполненной глубокими и темными неизвестными. Что, однако, не стоит считать разочарованием. Эти неизвестные являются (непрозрачными) окнами в науку завтрашнего дня. И, между нами говоря, видя, насколько менее чем за столетие выросло понимание человечества практически обо всем, наблюдая озадачивающие идеи, прорастающие сегодня в умах физиков-теоретиков, мало кто сомневается в грядущих революциях сознания. Некоторые из них уже созрели или готовы пышно расцвести, пока им просто не хватает нужного эксперимента, готового наполнить наше сознание обещанием странной, магической новой реальности.

Итак, вот что произойдет с вами сейчас.

Во-первых, вы еще раз взглянете на квантовые поля, заполняющие Вселенную, и увидите, что, несмотря на все сказанное мной до сих пор, они абсолютно не имеют смысла. Затем вы повторно рассмотрите все частицы этих полей в контексте квантовой гравитации и поймете, что они также бессмысленны. Потом вы встретитесь с котом, одновременно живым и дохлым, и напоследок, ознакомившись со всем, перестанете понимать что-либо вообще.

Воодушевившись такими успехами, вы услышите о параллельных вселенных, отщепляющихся от нашей, подобно ветвям дерева.

Убедившись, что квантовый мир точно лежит за гранью того, что здравый смысл говорит нам о реальности, вы захотите возвратиться на более знакомую территорию. Стремясь в конечном счете преодолеть разрыв между микро- и мегамиром, вы опять-таки вернетесь к общей картине мира, по-новому взглянув на теорию Эйнштейна, на галактики Вселенной, на ее расширение, в надежде отыскать успокаивающе четкие формулировки. Как ни странно, вы их не найдете. Вы своими глазами увидите, что бóльшая часть содержимого Вселенной не только невидима для телескопов, но и неизвестна. Вселенная в мегамасштабах наполнена тайнами, куда ни посмотри, что так же справедливо и для микроскопических масштабов.

Вольно или невольно, вам придется переварить тот факт, что, какой бы мощной ни была и навсегда останется теория относительности Эйнштейна, но в отношении искривленного пространства-времени она является неполной, что даже предсказывает ее собственное поражение, а следовательно, невозможность быть теорией всего. Внутри нашей Вселенной *существуют* места, где она не может быть использована. Что означает, что если человечество намеревается объяснить все, то необходимо найти другую, более полную теорию.

И в каких местах теория Эйнштейна бессильна?

Вы уже, наверное, догадались: внутри черных дыр и перед Большим взрывом, где-то на пути к стене Планка.

До сих пор вы путешествовали по лучшим теориям человечества, созданным когда-либо для описания окружающего нас мира. На практике это означает, что теперь вы знаете о Вселенной столько же, сколько примерный студент магистратуры любого из лучших университетов мира. Конечно, не с точки зрения технического образования, но точно в плане знакомства с гипотезами. Это уже более чем достаточно, чтобы стать звездой любой вечеринки.

Теперь наступило время отправиться дальше и посмотреть, что же *не работает.* И тогда вы не только будете звездой, но и заставите ваших друзей в недоумении чесать затылок.

ГЛАВА 2

КВАНТОВАЯ БЕСКОНЕЧНОСТЬ

Вы еще помните, как «в действительности» выглядит космический вакуум? То, что до сих пор казалось пустотой, превратилось в буйство пульсирующих полей. Пульсация происходит из-за частиц, вылетающих изо всех вакуумов полей.

В квантовом мире если что-то возможно, то обязательно произойдет. Так что на мгновение забудьте о своем обычном повседневном размере и о гравитации и представьте себе, как ваша мини-копия погружается в квантовые поля, в микромир, сидя на мини-кресле. Вы похожи на спортивного судью, наблюдающего, как два электрона взаимодействуют друг с другом, точно так же, как могли бы следить за игрой в теннис, где игроками были бы электроны, а шарами – виртуальные фотоны, танцующие между ними.

Один электрон находится где-то справа, а другой – слева от вас. Будучи абсолютно идентичными, оба они имеют одинаковый электрический заряд. Как и магниты, они должны отталкивать друг друга. Должно быть, интересно понаблюдать за ними. Сейчас электроны находятся еще далеко, передвигаясь по породившему их электромагнитному полю. Они двигаются все ближе друг к другу, они близки к столкновению, но его не происходит. Они взаимодействуют между собой. Они играют. Виртуальные фотоны вылетают из электромагнитного поля, отклоняя и разбрасывая электроны. Затем, так же быстро, как она и началась, игра окончена. Электроны и виртуальные фотоны исчезают.

Вы ждете следующей игры.

Появляется еще одна пара электронов.

На этот раз вы решили сосредоточиться на виртуальных фотонах, а не на электронах. Вы заостряете внимание ваших мини-глаз.

Электроны движутся. Они приближаются все ближе и ближе, и тут – *бац!* – появляются виртуальные фотоны. Чтобы не пропустить что-нибудь, вы замедляете ход времени.

Электроны как раз в процессе отклонения.

С виртуальными фотонами все в порядке.

Но что-то происходит.

Один из виртуальных фотонов, появившихся между двумя электронами-теннисистами, неожиданно как-то странно видоизменился.

Он стал парой «частица-античастица»: электроном и позитроном.

Вы бросаете быстрый взгляд в сторону электронов, с любопытством наблюдая, как на них может подействовать потеря их виртуальной жемчужины света, но они, похоже, вообще ее не заметили, так что вы переводите взгляд на вновь образованную пару и… это уже больше не пара, а два с половиной.

Вы закрываете мини-глаза и протираете их.

Что за шуточки?

Вы снова открываете глаза.

Внезапно между двумя электронами появляются тысячи пар частиц и античастиц.

Вы моргаете.

Их уже сотни миллионов.

А теперь уже тысячи миллиардов.

Вы снова моргаете… и все пропадает.

Вы проверяете электроны.

Они рассеялись, как и предыдущая пара игроков. Удивительно.

Вы только что стали свидетелем одного из следствий квантовых законов, применимых к микромиру:

если что-то возможно, то оно происходит. И это вполне возможно для виртуальных фотонов, погружающихся в энергию движущихся электронов, чтобы превратиться в виртуальные пары частиц-античастиц. Они, в свою очередь, могут стать следующей парой частиц-античастиц, которые потом обратятся в дальнейшие пары или аннигилируются в свет, а он затем может...

У вас появляется идея.

Даже если между собой взаимодействуют только два крошечных электрона, возможности возникающих при взаимодействии виртуальных пар бесконечны. Так же как бесконечно число участвующих в процессе виртуальных пар.

Обдумывая это, по-прежнему удобно сидя на вашем судейском стуле, вы ожидаете следующей игры, чтобы вновь посмотреть фейерверк, но больше игроков нет. Ни один электрон не пролетает мимо. Тем не менее теперь, когда вы знаете, что искать, вы видите виртуальные пары частиц-античастиц, появляющихся точно так же, хоть и в замедленном темпе. Они напоминают теннисные мячи и антимячи, выскакивающие из ниоткуда при полном отсутствии игроков.

Это образование пар называется *квантовыми флуктуациями вакуума.*

Они присутствуют здесь все время, но если существует доступная энергия для их задействования – такая как кинетическая энергия некоторых налетающих электронов, – то они становятся гораздо более возбужденными.

Перед вами внезапно появляется электрон-позитронная пара, и она аннигилирует в фотон, спонтанно превращающийся в другую пару, пару кварк-антикварк, а теперь один из антикварков испускает глюон, который, в свою очередь...

Даже в вакууме, где, кажется, нет ничего для построения правильной картины нашего мира, всегда и везде должны приниматься во внимание все бесконечные возможности создания частиц-античастиц.

Хаос.

Хаос, имеющий довольно катастрофические последствия: возможности настолько важные и многочисленные (на самом деле бесконечные), что должно существовать бесконечное количество энергии во всех без исключения точках нашей Вселенной. Даже там, где ничего нет, в вакууме. Достаточно очевидно, что это не так, или Вселенная разрушится прямо сейчас из-за чрезмерного гравитационного влияния, оказываемого на пространство-время. Так что с представленной картиной что-то не в порядке.

Для облегчения этой довольно затруднительной проблемы теоретики квантовых полей придумали довольно хитрый трюк: они просто-напросто решили забыть о гравитации, полностью выведя ее из игры. И пока занимались этим, заодно изгнали из формул и бесконечности. Убрав их, сделали расчеты с тем, что осталось, и крекс-пекс-фекс!.. Сработало.

Чего стоит только нидерландский физик-теоретик Герард 'т Хоофт, один из удивительных, блестящих физиков-основателей такой математической операции, получивший за нее в 1999 году совместно со своим научным руководителем Мартинусом Велтманом, Нобелевскую премию по физике. Благодаря им (и некоторым другим ученым) и несмотря на математические фокусы учета бесконечностей, квантовая теория поля стала благодаря своей предсказательной способности, пожалуй, самой успешной научной теорией всех времен. Избавление от бесконечностей привело к прогнозам появления еще даже не виденных частиц, прогнозам, которые оказались верны – что касается массы или заряда частиц – с точностью до одного к 100 миллиардам. Скорее можно сказать, если бы случайно выбранный человек обладал такой способностью подсчета, он смог бы вычислить недолив среди миллиона разлитых по кружкам литров пива в баре с точностью до одной капли. Несомненно, если бы мы имели такую способность, то скандалы там происходили бы ежедневно.

Квантовые теории поля поразительно точны по своей предсказательной силе, но этот трюк заставляет нас всех расстраиваться по причинам, которые не может помочь смыть даже миллион кружек пива.

Почему происходят эти бесконечности?

Могут ли они случиться просто потому, что мы не знаем, что происходит в областях нашей Вселенной, которые даже меньше тех, что исследуют эти теории?

Возможно.

Так, во всяком случае, думал один необыкновенный американский физик. Его звали Кеннет Геддес Вильсон, и вместо того, чтобы пытаться объяснить бесконечно малые микромиры в поисках выводов о частицах, он подумал, что такие умопомрачительные масштабы и могли бы на самом деле быть проблемой: что вовсе не обязательно рассматривать всё меньшие масштабы, чтобы быть в состоянии говорить о частицах. Так же как не нужно знать об атомах, сравнивая яблоки на рынке, утверждал Вильсон – и доказал, что то, что не известно, можно оценить, классифицировать и забыть.

И это сработало – так что в 1982 году он получил Нобелевскую премию по физике.

Вильсон не решил проблему того, что происходит в бесконечно малом микромире, он просто избавился от нее. С применением правила исключений и увеличением неизвестного искажающие поле бесконечности больше не происходили.

Процедура избавления от бесконечностей называется *перенормировкой*. Как я уже говорил выше, она сверхэффективна для проведения расчетов. Но нельзя надеяться когда-либо понять все, просто обойдя неизвестное. Нужно погрузиться в него. Особенно это касается гравитационного поля, где перенормировка не работает.

Предметом квантовых теорий поля является содержимое Вселенной. Они весьма точны, удивительно точны, на самом деле, но только когда покидают пространство-время поодиночке, когда они фиксированы и когда гравитация не оказывает ни на что никакого влияния. Не очень реалистично.

Нужно найти способ вернуть гравитацию обратно.

Превратить ее в квантовое поле.

И как это сделать?

Квантовые теории поля утверждают, что, так как кругом существуют поля, то они могут создавать небольшие порции энергии или материи, называемые *квантами**. Основными квантами электромагнитно-

---

* Слово «квант» в переводе с латинского языка означает «небольшая порция».

го поля являются элементарные частицы, обладающие наименьшим электрическим зарядом, – фотоны и электроны. Аналогичным образом, основными квантами поля сильного ядерного взаимодействия становятся кварки и глюоны, тогда как к основным квантам гравитационного поля, рассматриваемого как гипотетическое квантовое поле, относятся упомянутые ранее гравитоны.

Вы уже слышали о них в пятой части, но тогда мы их проигнорировали. Зачем же они вновь появляются здесь? Потому что мы хотим посмотреть, что с ними не то.

Так что давайте думать, что гравитация появляется из квантового поля, как и все другие виденные до сих пор поля. Тогда гравитоны становятся переносчиками взаимодействия. И если рассчитать на бумаге, как гравитоны могут повлиять на окружающую их среду, то теоретики нашли бы это влияние таким же, как у кривых пространства-времени.

На бумаге они *и есть* гравитация.

Весьма многообещающее начало.

Но, поразмыслив дальше, ученые поняли, что тогда эти самые кванты гравитационного поля, гравитоны, полностью провалят всю выстроенную теорию гравитации.

Не очень хорошая новость.

Почему?

Во-первых, у гравитонов нет никаких причин не взаимодействовать друг с другом: если они существуют, то обязаны подвергаться гравитации, как и все остальное, и, следовательно, воздействуют сами на себя.

И, во-вторых, будучи элементарными частицами квантового поля, они обязаны появляться отовсюду из вакуума своего поля, приводя как раз к тем бесконечностям, что устранили Хоофт и Велтман. На этот раз, однако, гравитационные квантовые бесконечности нельзя удалить с помощью процедуры перенормировки: здесь механизм Хоофта и Велтмана полностью проваливается, а подход Вильсона неприменим вообще, так как игнорирует те самые расстояния, на котором действуют гравитоны.

В итоге это означает возникновение действительно проблематичных бесконечностей при попытке превратить гравитацию в квантовое поле стандартным образом, и очевидно, что нельзя игнорировать гравитацию, чтобы избавиться от гравитонов, потому что они *и есть* гравитация.

Если бы гравитация была квантовым полем, как только что говорилось, если гравитоны являлись правильным описанием того, как работает гравитация в природе, то пространство-время должно было отреагировать на эти бесконечности и практически разрушиться. Чего не происходит. Или бы мы не стали упоминать об этом.

Как ни странно, но, несмотря на все перечисленное, многие ученые (в том числе и я — я расскажу об этом в седьмой части) — и вы можете считать их ненормальными, — полагают, что гравитоны существуют, по крайней мере как часть всеобъемлющей теории, в поисках которой все находятся.

Теперь, раз уж мы затронули тему, давайте пойдем еще дальше, так что вы сразу же увидите несколько причин, почему общая теория относительности Эйнштейна и квантовая теория поля расходятся.

Гравитация имеет отношение к пространству-времени. Иначе говоря, к пространству и времени. Переплетенным между собой.

В квантовой теории поля вылетающие из вакуума элементарные частицы являются порождением самого поля. Следовательно, для квантовой теории поля *гравитации* элементарные частицы должны также порождаться своим полем. Но уже полем пространства-времени.

Таким образом, сами частицы должны состоять из пространства и времени.

Это означает, что кругом должны находиться существенные порции пространства-времени, и, кстати, ни пространство, ни время не должны быть непрерывными.

Хуже того, эти порции пространства-времени должны обладать способностью вести себя одновременно как волны и как частицы. И подвергаться квантовому туннелированию, квантовым скачкам...

Желаю удачи при попытке вообразить такую картину в своем уме.

На самом деле, если вы нормальный человек, то простая попытка подумать обо всем заставит ваш мозг расплавиться.

Однако с точки зрения природы причин для беспокойства нет.

Но реальная проблема состоит в том, что, даже если забыть о затруднительных бесконечностях, все другие квантовые теории поля, настолько продвинутые в описании всех частиц, из которых мы состоим, работают только до тех пор, пока вокруг нет таких порций пространства-времени.

Другими словами, это означает, что общая теория относительности и квантовая теория поля не используют одни и те же представления о пространстве и времени.

И это проблема.

Очень большая проблема. При отсутствии очевидного решения.

И поэтому остаешься с любопытным ощущением того, что застрял где-то посередине: человечество разработало две чрезвычайно эффективные теории: одна описывает структуру Вселенной (гравитация Эйнштейна: общая теория относительности), а другая – содержимое всей Вселенной (квантовая теория поля), – и эти две теории не хотят общаться друг с другом. В течение очень долгого времени даже физики, работающие на каждом из двух полей, поступали аналогичным образом и тоже не разговаривали друг с другом. Американский физик-теоретик Ричард Фейнман, лауреат Нобелевской премии за работу по квантовой теории поля и один из самых блестящих ученых всех времен, написал классически показательное письмо своей жене, объясняющее такое отношение: «Я ничего не выношу из нашей встречи, – заявлял он в 1962 году после своего участия в конференции по гравитации. – Я ничему не учусь. Поскольку никаких экспериментов нет, то эта область не является активной для исследований, так что только некоторые из лучших умов занимаются ей. В результате здесь целая куча некомпетентных людей (126), а это плохо влияет на мое давление. Напомни мне, чтобы я больше не ездил ни на какие конференции по гравитации!»

Тем не менее благодаря новым технологиям и работе физиков-теоретиков, таких как Стивен Хокинг, ученые вскоре выяснили, что не могут игнорировать то, что не знали, и идеи с обеих сторон начали передаваться, порождая сумасшедшие гипотезы, по которым вы пройдетесь в седьмой части и с которыми я познакомлю вас прямо сейчас.

ГЛАВА 3

БЫТЬ И НЕ БЫТЬ ОДНОВРЕМЕННО

Вы помните те квантовые частицы, которыми развлекался робот в белой комнате с металлическим столбом? Там внизу, в микромире, частицы действительно проходят все возможные и невозможные пути, чтобы добраться от одного места к другому, из одного времени к другому, пока никто не наблюдает.

Так почему же все квантовые аспекты всех составляющих ваше тело частиц не превращают вас в квантовое существо?

Разве это не было бы круто?

Все разные жизненные сценарии, которые только вы могли себе вообразить, происходили бы одновременно. Вы могли бы быть очень богатым и очень бедным, отцом семейства и холостяком, счастливым и грустным, получить Нобелевскую премию и быть немым от рождения, жить здесь и там, сейчас и потом… Вы могли бы реально прожить все жизни, о которых всегда мечтали, и все те, каких не хотели бы иметь.

Но, кажется, так не происходит.

Вы сделаны из квантовой материи, не так ли? Так что так должно было бы быть.

Но это не так.

Почему?

Ну, как ни удивительно, никто не знает. На самом деле, это связано с одной из величайших тайн квантового мира: почему мы не видим квантовые эффекты повсюду вокруг нас?

Будучи созданы из квантовых частиц, выражений квантовых полей, как и все остальное, почему мы воспринимаем мир именно так, а не как частицы на крошечном, субатомном уровне?

Можно утверждать, что таков мир и что физика существует не для того, чтобы подвергать сомнению его законы, а чтобы пытаться расшифровать их.

Существует, однако, небольшая проблема с таким скромным заявлением: законы квантового мира настолько сильно отличаются от нашей ежедневной реальности, что должен существовать своего рода переход между квантовым и *классическим* миром, — так называется проживаемый нами мир, к которому мы привыкли. Если бы частицы, составляющие наши тела или же находящиеся в воздухе или в космическом пространстве, вели себя как нормальные теннисные или бейсбольные мячи, то все было бы замечательно. Мы бы понимали все, от мельчайших элементов до самых крупных.

Но они себя так не ведут.

Вы уже видели это несколько раз во время путешествий в микромире. Пытаясь поймать электрон, крутящийся вокруг атома водорода, например; помните, как тяжело было для вас понять, где он и с какой скоростью движется? Хорошо, давайте взглянем на этот факт по-другому.

Представьте себя в вашем мини-состоянии. Вы меньше атома. Частица находится на пути к вам. Вы ничего не знаете ни о ней, ни о ее размере, местоположении или скорости приближения. Вы просто знаете, что она подчиняется законам квантового мира.

Вы достаете мини-фонарик из захваченной с собой сумки и готовы включить его, ожидая, что его свет отскочит от частицы, где бы она ни была, и вернется обратно к вам, сообщив ее положение.

Но, чтобы так поступить, вы не можете взять любой свет.

Вы должны использовать только «правильный» свет.

Помните, что свет можно рассматривать как волну? Ну вот, «правильный» свет здесь означает, что расстояние между двумя последовательными гребнями волн (длиной волны) должно быть приблизительно равным размеру вашей цели или меньше. Если взять слишком большую длину волны, свет, который ей соответствует, не заметит частицы вообще. Он выстрелит сквозь нее, как радиоволны, проходящие сквозь стены дома, даже не замечая их. Однако имеющий «правильную» длину волны свет отразится, и вы будете в состоянии сообщить положение вашей частицы с точностью используемой длины. Одновременно вы сможете проверить, какова скорость частицы, и узнаете все, что хотите знать.

Элементарно.

Вы крутите ручку ультрасовременного мини-фонарика, чтобы получить очень мощный импульс. Настроившись, вы стреляете и... *бац*! Вы во что-то попали. В частицу. Там. Впереди вас. Свет отскочил от нее и вернулся обратно. Время, потребовавшееся для прохождения в обоих направлениях, позволяет точно определить, где находилась частица при попадании, и поэтому частица не может быть нигде больше. После обнаружения частица теряет характеристики квантовой волны. Из всех возможных положений она мгновенно занимает позицию за долю секунды до того, как была поймана вашим фонариком во время эксперимента. Точно так же, когда робот выбросил частицу в белую комнату, она передвигалась повсюду, *пока* не была обнаружена датчиком. Этот необратимый процесс называется *коллапсом квантовой волны*.

После наступления коллапса вы знаете, где находится частица, с точностью длины волны. Теперь вы хотите знать, с какой скоростью она передвигалась в точке обнаружения.

Но это не так-то легко.

На самом деле, вы никогда не будете в состоянии точно ответить на такой вопрос.

Никогда.

Помните: чем короче длина волны, тем большей энергией должен обладать соответствующий ей свет.

Таким образом, чем более точное положение вы получаете, тем более мощный свет необходимо использовать для фонарика, тем труднее попасть в частицу – и потому тем меньше известно о ее последующей скорости.

Для нашего мира это тривиальное высказывание.

Попробуйте точно определить в темноте положение движущегося объекта, направив на него что-то светящееся. Воздействие будет влиять на то, что вы собираетесь исследовать. Если свет вернется к вам, вы узнаете, где находился объект при столкновении с ним, но, если вы еще раз направите свет, чтобы узнать, куда двинулся объект, вы увидите, что его скорость изменилась из-за вашего первого воздействия на него.

И правда, тривиально.

Однако в квантовом мире это *не просто* тривиальная неопределенность. Это глубокое свойство природы. Оно говорит, что вы по большому счету не можете знать, где находится частица и с какой скоростью она движется. Это правило называется *принципом неопределенности Гейзенберга* в честь открывшего его немецкого физика-теоретика Вернера Гейзенберга. Гейзенберг является одним из отцов-основателей квантовой теории атомного мира. В 1932 году он получил за нее Нобелевскую премию по физике. Он знал, о чем говорит. Но, как и все остальные с тех пор и поныне, он *не понимал* ее. Она лежит за пределами нашей интуиции и противоречит здравому смыслу.

Принцип неопределенности немедленно делает квантовый мир весьма отличающимся от нашего повседневного, классического мира.

Прямо сейчас вы знаете, где находится книга, которую вы читаете, по отношению к вашему телу *и* с какой скоростью она движется или не движется. Следовательно, вы знаете ее положение *и* скорость с довольно высокой степенью точности. Тем не менее относительно обоих параметров существует некоторая неопределенность – неопределенность, слишком незначительная, чтобы ее заметить, и потому она не имеет значения.

Однако в микромире при вашем микроразмере вы бы не смогли удержать в руках книгу или даже фонарик. Если даже вы точно знаете, где лежит мини-копия этой книги, неопределенность в отношении ее скорости будет огромной, поскольку вы направите на нее много частиц просто для определения ее местоположения и никогда не будете в состоянии увидеть ее. Или наоборот, если бы вы точно знали, с какой скоростью движется книга, вам не удалось бы никакими средствами ее обнаружить, что делает ее труднодоступной для чтения. В микромире положение и скорость сливаются в туманной концепции. То же происходит с эффектом Казимира, и поскольку технологии становятся все тоньше, с этой проблемой инженерам приходится сталкиваться все чаще.

НАШИ КЛАССИЧЕСКИЕ ПРЕДСТАВЛЕНИЯ О МЕСТЕ И СКОРОСТИ НЕ ПРИМЕНИМЫ В МИКРОМИРЕ. ПРИРОДА РАБОТАЕТ ПО-ДРУГОМУ.

Тем не менее принцип неопределенности Гейзенберга не является загадкой.

Он – факт.

Строго говоря, он даже не неопределенность. Он просто говорит, что наши классические представления о месте и скорости не применимы в микромире. Природа работает там по-другому, и у нас есть объясняющая и предсказывающая ее теория: квантовая физика. И эти странные эффекты *точно достигнут* наших масштабов, но мы просто не созданы чувствовать их. Они становятся незначительными, когда в них вовлечено слишком много частиц. И это тоже хорошо известный факт.

Так как же насчет тайны, которую мы ищем? Она существует?

Да.

Мы выпустили кое-что из только что сделанных вами расчетов: происходит коллапс квантовой волны.

Это *и есть* тайна.

И действительно загадочная.

Оставленные в покое, квантовые частицы ведут себя как размноженные изображения самих себя (фактически в качестве волн), одновременно движущихся по всем возможным маршрутам в пространстве и времени.

Теперь еще раз, почему мы не ощущаем это множество вокруг себя? Потому что мы все время исследуем окружающие нас вещи? Почему все проводимые эксперименты говорят, что положение частицы вдруг заставляет частицу быть *где-то* скорее, чем везде?

Никто не знает.

Перед экспериментом частица представляет собой волну возможностей. После него она оказывается где-то, а затем где-то навсегда, а не снова везде.

Странно.

Ничто в рамках законов квантовой физики не позволяет случиться такому коллапсу. Это экспериментальная *и* теоретическая тайна.

Квантовая физика обуславливает, что во всех случаях, когда есть нечто, оно, естественно, может превратиться во что-то другое, но не может исчезнуть. А поскольку квантовая физика позволяет нескольким возможностям существовать одновременно, то эти возможности должны сохраняться даже после произведения расчетов. Но они этого не делают. Все возможности, кроме одной, исчезают. Мы не видим вокруг никаких других. Мы живем в классическом мире, где все основано на квантовых законах, но ничто не напоминает квантовый мир.

Таким образом, возникает вопрос: как мы можем заставить квантовые эффекты проявиться в нашем человеческом масштабе, чтобы мы могли исследовать их и увидеть коллапс волны, если он там действительно есть, собственными глазами? Возможно ли это? И если можно было бы увидеть квантовые эффекты вроде этого, то что мы ожидаем увидеть?

В 1935 году, через два года после присуждения ему Нобелевской премии за работу по квантовой физике, австрийский физик Эрвин Шредингер придумал эксперимент по выведению квантовых эффектов в нашем масштабе. В нем приняли участие кот и коробка. И хотя это был лишь гипотетический эксперимент, ученые не перестают задаваться вопросом, жив ли до сих пор сидящий в коробке кот или умер.

Вы собираетесь снова проделать эксперимент Шредингера. И я надеюсь, что вы не слишком любите милых, мурлычущих, невинных, игривых котят: есть большой шанс, что кот в ходе эксперимента может пострадать. В любом случае имейте в виду, что главная мысль здесь — заставить квантовые эффекты проявиться на макроуровне. Так что жертвы могут быть необходимы.

С такой оговоркой приступим к делу.

Для тех из вас, кто не знает: кот — это четвероногое, как правило, пушистое, хвостатое млекопитающее, живущее в тех же масштабах реальности, что и мы. Большинство людей любят обниматься с ними, но не все. Они бывают практически всех цветов, кроме зеленого, насколько мне известно.

Чтобы осуществить мысленный эксперимент Шредингера, вы решили выбрать очаровательного маленького черно-белого котенка и ищете коробку, настолько плотно закрывающуюся, что впоследствии никто снаружи не сможет ничего узнать о ее содержимом.

Кроме кота и коробки, вам нужно еще радиоактивное вещество, весьма особенное, про которое известно, что с ним с 50%-ной гарантией произойдет радиоактивный распад во время эксперимента. Радиоактивные материалы очень непредсказуемы. Согласно квантовым законам, нет вообще никакого способа узнать заранее, распадутся ли они и испустят ли смертоносное излучение или нет. Существует лишь вероятность. Один шанс из двух для найденного вами вещества.

Теперь вам потребуется еще три предмета: прибор для регистрации излучения, молоток и флакон со смертельным ядом.

Потом вы соединяете все вместе таким образом, что, если прибор зафиксирует какое-либо излучение, испускаемое радиоактивным веществом, молоток разобьет флакон, и яд разольется. Ничего страшного, если бы не факт, что вы положили все эти вещи: молоток, радиоактивное вещество, яд и кота – в коробку и запечатали крышку.

И потом ждете.

Ну и что дальше?

Существует 50%-ная вероятность, что кот отравится. Все зависит от радиоактивного распада.

Безумный эксперимент, согласитесь.

Безусловно, проводить его у себя дома не стоит.

И теперь возникает вопрос: мертв ли кот?

Квантовые эффекты действуют здесь, как и хотелось. И результат получается на макроскопическом уровне — достаточно заметным, чтобы его увидеть.

Но, если не открыть коробку, нет никакого способа узнать, произошел ли радиоактивный распад или нет, так что нет никакого способа утверждать, разбит флакон ли или нет, а следовательно, мертв ли кот или жив.

Ничего нового, думаете вы? Что ж, со всеми квантовыми вещами нужно быть бдительным и использовать здравый смысл экономно. Или же не использовать его совсем. Чтобы сделать там, в микромире, какие-нибудь выводы, нужно соблюсти законы квантового мира. В реальной жизни можно ожидать, что кот в коробке будет либо живым, либо мертвым.

Но тогда оба этих ответа были бы неправильными.

В квантовом мире что может случиться — случится. Вам следует использовать это утверждение сейчас.

Здесь распад *и* отсутствие распада радиоактивного вещества может случиться с равными шансами, так что *происходят* оба варианта. Подобно тому как частица может перемещаться влево *и* вправо от твердого столба одновременно, то и радиоактивный распад одновременно происходит и не происходит, пока никто не наблюдает. Как говорилось выше, бóльшую часть времени такая *суперпозиция* возможностей остается нами незамеченной, потому что по какой-то неясной причине она не происходит — или не достигает наших масштабов. Однако в нашем особом эксперименте настройки произведены так, что наши глаза могут ее видеть: одновременность двух квантовых возможностей (распада и отсутствия распада) напрямую связана либо с драматической смертью, либо с выживанием кота.

Так что же гласят законы квантового мира?

Они гласят следующее: при событиях распада и отсутствия распада, непосредственно связанных с ядом, кот, до тех пор пока коробка не открыта, не может считаться ни живым, ни мертвым, а находится в обоих состояниях одновременно.

До того как вы откроете коробку, распад происходит и не происходит одновременно, так же как яд проливается и не проливается.

Так же как и кот мертв и не мертв.

Мертвый *и* живой.

Услышав это, вы сразу же открываете коробку, чтобы проверить.

Кот выскакивает, целый, невредимый и очень милый.

И на дне нет никакого дохлого кота.

Вы чешете затылок.

Все эти «суперпозиции состояний» и «последующий коллапс квантовых возможностей» вдруг выглядят довольно сложным трюком, а не реальным феноменом.

Может, мы неверно поняли? То, что кот действительно некоторое время был мертв *и* жив, или это все обман?

Давайте посмотрим.

Открытие коробки заставляет вас взаимодействовать с экспериментом, не так ли?

Ну да.

Так что вы вмешались. Вы *пронаблюдали*. А когда производится наблюдение, природа должна выбрать.

Так что выбор, коллапс, происходя реально, должен был случиться, оставив кота в живых*.

Но замерла ли судьба кота до того, как вы открыли коробку? Или же это произошло с ней потом, молниеносно быстро?

Вы вернулись к первоначальному вопросу: происходит ли коллапс вообще?

Шредингер придумал свой мысленный эксперимент в 1935 году, и в течение многих лет никто не мог разгадать его загадку, пока французскому физику Сержу Арошу и американскому физику Дэвиду Вайнленду не удалось разработать реальный эксперимент, способный обнаружить те самые суперпозиции, которые существовали, когда должны были уже разрушиться.

> КВАНТОВАЯ ЧАСТИЦА МОЖЕТ И ОДНОВРЕМЕННО СУЩЕСТВУЕТ В РАЗНЫХ, ВЗАИМОИСКЛЮЧАЮЩИХ СОСТОЯНИЯХ. НА СЕГОДНЯШНИЙ ДЕНЬ ЭТО ОСНОВНАЯ ПРИЧИНА, ПО КОТОРОЙ ИНЖЕНЕРЫ ПЫТАЮТСЯ СОЗДАТЬ КВАНТОВЫЕ КОМПЬЮТЕРЫ.

Хотя они не использовали кота.

Они использовали атомы и свет.

И они увидели, что квантовые суперпозиции вполне реальны; что практически любая квантовая частица может и одновременно существует в разных, взаимоисключающих состояниях. По сути, на сегодняшний день это основная причина, по которой инженеры пытаются создать квантовые компьютеры. Используя способность квантовых частиц находиться в разных

* Он с таким же успехом мог оказаться мертв, но счастливые концы более популярны.

состояниях одновременно, компьютеры могут в принципе получить в разы бóльшую производительность, чем та, что может быть достигнута нашими классическими компьютерами, позволяя одновременно осуществлять «параллельные» расчеты. Арош и Вайнленд совместно получили за это Нобелевскую премию по физике 2012 года. Так или иначе, они доказали, что кот Шредингера на каком-то этапе эксперимента на самом деле был мертв и жив одновременно.

Так, и в чем здесь секрет?

Он связан с тем, что исчезло.

Суперпозиции реальны, отлично. Вот что доказали Арош и Вайнленд. Нам придется принять эту данность.

Но, когда вы открыли коробку, когда произошел коллапс и выпрыгнул живой кот, куда исчезли не увиденные вами возможности? И так как это должно было быть реальным на каком-то этапе, то куда же девался дохлый кот?

В этом и секрет.

Многие ученые задавались таким же вопросом, и в последнее время начали набирать популярность несколько предполагаемых ответов. Некоторые считают, что не наблюденные возможности постепенно расплываются, как капли чернил, попавшие в озеро; озеро, представляющее собой мир, в котором мы живем, как будто жемчужины нереализованных возможных реальностей рассеиваются в одной-единственной превалирующей реальности, частью которой мы являемся. Другие полагают, что ко всему этому какое-то отношение имеет наше сознание и что как раз сам факт эксперимента или даже мысли о нем замораживает реальность в одном состоянии, тем самым создавая ее.

И тут нам нужен американский физик-теоретик Хью Эверетт III.

Родившийся в 1930 году Эверетт был весьма странным человеком. Блестяще одаренный, он изучал математику, химию и физику, написав в итоге докторскую диссертацию под руководством одного из самых влиятельных американских физиков всех времен, Джона Арчибальда Уилера из Принстонского университета. Хотя Эверетт перестал заниматься физикой сразу же после защиты диссертации, в основном потому что, по-видимому, считал ее слишком странной. Неудачные попытки Уилера помочь идеям своего ученика быть серьезно воспринятыми научным сообществом, вероятно, также сыграли свою роль. В возрасте 21 года, забыв о теоретических вопросах, Эверетт начал трудиться над сверхсекретными разработками оружия в Вооруженных силах Соединенных Штатов и в конце концов умер от излишнего количества спиртного и сигарет. За сверхъестественное сходство судеб некоторых известных поэтов или художников, молча прожигавших свои таланты в годы молодости и презираемых сверстниками, диссертация Эверетта, написанная им в 1956 году, позже стала классикой. В ней он сделал экстраординарное заявление, что, раз квантовые идеи замечательно работают в микромасштабах, их следует всерьез использовать на всем отрезке пути до нашего масштаба. Все в нашей Вселенной создано из квантов, поэтому все следует рассматривать как огромную квантовую волну возможностей, существующих одновременно.

Если смотреть с такой точки зрения, никакого коллапса никогда не произойдет. Каждая возможность существует.

С этой точки зрения, вся Вселенная создает ответвление всякий раз, когда необходимо сделать выбор в результате эксперимента или чего-то еще. Следовательно, должно существовать непостижимо много параллельных вселенных, где все возможности, все альтернативные результаты являются фактами.

Согласно теории Эверетта, нас должны окружать параллельные сюжеты.

Вы медлите с решением, стоя между двумя лифтами, прежде чем зайти в один из них? Ваше второе я, находящееся в ответвленной параллельной вселенной, выбирает другой лифт. Еще в одной вселенной вы ударяетесь в стену между ними. А еще в одной поднимаетесь по лестнице. Таким образом, осуществляются все возможности.

В некотором смысле буквальное понимание квантовой физики Эверетта говорит о том, что если избавиться от эгоизма, то никогда не придется расстраиваться. Всякий раз, когда что-то плохое случается с вами здесь, в ваших бесконечно многих параллельных вселенных вам удается его избежать и чувствовать себя счастливым.

В еще одной бесконечности параллельных реальностей Эверетт все еще жив и даже читает эту книгу. В некоторых ему нравится то, что я о нем пишу. В других – не нравится. В еще одних он сам написал эту книгу, и в ней кот Шредингера – это зеленая собака.

Согласно интерпретации Эверетта, никакого реального выбора никогда не происходит по своей природе. Все возможности случаются.

Вы просто не знаете об этом.

Неудивительно, что он отказался от физики.

Безусловно, теория Эверетта странная, но теперь она серьезно воспринимается некоторыми из величайших физиков нашего времени вместе с большим количеством использованных в ней математических моделей, относящихся к происхождению пространства-времени. Конечно, не существует экспериментального подтверждения (или отказа от) заявления Эверетта, но оно служит заманчивой причиной того, почему реальность, в которой мы живем, не суперпозиция квантовых возможностей: возможности, нами не использованные, все равно воплощены, но в другом месте.

Теперь, когда вы привыкли к этой мысли, давайте быстренько подведем итог тому, с чем вы здесь столкнулись.

С самого начала путешествия вы в разное время побывали в микро- и мегамире. Проносясь по космическим царствам, вы выяснили, на что похожа крупномасштабная структура Вселенной и как она управляется общей теорией относительности. В микромире вы увидели, что квантовые законы природы отличаются от тех, к которым мы привыкли в повседневной жизни. Вплоть до этой части вы путешествовали по всему *известному* человечеству как теоретически, так и экспериментально. Вы познакомились с тем, чем является Вселенная независимо от масштаба, с точки зрения ученого начала двадцать первого века.

В этой части вы начали бегло касаться границ этих знаний. Вы увидели, что не только общая теория относительности и квантовая теория поля неохотно общаются друг с другом, но и квантовые законы, как представляется, не управляют нашей повседневной жизнью по причинам, которые могут завести некоторых так далеко, что повлекут за собой существование параллельных миров.

В седьмой части вы рассмотрите и более странные вещи.

Сейчас, однако, давайте продолжим упражнять свой ум и оставим микромир, чтобы вернуться к Эйнштейну. А как насчет его теории? Какие тайны можно обнаружить там?

И существуют ли они?

Являются ли они столь же вездесущими, как бесконечности, портящие квантовую теорию поля?

На оба последних вопроса ответ будет утвердительным.

ГЛАВА 4

ТЕМНАЯ МАТЕРИЯ

Забудьте о котах, собаках и параллельных вселенных альтернативных реальностей.

Забудьте о квантовом мире.

Забудьте о мини-копии.

Сейчас вы в космосе в виде разума.

Вы увидели, что микромир наполнен тайнами, и намерены проверить, работает ли теория Эйнштейна везде или у нее тоже есть недостатки, даже не пытаясь превратить ее в квантовую теорию.

Так что вы в космосе. Земля позади вас, и вы летите вперед. Вы пролетаете мимо Луны, Солнца, соседних звезд.

Вплоть до этого места теория гравитации Эйнштейна работает превосходно. Звезды и планеты движутся так, как должны.

Вы направляетесь из Млечного Пути в межгалактическую среду, где и останавливаетесь.

Млечный Путь находится прямо под вами. Другие галактики светят на расстоянии. Огромные спирали из сотен миллиардов звезд, излучающие свет в непроглядно темной Вселенной.

Из того, что вы выяснили о гравитации, вы знаете, что, так же как у планет вокруг Солнца, скорость любой звезды в пределах галактики не может быть случайной. Звезды, летящие слишком быстро, неизбежно покинут безопасное убежище галактики, эти одинокие светила обречены на вечные странствия по гигантским просторам, отделяющим отдельные галактики друг от друга. Если бы звезды летели слишком медленно, то скатились бы вниз по склону пространства-времени, созданному всеми другими звездами, склону, который заставил бы их действительно двигаться в направлении ядра галактики, центрального утолщения, заполненного звездами, где они в конечном итоге проглатываются или разрушаются гигантской черной дырой, терпеливо дожидающейся своих жертв. Не имея нужной скорости, чтобы удержаться на стабильной орбите, звезда либо покидает свою галактику, либо обречена упасть, так же как мраморный шарик в миске либо скатывается на дно, либо вылетает из нее.

Помните, как закон всемирного тяготения Ньютона не сработал, когда гравитация оказалась слишком сильной? Вблизи Солнца его уравнения требуют корректировки с учетом вращения Меркурия. Эйнштейн обнаружил эти корректировки, чтобы совершить революцию в нашем видении пространства и времени. И теперь, спустя 100 лет, настала очередь Эйнштейна столкнуться с изменением масштаба. А как насчет действия теории гравитации Эйнштейна в отношении целых галактик? Работает ли его теория кривых пространства-времени, столкнувшись с сотнями миллиардов звезд вместо одной?

Именно это вы и собираетесь проверить.

Вы вынимаете секундомер и начинаете отсчет времени перемещения звезд по Млечному Пути. Одновременно подсчитать скорости 300 миллиардов звезд непросто, поэтому вы начинаете с окраин галактики, с конца одного из великолепных спиральных рукавов вдали от Стрельца A*, нашей собственной сверхмассивной черной дыры.

Вы засекаете десять секунд.

Звезда, за которой вы ведете наблюдение, пролетела 2500 километров. Неплохо.

Это соответствует в среднем скорости около 900 тысяч километров в час вокруг центра галактики. Совсем неплохо.

Соседние с ней звезды движутся практически так же быстро.

На самом деле любые две звезды, находящиеся на равном расстоянии от ядра нашей Галактики, имеют одинаковую скорость; самые медленные звезды расположены далеко от центра, в то время как самые быстрые, вроде звезды-спринтера S2, с которой вы столкнулись некоторое время назад, лежат глубоко внутри нее. И если вам интересно, сколько времени занимает полный оборот таких аутсайдеров вокруг Млечного Пути, ответ будет – около 250 миллионов земных лет. Долгое путешествие. Млечный Путь огромен. Солнце (а значит, и Земля), находясь немного ближе к центру, проходят путь вокруг Млечного Пути почти за 225 миллионов лет, период, называемый *галактическим годом*. Когда в последний раз Земля занимала то же положение в Галактике, что и сегодня, у динозавров оставалось еще 160 миллионов лет спокойной жизни... Если использовать такую терминологию, Большой взрыв произошел около 61 галактического года назад, и если мы начнем отсчет с сегодняшнего дня, то еще через 20 кругов Млечный Путь и Галактика Андромеды сблизятся настолько, что начнут сталкиваться. Кстати, Солнце взорвется несколько галактических месяцев спустя. Рассматриваемое таким образом, это событие вовсе не кажется таким отдаленным...

Прекрасно.

И на том спасибо.

Кажется, никаких проблем здесь с теорией Эйнштейна нет, за исключением...

За исключением того, что проблема есть.

Если быть откровенным, вы не первый, кто проверяет динамику вращения звезд вокруг Галактики.

Их скорости известны уже довольно долгое время, с начала 30-х годов прошлого века, когда нидерландский астроном Ян Оорт измерил их.

Но Оорт зашел еще немного дальше.

Для начала он оценил количество материи, содержащейся внутри всего Млечного Пути. Затем проверил, совпадают ли наблюдаемые им скорости с ожидаемыми скоростями в отношении тех звезд, что не падают или не покидают галактику.

Они не совпали.

Не совпали вообще.

Находясь здесь, над Млечным Путем, вы можете проверить это самостоятельно.

Складывая массу каждой звезды с облаком пыли и всем видимым остальным, принадлежащим родной Галактике, вы придете к тому же загадочному выводу: здесь определенно недостаточно материи, чтобы удержать *любую* звезду от выкидывания из Галактики с учетом ее скорости.

И в отличие от несоответствия между теорией Ньютона и орбитой Меркурия, расхождение здесь вовсе не крошечное.

Должно существовать *в пять раз больше* материи, чем той, что вы можете видеть. В противном случае все звезды выкинуло бы из Галактики. В том числе и Солнце.

Должно быть, вы что-то упустили из виду. И Оорт тоже.

Не хватает не просто нескольких сотен миллионов звезд и окружающей их пыли, тогда бы вы могли обвинить себя или Оорта за небрежно выполненный подсчет. Кстати, это было бы нормально. Но превышение в пять раз? Что происходит? И вообще кто такой этот Оорт? Можно ли ему доверять?

Можно. Он был не просто обычный астроном. На самом деле его невероятные идеи помогли человечеству выяснить многое из того, что вы видели во время путешествия по Солнечной системе и Млечному Пути в первой части книги. Ему, например, приписывают демонстрацию того, что Солнце находится не в центре нашей Галактики (сейчас факт может показаться очевидным, но он таким не был, пока Оорт его не доказал). Он также человек, который выдвинул гипотезу о существовании огромного хранилища комет (миллиардов миллиардов комет), носящего теперь его имя – облако Оорта, которое вы пересекли на внешней границе Солнечной системы перед входом в гравитационное поле красного карлика Проксима Центавра.

Оорт был необычным ученым, вслед за тем объяснившим в 1932 году абсурдное несоответствие между видимой материей нашей Галактики и скоростью ее звезд, сделав на удивление смелое утверждение. Он заявил, что Млечный Путь заполняет неизвестный вид материи, которая еще никогда не обнаруживалась ни в какой форме, ни здесь на Земле, ни где-либо еще, потому что она не взаимодействует со светом, что делает невозможным ее наблюдение любым типом телескопа. Оорт назвал ее *темной материей*. Согласно его работе, видимые эффекты темной материи проявляются лишь косвенным путем, через гравитацию: темную материю нельзя увидеть, но она искривляет пространство-время, как и обычная материя, хотя таковой, безусловно, не является. Она даже не может состоять из тех же частиц, что образуют все привычное нам, в противном случае мы могли бы ее увидеть.

Такое открытие может показаться слишком огромным — и захватывающим, — чтобы оказаться правдой, но как бы ни хорош был Оорт, никто не совершенен. Он мог и ошибаться. Чтобы выяснить это, вы решаете взглянуть на другие галактики, чтобы рассмотреть их движение вокруг друг друга, точно так же как поступил швейцарский астроном Фриц Цвикки примерно через год после первоначального заявления Оорта в 1933 году.

Если бы темная материя оказалась реальной, присутствующей и гравитационно активной не только внутри Млечного Пути, но и снаружи и внутри других галактик тоже, она не просто изменила бы орбиты движущихся в галактике звезд. Она также повлияла бы на орбиты вращающихся вокруг друг друга галактик.

Так что вы пристально рассматриваете их.

Вы анализируете захватывающий космический танец огромных скоплений ярких звезд, и... у вас не остается больше сомнений.

Так же как Цвикки, вы вынуждены признать, что все галактики слишком быстро вращаются вокруг друг друга, не скрывая огромного количества гравитационно притягательной темной материи.

И темная материя не материя.

И не антиматерия.

Это нечто другое.

Никто не знает что.

Все проведенные с 30-х годов многочисленные эксперименты пришли к такому же выводу. Темная материя есть. Она существует. Везде есть материя, сверху которой обернута темная материя. И хотя я пытался на протяжении всей книги *показать* вам все знания о Вселенной, которыми я хотел бы поделиться с вами, в этом вопросе я вынужден признать, я не могу познакомить вас с ней ближе.

Почему?

Потому что даже сегодня, по прошествии более восьмидесяти лет после смелого предположения Оорта, мы все еще не имеем никакого понятия о том, из чего эта темная материя состоит. Мы знаем, что она существует. Мы знаем, *где* она находится. У нас есть карты ее присутствия внутри и вокруг галактик по всей Вселенной. У нас даже есть жесткие условия для того, что ею являться *не может*, но мы не имеем ни малейшего понятия, *что* она из себя представляет. И да, ее присутствие подавляюще: на каждый килограмм обычной материи, состоящей из нейтронов, протонов и электронов, приходится пять килограммов темной материи, состоящей неизвестно из чего.

> ТЕМНАЯ МАТЕРИЯ СУЩЕСТВУЕТ ПОВСЮДУ, ВОКРУГ ГАЛАКТИК, ВОКРУГ НАШЕГО СОБСТВЕННОГО МЛЕЧНОГО ПУТИ И ПО ВСЕЙ ВСЕЛЕННОЙ.

Темная материя.

Неожиданная гравитационная тайна номер один.

Она может означать, что теория Эйнштейна не работает в таких масштабах, точно так же как теория Ньютона не работала вблизи Солнца. Но было проведено много независимых исследований. Темная материя, кажется, действительно существует повсюду, вокруг галактик, вокруг нашего собственного Млечного Пути и по всей Вселенной, и вы не можете ее видеть.

Кажется, что во Вселенной намного больше невидимого, чем видимого.

ГЛАВА 5

ТЕМНАЯ ЭНЕРГИЯ

Миллиарды лет прошли с эпохи Темных веков нашей Вселенной, произошло много галактических катастроф, целые галактики сталкивались и сливались. Жестокость в космическом пространстве везде, и галактики, на которые вы теперь смотрите, лишь видимая ее часть.

Темную материю, существующую в подавляющем количестве: пять к одному, нельзя увидеть, и ее все еще так много, что она, должно быть, играла – и попрежнему играет – роль в наблюдаемом вами космическом вальсе... Вальсе, исполнителями которого, как вы знаете теперь, являются скопления звезд, обернутые в невидимые плащи из темной материи.

Чем больше вы рассматриваете все эти вращающиеся вокруг галактики, тем больше танцоров и фигур вы видите и тем больше обитаемых миров с полностью отличающимися от нашего неба небосводами вы начинаете там воображать. И вдруг вы начинаете задаваться вопросом, а что если какая-то далекая цивилизация уже нашла ответы на наши человеческие вопросы... И тут вы застываете на месте, ослепленный.

Очень мощный источник света ударил вам в глаза.

Вы вглядываетесь в ночь, определяя, откуда он появился, но он исчез.

И вновь, так же внезапно, в вас ударяет еще один сноп света, исходящий откуда-то из невообразимо далекого места.

И еще один.

Выведенный из задумчивости, вы сосредоточиваетесь на галактиках, откуда, кажется, родом эти световые сигналы.

Не зная почему, ваше сердце колотится как сумасшедшее. Вы смотрите на световые лучи, наблюдая, как галактики расходятся, продолжая кружиться вокруг друг друга.

Что-то не так.

Галактики, откуда поступает свет, расходятся не по тому пути, по которому должны.

Мы говорим здесь не об их вращении вокруг друг друга, а о расширении Вселенной, о том, как *все* галактики расходятся, как семена мака в поднимающемся тесте пирога. С учетом того, что вы узнали об этом расширении, галактики движутся неправильно.

Это – неожиданная гравитационная тайна номер два. И она предполагает много, гораздо больше скрытой энергии, чем темной материи.

Чтобы понять, нужно знать, как оцениваются расстояния во Вселенной.

Когда вы лежали на пляже тропического острова, как раз перед началом своего путешествия в космическое пространство, как вы могли бы определить, какая звезда на ночном небе ближе, а какая дальше? Очевидно, что одной яркости недостаточно. Звезды бывают практически всех размеров, и их фактическая светимость может сильно отличаться. Яркая звезда, если смотреть с Земли, могла бы оказаться огромной и очень далекой или же небольшой, но гораздо более близкой. Необходимо использовать какой-то другой прием, и, как исторически сложилось, ученые придумали три различных метода для оценки космических расстояний.

Первый из них касается любого объекта, будь то планета или звезда, находящегося довольно близко к нам. Он – самый простой из всех и использует здравый смысл (ничего квантового здесь нет, так что здравый смысл допускается). Представьте себе, что вы смотрите на дерево через боковое окно автомобиля, мчащегося на трассе. Близко растущие к дороге деревья быстро пролетают мимо, в то время как находящиеся дальше деревья, как кажется, движутся гораздо более медленными темпами. Горные цепи на горизонте иногда вообще застывают на месте. Их можно использовать в качестве неподвижного фона. В космосе применима та же концепция. Поскольку Земля вращается вокруг Солнца, находящиеся рядом объекты обладают видимым движением, довольно очевидным на фоне очень далеких звезд, кажущихся неподвижными. Проверка того, насколько изменится положение объекта по отношению к этому фону, пока Земля обращается вокруг Солнца, позволяет ученым определить, насколько далеко в космосе расположен объект. Метод включает в себя математику, которую бы понял и Евклид 2200 лет назад. Он очень хорошо работает при оценке ближних расстояний – в пределах Млечного Пути. Но не работает при определении *галактических* расстояний. Галактики просто слишком далеко. Когда вы находитесь на Земле, вращающейся вокруг Солнца, ваше видение космоса может меняться на протяжении 300 миллионов километров с лета до зимы, но этого недостаточно, чтобы увидеть их в движении: галактики – все еще часть неподвижного фона. Чтобы узнать, где они, вам нужен метод номер два, который включает в себя весьма специфичный тип звезд, называемых *цефеидами*.

Цефеиды – очень яркие звезды, чья светимость колеблется между максимальным и минимальным уровнем интенсивности с впечатляющей регулярностью. Удивительно, но ученые выяснили способ связать этот колеблющийся период с общим количеством производимого ими излучения. И это все, что им необходимо знать, чтобы сказать, на каком они расстоянии: как звук рога затихает по мере увеличения расстояния от своего источника, то же происходит и со светом. Исследование собранных на Земле порций света, излученных далекими цефеидами, дает в итоге расстояние до них. И, скорее к счастью, цефеид много.

КОГДА ВЫ НАХОДИТЕСЬ НА ЗЕМЛЕ, ВРАЩАЮЩЕЙСЯ ВОКРУГ СОЛНЦА, ВАШЕ ВИДЕНИЕ КОСМОСА МОЖЕТ МЕНЯТЬСЯ НА ПРОТЯЖЕНИИ 300 МИЛЛИОНОВ КИЛОМЕТРОВ С ЛЕТА ДО ЗИМЫ.

Но этот метод тоже имеет свои пределы: для измерения наибольших расстояний во Вселенной отдельные звезды-цефеиды больше нельзя использовать, потому что даже самые мощные телескопы не могут отличить их от соседних с ними групп звезд. Для исследований отдаленных уголков Вселенной необходим третий метод.

Возможно, вы помните из второй части книги труды американского астронома Эдвина Хаббла. В 20-е годы прошлого века Хаббл стал первым человеком, наблюдавшим расходящиеся далекие галактики и расширение Вселенной. Некоторые из ваших друзей любезно подтвердили этот факт, производя наблюдения ночного неба вокруг Земли своими телескопами, приобретенными за миллиард долларов.

В 20-е годы Хаббл использовал смещение светового спектра цефеид далеких галактик для определения их скорости и выяснил, что их стремление удалиться от нас пропорционально расстоянию до них: галактика, которая в два раза дальше от нас, удаляется от нас в два раза быстрее. Этот закон теперь называется *законом Хаббла.*

Метод номер три включает в себя использование закона Хаббла с противоположной стороны, когда цефеиды не могут быть выделены из своего окружения. По изменению смещения спектра излучения далеких галактик ученые могут определить, какое расстояние прошел их свет в процессе расширения Вселенной. Таким образом, можно узнать, насколько далеко находится сейчас галактика.

Закон Хаббла достаточно прост и достаточно хорошо стыкуется с известными фактами: пространство и время стали тем, чем являются сейчас, несколько миллиардов лет назад, пространство-время с тех пор расширилось, и, что кажется нормальным при расширении, вызванном интенсивным выделением энергии (Большой взрыв), скорость расширения замедлилась в течение миллиардов последующих лет.

С такой довольно логичной установкой все идет замечательно.

За исключением того, что она не соответствует тому, что вы только что видели.

Вспышки света, которые уловили ваши глаза, расходятся с законом. Смещение их спектра не соответствует великолепной, красивой, целостной картине, описанной выше. Что-то идет не так, и тайна номер два где-то задерживается.

Чтобы выяснить, о чем идет речь, давайте немного прогуляемся и взглянем на то, что вызвало необычайно мощные вспышки света, ударившие вам в глаза.

Начав свой путь от Млечного Пути, вы направляетесь к особенно красивой и красочной спиральной галактике, лежащей в 8 миллиардах световых лет от него. Вы преодолеваете огромное, расширяющееся расстояние, отделяющее нашу космическую семью от этого другого островка света, и, приблизившись к нему, залетаете в него сбоку. Вы проноситесь мимо миллионов звезд, сквозь облака пыли размером в тысячи вместе взятых солнечных систем и вдруг снова останавливаетесь.

Прямо перед вами не один, а целых два сияющих объекта привлекают ваше внимание. Они очень быстро вращаются вокруг друг друга немного асимметричным образом. Один из них – гигантская злая красная звезда. Второй – тоже яркая звезда, но во много раз меньше. Размером с Землю. И белоснежная. Но не дайте ввести себя в заблуждение. Несмотря на огромную разницу в размерах, хозяйка здесь – крошечная звезда, а не красный гигант. Маленький белый шар, оставшийся от ядра звезды, взорвавшейся за несколько сотен миллионов лет до вашего прибытия. Во время гибели звезды ее внешние слои разлетелись во всех направлениях, а сердце сжалось в комок и стало тем, что теперь светится прямо перед вами. *Белый карлик.* Чрезвычайно плотный и горячий объект. Обычные белые карлики остывают в течение десятков миллионов лет и выбрасываются из галактик, в конце концов становясь холодными темными одинокими космическими странниками. Но этот карлик тем не менее выбрал совсем другой путь.

Чтобы дать вам представление о плотности белого карлика, давайте сделаем бейсбольный мяч из различных материалов. Обычный мяч из резины, кожи и воздуха весит около 145 граммов. Тот же самый объем, заполненный свинцом, будет представлять собой шар весом около 2,3 килограмма. Заполненный самым плотным химическим элементом, встречающимся на Земле, – *осмием* – мяч весит теперь уже примерно в два раза больше: около 4,5 килограмма.

Теперь заполним тот же объем материалом, составляющим белый карлик, и получим мяч весом 200 тонн. В царстве чрезвычайно плотной материи белые карлики занимают третье место. Сразу за нейтронными звездами (называемыми так, потому что они содержат только нейтроны) и черными дырами. Следовательно, внутри них, как и внутри звезд, можно было бы ожидать чрезвычайно бурных реакций ядерного синтеза, но их не происходит. Если только они не найдут способ увеличиться в размерах. По правде сказать, белые карлики остаются белыми карликами до тех пор, пока содержат менее 140% от массы нашего Солнца.

Но у этого карлика действительно есть чем поживиться. Звездой. Красным монстром.

Этого красного гиганта съедят заживо прямо на ваших глазах.

Обессиленная гравитационным полем, вызванным сверхъестественной плотностью белого карлика, звезда обречена. Она даже не может удержать собственные внешние слои. Пока она вращается вокруг карлика, ее поверхность отрывается, образуя длинный след яркой, жгуче-горячей плазмы, которая по спирали стекает вниз к жадному партнеру по танцу, создавая сверкающую, скрученную космическую реку, извивающуюся по направлению к поверхности белого карлика, где она захватывается им и сжимается.

Здесь работают потрясающие по своему масштабу энергии. Даже само пространство-время может ощущать их: как волны, возникающие на поверхности озера из-за двух вращающихся вокруг друг друга лодок, гравитационные волны создаются танцем красного гиганта и белого карлика, вызывая пульсацию, распространяющуюся по самой ткани Вселенной, видоизменяющую пространство и время, омывающие близлежащие объекты*.

И пока вы смотрите на них, все больше и больше материи гигантской звезды падает в направлении

* К вашему сведению, такие гравитационные волны были предсказанные Общей теорией относительности Эйнштейна, впервые косвенно обнаружены двумя американскими физиками, Расселом Халсом и Джозефом Тейлором, пару десятков лет назад. За это открытие они в 1993 году получили Нобелевскую премию по физике. Такие волны в один прекрасный день могут позволить нам «увидеть», что происходит, когда, например, две звезды сталкиваются, создавая черную дыру, или «заглянуть» за стену в конце видимой Вселенной, за пределы поверхности последнего рассеяния. Так как они не световые волны, а волны пространства-времени, то могут распространяться повсюду — даже через самую плотную и толстую стену — на всем пути назад к Большому взрыву. Гравитационные телескопы всегда создавались и создаются именно для этой самой цели. Космический зонд LISA Pathfinder Европейского космического агентства был отправлен в космос 3 декабря 2015 года, чтобы проложить путь для будущих космических поисков. Земные телескопы, подобные детекторам американской обсерватории LIGO, теперь также в состоянии заниматься поисками гравитационных волн ежедневно. Хотя они ищут их много лет, но до сих пор безуспешно. Но не обнаружить эти волны когда-либо было бы большим сюрпризом, чем обнаружить. По состоянию на январь 2016 года, ходят слухи о том, что они были найдены LIGO ... Увидим!

поверхности белого карлика, и вы небезосновательно чувствуете, что должно произойти что-то необыкновенное. Белый карлик действительно набрал немало веса, достигнув 140% массы Солнца, критического порога. Давление в его собственном ядре внезапно становится достаточным, чтобы вызвать новую, потрясающе бурную цепную реакцию, приводящую белого карлика к весьма примечательной гибели. В мгновение ока он взрывается. Взрыв в пять миллиардов раз ярче Солнца. Впечатляющая лебединая песня.

Такие события называются взрывами *сверхновых типа Ia.* Они происходят примерно раз в столетие в любой данной галактике. Они невероятно удобны для астрономов, потому что все очень похожи. Даже идентичны: они всегда возникают, когда белый карлик достигает 140% от массы Солнца после высасывания энергии другой звезды, а следовательно, всегда светят одинаковым светом: 5 миллиардов солнц, объединенных в одно маленькое пятнышко не намного больше нашей Земли. Гораздо ярче цефеид, они – идеальные свечи, благодаря которым можно исследовать самые дальние уголки нашей Вселенной и проверить закон расширения Хаббла.

Сверхновые типа Ia настолько ярче, чем все остальное, что, в отличие от цефеид, построенные человеком телескопы могут вычленить их из далеких галактик. Зная их истинный блеск, как и в случае с цефеидами, ученые могут сделать вывод, насколько далеко они находятся и с какой скоростью расходятся от нас.

В 1998 году две независимые группы ученых, изучающих такие далекие сверхновые, опубликовали свои результаты. Одну группу возглавлял американский астрофизик Сол Перлмуттер, а другую – американские астрофизики Брайан Шмидт и Адам Рисс. Обе команды обнаружили, что около 5 миллиардов лет назад, после более 8 миллиардов лет обычного поведения, расширение Вселенной начало ускоряться.

Научное сообщество было шокировано.

Так же как будете и вы.

Мало того что такой вывод оказался неожиданным, он был радикально противоположным единственно допустимому результату.

В больших масштабах всем управляет общая теория относительности Эйнштейна, а теория гравитации Эйнштейна, как и закон всемирного тяготения Ньютона, допускает только притяжение объектов друг к другу. Следовательно, что бы ни заполняло Вселенную: материя, антиматерия или темная материя, — оно должно в конечном счете замедлять любое расширение. Не ускорять его.

Однако наблюдения Перлмуттера, Рисса и Шмидта говорили об обратном, и единственный возможный выход из такого противоречия — найти что-то абсолютно новое для объяснения такого ускорения. И это что-то должно было заполнять всю Вселенную. И ему требовалось обладать исключительным свойством: действовать как *анти*гравитационная сила, отталкивая материю и энергию вместо того, чтобы притягивать их.

По какой-то неизвестной причине эта новая сила пересилила все другие крупномасштабные силы во Вселенной около пяти миллиардов лет назад. До этого ее влияние было равно нулю.

Эта весьма озадачивающая энергия была названа *темной энергией*, и, как ни странно, в результате расчета ее наблюдаемых эффектов, ее должно быть очень много.

По последним оценкам, огромное количество, собственно говоря.

В три раза больше, чем темной материи.

В пятнадцать раз больше, чем составляющей нас обычной материи.

За результат своего открытия, а именно что расширение Вселенной скорее ускоряется, чем замедляется, Перлмуттер, Шмидт и Рисс были удостоены в 2011 году Нобелевской премии по физике, а все энергетическое содержание Вселенной пришлось полностью пересчитать. Сегодня, по оценкам спутников НАСА, Вселенная состоит из следующего.

Темная энергия: 72%.

Темная материя: 23%.

Известная нам материя (включая свет): 4,6%*.

Все, что вы видели до сих пор во время всех путешествий, соответствует лишь 4,6% общего содержания Вселенной.

Остаток неизвестен.

Однако, в отличие от темной материи, существование некой формы темной энергии допускалось в прошлом. Около ста лет назад. Самим Эйнштейном. Он даже называл ее своей «самой большой оплошностью», хотя сегодня кажется, что его оплошностью было как раз таки назвать ее оплошностью.

Возможно, из второй части вы помните, что Эйнштейну не нравилась идея о меняющейся, развивающейся Вселенной. Он предпочитал думать, что время и пространство были, есть и всегда будут существовать

---

* Общая сумма не дает в итоге 100%, потому что всегда существует некоторая неопределенность в полученных числах. Источник: микроволновый анизотропный зонд Уилкинсона (спутник WMAP).

в том же виде, в каком он и ощущал их на собственном опыте. К сожалению, его общая теория относительности в своей простейшей форме утверждает обратное. Она гласит, что пространство-время может меняться и меняется. Чтобы допустить возможность Вселенной не эволюционировать, он рассчитал, что может каким-то образом изменить свои уравнения, введя в них новый, единственно допустимый дополнительный член. В то время это был смелый жест: уравнения Эйнштейна подразумевали (и до сих пор подразумевают), что локальное энергетическое содержание Вселенной полностью эквивалентно ее локальной геометрии, так что если один из двух членов может измениться, то другой тоже. Добавление куда-то в уравнение новой формы энергии, следовательно, меняло форму и динамику Вселенной. Под энергией Эйнштейн подразумевал все, что обладает гравитационным эффектом, что теперь включает в себя материю, свет, антиматерию, темную материю и все остальное, носящее обычный, достаточный, притягивающий гравитационный характер.

Но добавленный Эйнштейном член мог носить и тот и другой характер (притягивающий или отталкивающий), в зависимости от его математического значения. В физическом смысле он соответствовал энергии, действительно заполняющей всю Вселенную. Он назвал его *космологической постоянной*.

Благодаря ей Вселенная могла быть статичной и послушной, подчиняясь его философским взглядам.

Успокоенный, Эйнштейн мог снова спать по ночам.

Однако примерно десять лет спустя работа Хаббла превратила расширение Вселенной в доказанный факт. Статичной Вселенной больше не существовало.

Так что Эйнштейн вычеркнул свою космологическую постоянную и назвал ее ввод в уравнение своей самой большой оплошностью.

Теперь, сто лет спустя, кажется достаточно ироничным, что то, что он стер на бумаге, могло стать для теоретиков столь необходимым инструментом, требующимся для объяснения самой великой неразгаданной тайны человечества: темной энергии, управляющей ускорением расширения Вселенной. Космологическая константа может сделать Вселенную полной противоположностью статичной, претерпевающей ускоренное расширение Вселенной. Она может решить головоломку про темную энергию. Единственной проблемой в этом случае будет выяснение ее собственного источника. Мы еще вернемся к этому в седьмой части.

А пока что мне бы очень хотелось, чтобы все могли допускать такие оплошности, как у Эйнштейна.

Чем бы ни оказалась темная энергия, идея о ней уже изменила наше видение космологии. До открытия Перлмуттера, Рисса и Шмидта для Вселенной виделось два возможных варианта будущего, в зависимости от ее итогового содержимого. В первом случае слишком большое количество материи и ее расширение обречены на каком-то этапе смениться своей противоположностью, и тогда гравитация пересилит все прочее, как если бы слишком сильная, прикрепленная ко всему пружина теперь разжалась. При таком сценарии вся Вселенная сожмется, и все закончится тем, что называется *Большим сжатием.* Это как Большой взрыв наоборот, ускоряющийся со временем и не перематываемый назад.

Второй вариант заключается в том, что материи или энергии будет недостаточно, чтобы удержать все от разбегания. Присутствие темной энергии у Перлмуттера, Рисса и Шмидта говорит о том, что это – наиболее вероятное будущее. Если только в один прекрасный день в наши телескопы не попадет еще какой-нибудь сюрприз, то есть шансы, что антигравитационное поле обеспечит вечное расширение, что приведет к будущему *Большому замерзанию.* Согласен, оба прогноза (Большое сжатие и Большое замерзание) представляют собой довольно мрачные перспективы. Но, как вы увидите в следующей и последней части, такое замерзание может быть вообще не концом.

Повторюсь еще раз, также возможно, что теория Эйнштейна просто не применима для таких огромных масштабов. В таком случае нам нельзя использовать его уравнения, чтобы сделать вывод о существовании темной энергии. Подобно тому как теории Ньютона, опробованные рядом с большой звездой, привели к вычислению ошибочных орбит, уравнения Эйнштейна вполне могли бы отдалиться от реальности на каком-то этапе. Однако по состоянию на сегодняшний день, скорее всего, темная энергия реальна, и даже существует вероятность, что она имеет квантовую природу. Весьма захватывающая перспектива для всех тех ученых, кто хотел бы связать микромир с мегамиром.

В любом случае, чем бы они ни являлись, темная материя и темная энергия весьма важны. Закон всемирного тяготения Ньютона помог нам обнаружить новые планеты вокруг Солнца. Гравитационная теория Эйнштейна привела нас к тайнам намного серьезнее, настолько серьезнее, что они могут содержать подсказки или ключи, открывающие двери в неизвестные миры нашей крупномасштабной реальности.

При необходимой скромности такие открытия оказывают сильное впечатление, и теперь настало время понять, почему общая теория относительности не может быть теорией всего и почему она предсказывает собственный закат.

ГЛАВА 6

СИНГУЛЯРНОСТИ

Помните квантовые бесконечности?

Помните катастрофические последствия для пространства-времени бесконечного числа частиц, появляющихся везде, все время, в вакууме квантовой теории поля?

Чтобы изучить его, ученым пришлось либо выкидывать гравитацию и поступать с бесконечностями так, как будто их не существует, либо игнорировать находящееся в микромире. Тогда все работало просто прекрасно, до тех пор пока гравитация была не квантовой.

Теперь давайте ненадолго оставим все кванты в покое.

А как насчет самой гравитации? Возможно ли, чтобы известная нам материя, классическая материя, с которой мы взаимодействуем ежедневно, оказывала такое же воздействие на ткань Вселенной? Может ли она привести к коллапсу пространства-времени?

Ответ определенно положительный. И на этот раз мы даже увидим результат в небе.

Здесь хорошо работает образ множества очень тяжелых мраморных шаров, брошенных на тонкий резиновый лист.

Благодаря созданному ими искривлению близлежащие мраморные шары будут сдвигаться ближе друг к другу, создавая кучу, заставляющую резину прогибаться еще больше.

С каждым новым шаром, скатывающимся вниз и присоединяющимся к группе, резина становится все более и более вогнутой.

На каком-то этапе, либо потому что все шары скатятся вниз, либо потому что остальные шары находятся слишком далеко, процесс закончится.

Ничего странного.

Но если резиновый лист мягкий, как жвачка, если он недостаточно прочный, чтобы удержать кучу мраморных шаров в равновесии с его собственным натяжением, он вполне может продолжать прогибаться все больше и больше, даже если туда уже не скатываются шары, пока не прорвется.

Ни один материал не является настолько прочным, чтобы выдержать *любой* вес. Отсюда идея пороговой плотности: если поместить слишком большой вес на слишком хрупкую поверхность, то поверхность вокруг этой массы будет искажаться до тех пор, пока ее целостность не нарушится.

Теперь как насчет пространства-времени?

Хоть и не предусматривается, что оно прорвется, но пространство-время реагирует на очень высокие плотности, пожалуй, даже еще более драматичным образом, потому что ткань в данном случае не резина, а само пространство и время.

Пространство-время. Не плоская, а объемная ткань. Плюс время.

Пространство-время изгибается, искривляется и растягивается вокруг содержащихся в нем объектов, будь то материя или любой другой вид энергии. Это — его понимание Эйнштейном.

Продолжая накапливать энергию (независимо от ее формы) в заданном объеме, как и в случае с резиновым листом, вы просто обязаны в конечном итоге столкнуться с проблемой. За пределами определенного порогового значения ничто не сможет остановить все большее искривление пространства-времени, даже если в него больше ничего не падает.

По мере продолжения искривления то, что началось с изгиба, постепенно сдавливается, вследствие чего плотность внутри повышается, образуя порочный круг, неумолимо ведущий к коллапсу пространства-времени, коллапсу, усугубленному бесконечностями, с которыми общая теория относительности не может справиться. Такие бесконечности называются *сингулярностями*. Они не то же самое, что виденные вами ранее квантовые бесконечности. Они не имеют ничего общего с квантовыми процессами. Они возникают, когда в слишком малом объеме скапливается слишком много массы или энергии. Они локализованы. И возможность их существования возвещает крах теории гравитации Эйнштейна.

В конце 60-х и начале 70-х годов прошлого века, когда практически все сходили с ума, слушая психоделическую музыку либо выискивая новые фундаментальные частицы, английские физики-математики Роджер Пенроуз и Стивен Хокинг доказали посредством набора получивших известность теорем, что такие коллапсы обязательно происходят во вселенной, управляемой в больших масштабах общей теорией относительности. С помощью своих теорем они показали, что общая теория относительности Эйнштейна имела весьма скромные характеристики предсказания собственной гибели.

Подобно тому как Ньютону требовалась более полная теория для объяснения движения Меркурия, стало ясно, что теорию Эйнштейна необходимо расширить хотя бы для того, чтобы объяснить эти коллапсы.

Где они происходят? – задаетесь вы вопросом. Можно ли найти их в природе или они – чисто теоретические фантазии?

Они реальны, и я уверен, что вы знаете, где их найти.

Одна такая сингулярность, мать всех остальных, лежит в прошлом Вселенной, когда вся ее энергия заключалась в катастрофически малом объеме.

В некотором смысле наша Вселенная родилась из такой сингулярности, и с тех пор пространство и время стали тем, чем являются сегодня.

Еще одна сингулярность лежит глубоко внутри всех черных дыр, усеивающих Вселенную.

Вопреки тому, что думают многие, черные дыры являются противоположностью пустых отверстий: они рождаются тогда, когда из-за какой-то катастрофы *слишком много* материи оказывается вдавленной в слишком малый объем. Как вы услышите позже, такой процесс может вызвать смерть гигантской звезды.

Вопрос, одновременно мучающий и будоражащий множество блестящих умов с момента появления теоремы Пенроуза — Хокинга, заключается в следующем: раз сингулярности, вероятно, случаются в природе, каким образом можно хотя бы *представить себе*, что происходит внутри них? Как можно даже подумать о местах, где пространство и время больше не имеют смысла? Какая теория может быть использована для исследования таких катастрофических коллапсов?

Теория, включающая в себя мега- и микромир.

Раз и черные дыры, и источник происхождения Вселенной состоят из огромного количества материи и энергии, ограниченного весьма малым объемом, ответ должен включать в себя теорию, смешивающую гравитационные и квантовые процессы.

Независимо от выбранной нами для понимания Вселенной теории, лучшей, чем у Эйнштейна, она должна включать в себя квантовые аспекты гравитации, то есть пространство-время.

Пенроуз и Хокинг доказали, что теория гравитации Эйнштейна имеет ограничения, что она не может объяснить всю Вселенную ни в прошлом, ни в настоящем: она терпит крах еще до достижения рождения пространства-времени, еще до того, как кто-то займется исследованиями того, что находится на дне современных черных дыр.

С учетом вышесказанного можно было бы подумать, что вся вина за трудность нахождения квантовой теории гравитации лежит на гравитации, детище Эйнштейна. Но вы видели, что это не так. Есть также и проблемы, связанные с квантовым видением мира.

Тем не менее, какой бы трудной ни казалась задача, но сейчас вы попытаетесь смешать обе теории, ибо настало время нырнуть в черную дыру.

ГЛАВА 7

СЕРЫЙ – ЭТО НОВЫЙ ЧЕРНЫЙ

Учитывая ситуацию, вы чувствуете себя необычайно хорошо.

Вы не эфирное тело, вы не можете посмотреть сквозь себя, и ваши руки, ноги и все остальное положительно реагирует на приказы двигаться. Вы – плоть, кости и кровь, и ваше сердце бьется как обычно. Небольшая боль в шее подтверждает: вы чувствуете то же, что на Земле. Но находитесь в космическом пространстве. Ваш гид-робот вместе с жестяным желтым корпусом и трубой для выброса частиц летит рядом, такой же материальный и реальный, как и вы.

Вы оглядываетесь вокруг.

Футуристический аэропорт исчез. Вы ничего не узнаете, но догадываетесь, что должны находиться внутри какой-то галактики, недалеко от ее центра. Миллиарды и миллиарды звезд сияют как обычно. Везде. За исключением участка прямо перед вашими глазами, темного пятна пространства-времени, лишенного звезд.

Обогнав робота, вы понимаете, что участок темноты движется на фоне неподвижного фона звезд.

И он уже близко.

Висящая в пространстве пустота. Темная угроза, нависшая над всем и вся.

Вы знаете, что это такое.

Оно огромно, почти в 10 миллиардов раз больше массы Солнца. Но эта черная дыра ничем не напоминает ту, что вы видели в центре Млечного Пути. Тут нет окружающего ее пылающего кольца. Так же как поблизости нет и собирающейся упасть туда звезды. Это черная дыра уже сожрала и переварила все бывшие когда-то рядом звезды, равно как и почти весь космический мусор.

Теперь она абсолютно чиста. У нее нет никакой пищи, кроме случайно влетающих в нее метеоритов, сбившихся с курса в результате отдаленных катастроф. Некоторые из них находятся на пути в нее.

– Если там, внизу есть хотя бы намек на квантовую гравитацию, мы найдем его, – объявляет машина.

– А это опасно? – спрашиваете вы.

– Конечно. Это же черная дыра.

Вы снова смотрите в сторону черной дыры, сравнивая ее с той, что встретили в начале книги. Здесь нет струй света, вырывающихся из ее полюсов. Есть только довольно округлое, плоское черное пятно пустоты. Вы скользите по спирали вниз по созданному ей склону пространства-времени. Во время падения образы далеких звезд, проходящих вблизи ее краев, выглядят искаженными и находятся отнюдь не там, где были долей секунды раньше. Из точек света они становятся маленькими яркими полосками, покрывающими внешний край темного диска. А потом они исчезают, как будто проглоченные темной пустотой, прежде чем появиться на другой стороне – где последовательность искажения воспроизводится снова, но в обратном направлении, пока они снова не становятся похожи на далекие сверкающие точки.

Свет, похоже, искажается этой дырой, по-видимому, расширяющейся изнутри подобно темной шахте, в то время как ее края действуют как кривая линза.

Сопровождаемые роботом, вы по-прежнему падаете вниз по спирали. Вы все еще довольно далеко от того, что окажется черной дырой, но уже чувствуете обреченность, и вдруг вам хочется сбежать, пока не слишком поздно, что бы это ни означало, что бы ни показал вам робот по прибытии к цели.

– Оглянись через левое плечо, – говорит робот после минуты молчания.

Вы оборачиваетесь. Огромная глыба направляется прямо в черную дыру. Это вращающийся астероид размером с гору. Он проносится с поразительной скоростью примерно в ста километрах от вас.

Вы фокусируете свое зрение на темной серебристой поверхности астероида, единственного объекта, движущегося по направлению к черному диску черной дыры.

Истинный размер астероида сжимается по мере его отдаления. Теперь он размером с персик на расстоянии вытянутой руки. А теперь размером с небольшой, искаженный орех, а потом вдруг, когда ваше спиралевидное падение выносит вас на другую сторону от черной дыры, появляются сразу два изображения астероида. Один слева, а другой справа от вас. Искажение пространства-времени вокруг темного пятна таково, что свет, кажется, получает возможность достичь ваших глаз несколькими путями...

– Астероид скоро провалится, – говорит робот почти с сожалением.

– Провалится? – спрашиваете вы, все больше беспокоясь. – Что ты имеешь в виду под словом «провалится»? Сквозь что?

– Сквозь горизонт.

– Сквозь что?

– Сквозь *горизонт событий черной дыры.* Предел невозврата. Увидишь. Или не увидишь. Ни один человек или машина никогда не оказывался так близко к черной дыре, не говоря уже о нахождении внутри нее. Существует теория о том, что *должно* произойти там, внизу. Но она может и ошибаться. Пройдя сквозь горизонт, мы покинем границы известного.

– Может, не надо слишком приближаться к нему? – предлагаете вы.

– А может, надо, – живо отвечает робот. – Это же исследование. Нам придется согласиться с некоторыми возможными рисками.

– И где же тогда искать горизонт?

– Везде.

Направляя свою трубу то влево, то вправо, робот поочередно указывает на два противоположных места вблизи края черной дыры в направлении двух изображений астероида и между ними.

Теперь, переводя глаза от одного изображения к другому, вы ждете, что они оба продолжат падение, исчезнув за горизонтом, в дыре. Но к тому времени, как вы завершили еще один полный оборот, небольшой, размером с орех, серебристо-коричневый астероид все еще плывет над темной пустотой. Как ни странно, он, кажется, совсем не изменился с того раза, когда вы были над ним. Более того, похоже, что он больше не собирается двигаться или вращаться.

– Он не падает! – кричите вы с облегчением, так что, может быть, вам не грозит сегодня оказаться разорванным в клочья черной дырой.

– Падает, – исправляет вас робот. – Его там больше нет.

– Очень смешно.

– Он исчез, – настаивает робот. – Остался только его образ. То есть искажение пространства-времени в действии. Пространства *и* времени. Наше время, твое и мое, не течет одинаково с астероидом. Он уже за горизонтом. Его изображение еще на горизонте. Как-то так.

Пока вы осознаете это, мимо вас, в пустоту, проносится еще один объект: на этот раз – сверкающий камень. Он выглядит очень похоже на огромный алмаз – и на самом деле является именно им. Некоторые звезды, умирая, могут оставить после себя алмазы размером с Луну.

Наблюдая за его падением, вы завершаете еще один круг вокруг черной дыры и понимаете, что стали гораздо ближе к ней, чем раньше. И движетесь куда быстрее. Еще ряд оборотов, и несколько изображений астероида и алмаза оказываются рядом, словно застывшие в сюрреалистической темноте, становящиеся все более и более искаженными. И то же самое происходит со всем наблюдаемым вами остальным.

Что бы ни говорили вам глаза, робот опять прав: астероид и алмаз безвозвратно исчезли. А черная дыра выросла в размерах, поглотив их обоих. Или по крайней мере увеличился ее горизонт.

– И что ты хотел заставить меня увидеть? – спрашиваете вы робота. – Как пустая дыра растет, проглатывая вещи?

– Черные дыры отнюдь не пусты, – зловеще произносит робот.

На самом деле, черные дыры представляют собой полную противоположность пустоте: они – то, что происходит, когда *слишком много* материи и энергии оказывается в чересчур маленьком пространстве. Для ее создания требуется колоссальная энергия. Насколько нам известно, только самые огромные из ярких звезд излучают достаточное количество энергии, чтобы, умирая, сжать свое сердце в такое целое.

Ранее во время путешествия вы столкнулись с белыми карликами, а белые карлики – результаты подобных сжатий, но они не настолько экстремальны, как черные дыры. Все типы таких остатков звездных катастроф производят впечатление, но черные дыры выходят за пределы всех их. И раз уж мы здесь, то, пока вы по спирали проделываете вниз еще пару кругов вокруг черной дыры, в которую неумолимо падаете, позвольте мне назвать еще одну причину, почему они столь пугающие и таинственные.

Если бы вам пришлось оказаться на каком-нибудь объекте во Вселенной, будь то астероид, планета или звезда, вы могли бы послать оттуда световой сигнал, определив ваше положение. Но чем плотнее объект, на котором вы оказались, тем бо́льшим количеством энергии должен обладать ваш сигнал, чтобы подняться вверх по склону, созданному вокруг данного объекта в пространстве-времени. Это так же, как в случае с миской: чем она глубже, тем быстрее вам нужно разогнать мраморный шарик в нижней части для того, чтобы проделать по спирали весь путь вверх и оказаться снаружи. Сидя на планете, звезде или белом карлике, вы должны последовательно посылать все больше и больше энергии для выхода сигнала в космос, чтобы избежать его притяжения и падения обратно.

Черные дыры еще хуже. Они содержат так много материи и энергии и, следовательно, создают настолько крутой пространственно-временной склон, что все, чему не повезло подойти к ним на слишком близкое расстояние, обречено на падение туда. Согласно Общей теории относительности, ничто в нашей Вселенной не имеет достаточной мощности, чтобы избежать гравитационного захвата черной дырой. Даже свет. Точка невозврата, за которую ничто не может выйти, – *горизонт событий* черной дыры – лежит где-то там, где, по всей видимости, застыли образы астероида и алмаза, если смотреть на них из-за ее пределов.

НИЧТО В НАШЕЙ ВСЕЛЕННОЙ НЕ ИМЕЕТ ДОСТАТОЧНОЙ МОЩНОСТИ, ЧТОБЫ ИЗБЕЖАТЬ ГРАВИТАЦИОННОГО ЗАХВАТА ЧЕРНОЙ ДЫРОЙ. ДАЖЕ СВЕТ.

Темнота продолжает вырастать перед вами, словно огромный рот, готовый проглотить вашу реальную сущность.

Далекие звезды повсюду теперь выглядят совершенно иначе. У вас даже возникает приводящее в замешательство ощущение того, что то, что вы видите перед собой, на самом деле находится сзади... Повернув голову, вы понимаете, что это не просто ощущение, а реальный факт. Свет, излучаемый сияющими за вашей спиной звездами, перемещаясь с обычной для него скоростью, обгоняет вас и несется вниз по склону, созданному черной дырой. Все лучи, распространяющиеся слева от монстра, вновь появляются уже справа от него, совершив, словно на американских горках, разворот на 180 градусов. А затем эти лучи разворачиваются вам навстречу, ослепляя. Поэтому, глядя вперед, вы видите находящееся позади вас...

С того места, где вы находитесь, на самом деле, можно увидеть всю Вселенную, просто глядя вперед.

А так как вы продолжаете опускаться по спирали, все становится еще более запутанным.

Образы астероида и алмаза теперь снова пришли в движение: по мере того как вы оказываетесь все ближе к ним, их и ваше время все сближаются, и вот они внезапно исчезают совсем.

Вы только что видели, как они пересекают горизонт, сквозь который они, вероятно, прошли несколько часов назад, по их собственному времени.

Летящий рядом с вами робот развернулся, его труба теперь указывает в сторону космоса.

Вы тоже медленно оборачиваетесь, опасаясь того, что можете там обнаружить.

И то, что вы видите, лежит за пределами воображения.

Все находящиеся повсюду звезды, секунду назад казавшиеся замершими, теперь перемещаются. Отсутствие их неподвижности, как правило, незаметное даже на отрезке длиной в человеческую жизнь, теперь для вас очевидно. Начиная с ближайших и заканчивая самыми отдаленными, все они несутся по пространству и времени. Некоторые из них движутся настолько быстро, что даже оставляют след на сетчатке ваших глаз, рисуя затухающие кривые света на вашей картинке Вселенной. Точно так же как раньше, когда вы неслись по Вселенной, разгоняясь все ближе к скорости света, вы наблюдали жизни космонавта, его детей и детей его детей, пролетающие в прошлом, и их время ускорялось по сравнению с вашим. На тот момент ваше время и их были разными из-за вашей скорости. На этот раз все это происходит из-за гравитации вследствие искривления пространства-времени, обусловленного наличием черной дыры. Ибо здесь, вокруг черной дыры, ваше время течет медленнее, чем где-либо еще. Вы видите разворачивающееся будущее Вселенной, и это опять же то, что на практике подразумевает пространство и время, объединенные в пространство-время.

– Мы уже пересекли горизонт? – вдруг спрашиваете вы с беспокойством. – Или нам придется вечно падать внутрь?

Робот снова оборачивается, чтобы взглянуть на вас, и вы с большим удивлением понимаете, что его труба расширилась. Собственно говоря, он выглядит так, будто предназначен уже для выбрасывания не частиц, а шаров для боулинга...

– *Мы* еще не пересекли, – отвечает он. – Но *ты* как раз собираешься.

Если бы вы были более благоразумны, то сказали бы, что обнаружили в голосе робота нотку удовольствия. Но прежде, чем вы успеваете отреагировать, он выстреливает тяжелым мячом прямо вам в грудь. Вы не в состоянии избежать удара, и у вас нет другого выбора, кроме как поймать летящий в вас снаряд. Мгновенно его скорость толкает вас вниз, по направлению к зияющей темноте...

Вы кричите, отчаянно стараетесь ухватиться за что-нибудь, пытаясь остановить свое падение, но вокруг нет ничего, чтобы задержаться.

Вы падаете. Робот отдаляется.

Одна ваша секунда соответствует уже его одной минуте.

А теперь часу.

А теперь дню.

А теперь году.

Пока робот продолжает удаляться, миллионы лет проплывают перед вами. Звезды взрываются. Новые звезды рождаются. И вы видите все это.

Прошли уже миллиарды лет снаружи дыры. Другая галактика сливается с той, в которой вы находитесь.

Робота больше нигде не видно. Вы предоставлены самому себе.

И вы паникуете.

Вы пересекли горизонт черной дыры. Ошарашенный, вы смотрите в будущее всего. Охваченный страхом, не в силах сосредоточиться, вы падаете вперед ногами, устремив взгляд вверх, над вашей головой, на разворачивающуюся жизнь всей Вселенной, в то время как сами исчезаете в бездне неизвестного небытия, на дне которого лежит сингулярность.

И теперь вы опускаете взгляд, чтобы посмотреть в нее, в загадочное сердце черной дыры, где противоположность небытия, сама материя, создающая весь этот нонсенс, должна создать где-то и этот абсурд.

К вашему большому удивлению, вы вообще ничего не видите. Даже своего тела. Ни ног. Ни носа. Ни даже не вашей собственной руки.

Свет может упасть на вас сверху, придя снаружи, но отсюда ничего не сможет подняться – изнутри, с любого направления, независимо от его близости. У света нет на это достаточной энергии. Вы пересекли горизонт черной дыры и теперь обречены вечно падать в направлении поверхностей многих разрушившихся звездных ядер, объединившихся во время бесконечного падения, пока они слишком сильно не растянут пространство-время для общей теории относительности Эйнштейна с неизвестными последствиями.

На самом деле, если бы вы реально оказались там, то были бы мертвы, ибо если даже свет не может проделать крошечный путь от ваших ног к глазам, то нет никакого способа, с чьей помощью кровь смогла бы взобраться по склону пространства-времени, по которому вы скользите вниз, чтобы достичь вашего мозга.

Но так как нам еще много чего предстоит увидеть, то мы предполагаем, что вы все еще живы.

Не желая смотреть в эту бездонную тьму, вы решаете снова взглянуть вверх на Вселенную и на то, как ее изображения текут вниз по направлению к вам сквозь теперь уже далекий горизонт. Но вы не можете. Любое движение, предполагающее перемещение части вашего тела вверх, в направлении «наружу», запрещено. Это потребовало бы энергии, которой не обладает даже свет.

Ни одного движения вверх не допускается.

Как только вы начинаете задаваться вопросом, существует ли что-то хуже этого, приливные силы начинают истязать ваше тело. Гравитационное влияние невидимого присутствия черной дыры теперь начинает тащить ваши ноги вниз сильнее, чем руки и голову. Гравитация черной дыры удлиняет ваше тело. Вы собираетесь закончить свою жизнь растянутым, как спагетти.

Даже если бы коварный робот вооружил вас самыми мощными из изобретенных ракетных двигателей, это бы ничего не изменило.

Вне зависимости от мощности двигателя, как только бы вы попытались двигаться вверх по направлению к горизонту черной дыры, то почувствовали бы, как вас растягивает на скользкой, натянутой ткани пространства-времени, словно беспрерывно работающая беговая дорожка, чья скорость всегда превышает вашу с огромным отрывом, увлекает вас вниз.

По мнению Пенроуза и Хокинга, вас затянула сингулярность пространства-времени, лежащая где-то там внизу, сингулярность, которую никогда не будет видно из космоса. Ни одному лучу света не позволено проникнуть за горизонт, сингулярность скрыта им. Там, внизу, само представление о пространстве и времени ломается, так же как за некоторое время до Большого взрыва. Никто никогда не мог проникнуть в сердце сингулярности и выйти, чтобы рассказать о ней. Такие места, по-видимому, должны навсегда остаться под покровом тайны.

Согласно общей теории относительности, ни вы, ни какой-либо принадлежащий вам атом никогда не сможет выбраться оттуда.

Грустная мысль, особенно теперь, когда вы полностью разорваны, превратившись в длинную нить из всех частиц, составлявших ваше тело.

Да, мысль грустная, но общей теории относительности не стоит доверять там внизу.

Ибо мы должны помнить, что общая теория относительности не является квантовой теорией поля.

И в тот момент, когда это приходит вам в голову, надежда немедленно возвращается, и вы превращаетесь в мини-копию.

И ждете.

Сначала ничего не происходит.

А потом, как ни удивительно, вы видите, что все составляющие вас элементарные частицы исчезают.

Или выпрыгивают, если быть более точным.

По существу, они делают квантовый скачок.

И теперь они снаружи.

Снаружи черной дыры, где, к вашему счастью, они снова собираются в мини-копию вас.

И там вас встречает робот.

В данный момент вам очень хочется наброситься на него и попытаться вырвать из его корпуса металлическую трубу, мстя за тот выстрел, что увлек вас за горизонт черной дыры, но прежде, чем вы успеваете что-то сделать, раздается металлический голос робота:

– Я ждал тебя около 10 миллиардов лет. Я рад, что ты узнал меня.

И внезапно у вас пропадает решимость причинить ему боль. И, кроме того, есть более важные вещи для раздумий. Не в последнюю очередь о том, что вы только что пережили на примере гравитационных и квантовых полей, взаимодействующих друг с другом.

Все вокруг и звезды снова движутся незаметно медленно. 10 миллиардов лет действительно прошло с тех пор, как вы пересекли (извините, были вытолкнуты за) горизонт черной дыры. Вы смотрите на черное пятно пространства, из которого чудом спаслись. На первый взгляд, кажется, изменилось немного; но теперь, когда вы знаете, что искать, это похоже на то, как если бы убрали еще одну завесу, и вы действительно *видите.* Излучающиеся черной дырой частицы спасаются бегством, удаляясь от нее, и у вас появляется ощущение, что темный монстр испаряется.

Может быть, так происходит все время, понимаете вы, но вы просто не замечали. Но как такое может быть?

Как сказал однажды Ричард Фейнман: «Только тот действительно понимает феномен, кто может привести множество разных причин, чтобы он случился».

Таким образом, пока вы с роботом наблюдаете за ливнем высыпающихся в космос частиц, я приведу вам четыре причины, почему сквозь черные дыры протекают частицы. Все они связаны с процессом, с которым вы уже столкнулись.

Первая из них – самая простая.

Как вам известно, квантовые частицы могут заимствовать энергию из своего поля. И они могут делать это, даже находясь за горизонтом черной дыры. С помощью этой заимствованной энергии они некоторое время могут двигаться быстрее скорости света. Недолго, но достаточно для совершения квантового прыжка из зоны невозврата черной дыры. Это то, что сделали вы, будучи своей мини-копией. Это – квантовый процесс.

Все способы понять, что с вами случилось, являются квантовыми по своей сути, так что все они сопровождаются обычным предупреждением о вреде вашему здоровью, ибо, как и многое из того, что вы видели в квантовом мире, они могут показаться абсурдными.

Вторая причина – не исключение: можно сказать, что все провалившиеся сквозь горизонт черной дыры частицы одновременно не совершали этого. И делали, и не делали. Из всех возможных путей частица (рассматриваемая как волна) может выбрать упасть в дыру, и в большинстве случаев она промахнется, потому что за пределами черной дыры гораздо больше пространства, чем в ней. Удивительно, но эта тщательно разработанная идея заставляет черную дыру испаряться точно так же, как и первая причина выше.

Третья причина заключается в следующем: из-за разделяющего их горизонта вакуум за горизонтом черной дыры горизонта отличается от вакуума снаружи, так некая форма силы вакуума, эффект Казимира, заставляет горизонт вталкиваться внутрь, в результате чего черная дыра сжимается и испаряется. Это опять-таки каким-то чудом дает тот же результат, что и выше.

Четвертая и последняя причина, которую я здесь приведу, это та, что рождение пар частиц-античастиц происходит вблизи всех горизонтов черных дыр, причем античастицы сваливаются в дыру чаще, чем частицы; точно так же, как вокруг нас, как правило, частиц больше, чем античастиц. Перейдя горизонт, античастица обязана в конечном итоге аннигилировать с находящейся там частицей, заставляя их обеих исчезнуть, и снаружи остается только частица: частица, созданная вместе с античастицей, близнец частицы, аннигилировавшей внутри. Опять же это дает в итоге тот же результат.

ЧЕРНЫЕ ДЫРЫ ИСПАРЯЮТСЯ. ОНИ ПРОТЕКАЮТ.

Все эти квантовые эффекты вы наблюдали и прежде, но здесь они применяются в непосредственной близости от черной дыры. И все ведут к одному и тому же выводу: черные дыры испаряются. Они протекают.

Поэтому когда вы теперь смотрите на блеск черной дыры, то понимаете, что этот космический монстр черной дыры, на протяжении миллиардов лет поглощавший целые звезды, уже не черный, а серый. И сокращающийся.

Еще более удивительным является факт, что чем больше частиц она излучает, тем горячее становится, а чем жарче становится, тем больше частиц из нее выбрасывается. Замкнутый круг, неумолимо ведущий к ее смерти.

Смерть черной дыры.

Каким бы невероятным это ни показалось, черная дыра, на которую вы смотрите, *сокращается*, испуская некоторое излучение. Энергия пространства-времени, хранящаяся в ней в результате поглощения целых миров, теперь возвращается обратно в космическое пространство, частица за частицей в каждый момент времени, как будто, подобно радиоактивному распаду, существовавшие вокруг черные дыры лопаются, давая частицам второй шанс...

Все квантовые поля природы, возбуждаемые тем, что является не чем иным, как самым мощным гравитационным объектом, известным во Вселенной, в настоящее время используют это неожиданное золотое дно, чтобы наполнить себя энергией. По мере того как черная дыра становится все горячее и горячее, их фундаментальные частицы – до сих пор дремавшие – просыпаются и выходят наружу. Вы видите, как это происходит. И чем меньше становится черная дыра, тем сильнее возбуждение полей, тем более энергично выбрасываются из нее частицы. Гравитационная энергия в очередной раз преобразовывается в материю и свет.

Пока весь процесс разворачивается на ваших глазах, вы понимаете, что он – полное противоречие земным законам: горячая вода в кружке на планете Земля не нагревается, испаряясь. Обычно она остывает. Если бы это было иначе, то забытый на столе горячий кофе привел бы к катастрофе. Вечерние новости пестрели бы историями вроде: «Еще одна чашка кофе подожгла стол, что привело к возгоранию всего здания. Не забывайте всегда обезвреживать ваши горячие напитки, сливая их в соответствующие резервуары».

ЧЕМ БОЛЬШЕ ИСПАРЯЮТСЯ ЧЕРНЫЕ ДЫРЫ, ТЕМ БОЛЬШЕ ОНИ СЖИМАЮТСЯ И СТАНОВЯТСЯ ГОРЯЧЕЕ. НИКТО НЕ ЗНАЕТ, ЧТО ПРОИСХОДИТ В КОНЦЕ ЭТОГО ПРОЦЕССА. ИСЧЕЗАЮТ ЛИ ОНИ? ЧТОБЫ ВЫЯСНИТЬ ОТВЕТ, НЕОБХОДИМО УЗНАТЬ, КАКИЕ ЗАКОНЫ ИМИ УПРАВЛЯЮТ. УЧЕНЫЕ ИЩУТ ИХ, НАЧИНАЯ С 1975 ГОДА.

Черные дыры явно отличаются от чашек кофе. Чем больше они испаряются, тем больше они сжимаются, тем горячее они становятся. Никто не знает, что происходит в конце этого процесса. Исчезают ли черные дыры с финальным взрывом? Остаются ли от них странные, крошечные остатки с особыми свойствами? Чтобы выяснить ответ, необходимо узнать, какие законы управляют сингулярностью, скрытой глубоко внутри. Ученые ищут их, начиная с 1975 года.

Это был тот год, когда Стивен Хокинг обнаружил на бумаге, что черные дыры испаряются.

Сначала он не поверил собственным расчетам. Свет казался выходящим из места, где никакому свету не предполагалось быть вообще. Так что он снова повторил свои расчеты. И снова. Только чтобы убедиться, что свету и частицам действительно удалось найти выход из черных дыр. Он опубликовал свое открытие в журнале *Nature* и мгновенно стал известен во всем мире, за пределами научных кругов. Квантовые эффекты заставили черные дыры испаряться. Что бы ни очутилось внутри них, *не* обречено остаться там навсегда. Оно выходит наружу, пусть и не обычным способом. Обладая способностью испаряться, черные дыры ведут себя так, будто обладают температурой, известной сегодня как *температура Хокинга*.

Наблюдая, как из черной дыры выходят остатки энергии, вы понимаете, что то, на что вы смотрите, сообщает вам, что микромир и мегамир *способны* общаться, если им, конечно, приходится это делать. Излучение черных дыр до сих пор является единственным доказательством, что наши теории могут в этом отношении отражать природу. Это *конкретный* намек, говорящий, что теория квантовой гравитации все-таки может быть возможна. Любому серьезному сопернику такой теории придется рассчитать температуру Хокинга и испарение черных дыр – весь путь до самой смерти черной дыры.

– Черные дыры могут умирать, – говорите вы громко вслух, не в силах поверить.

– Как и все остальное в этой Вселенной, – подхватывает робот.

Но примерно в конце 70-х годов прошлого века открытие Хокинга также привело к довольно странному и весьма нервирующему заявлению. Имея в руках свою формулу температуры, Хокинг попытался извлечь и расшифровать из найденного им излучения информацию о том, что в первую очередь составляет черную дыру. Чтобы упростить процесс, он начал с уже полностью сформированной черной дыры и «бросал» в нее различные предметы, чтобы увидеть, как преобразует каждый из них последующее излучение. Удивительно, но не оказалось никакой разницы. Ничто в испускаемом излучении не сообщало ему ничего о брошенных в дыру вещах, кроме их массы. Из того, что он мог сказать, казалось, что черные дыры целиком и полностью избавляются от характеристик того, что они поглотили. Кроме их массы. Независимо от того, проваливались ли сквозь горизонт черной дыры люди, стопки книг, астероиды или алмазы, если у них оказывалась одинаковая начальная масса, то впоследствии они испарялись абсолютно одинаковым образом. Так что для черных дыр, по версии Хокинга, люди, книги и камни были одинаковыми на вкус. Для всех нас это означает, что для черных дыр какое-то значение имеет лишь наша масса, что может задеть достоинство некоторых. Для ученых, однако, это стало философской катастрофой.

До работы Хокинга предполагалось, что черные дыры поглощают все, что пересекает их горизонт, и растут, и это не представляло собой проблемы. Все, что упало внутрь, не теряется. Оно просто хранится за горизонтом, и трудно (на самом деле невозможно, но кто знает) извлечь его обратно.

Имея ошеломляющую информацию об испарении черных дыр, мы сталкиваемся с ее тревожным осуществлением на деле: вещи начинают пропадать из реальности. Независимость *излучения Хокинга** от того, что именно попадает в дыру, означает, что эти темные монстры становятся провалами памяти нашей Вселенной. И раз черные дыры испарили хранимое в недрах прошлое, к которому не только трудно, но и невоз-

* Излучение Хокинга — это название процесса излучения частиц из черных дыр во время испарения.

можно получить доступ, то его просто нигде больше нельзя будет найти. Оно исчезло навсегда. Наука искала Теорию всего, теорию объяснения всего в одной формуле, и первый же результат, достигнутый в результате такой попытки, нанес невыносимый удар по науке в целом. Науке, навечно лишенной шанса объяснить потерянное прошлое, очутившееся в черных дырах, велено отказаться от надежды однажды описать и понять всю историю Вселенной. Излучение Хокинга стало колоколом, возвещающим не конец квантовой физики или общей теории относительности, но конец физики как средства познания, откуда произошла Вселенная. Эта проблема была дублирована *информационным парадоксом черных дыр.*

Сегодня физики больше знакомы с грубыми приближениями Хокинга, используемыми им для достижения результата. Но и через 40 лет после своего открытия, когда Хокинг попросил меня поработать над этой проблемой вместе с ним, она осталась окутанной тайной. Но теперь появились намеки, что выход может быть найден, если применить то, что известно о квантовом мире, к самим черным дырам, и тогда оказывается, что черные дыры могли существовать, а могли и не существовать... Куда привели ученых такие размышления, вы узнаете в следующей, заключительной части книги.

Однако на данный момент, находясь в неизвестном количестве миллиардов лет в будущем, вы вдруг вспоминаете о подозрительном счастье робота по поводу вашего возвращения из черной дыры. Разве вас не удивило тогда, почему он был так обрадован, что вы его узнали?

Вы думали, что это было искренне, не так ли? Но, вероятно, ничего подобного, и теперь вы знаете причину: робот не был уверен, помните ли вы что-нибудь вообще. Он не знал, очистит или нет черная дыра ваше тело и разум от всей содержащейся в них информации. Когда вы узнали его и хотели разорвать его на куски за то, что он толкнул вас, то он узнал...

Он узнал, что вы вспомнили все, что информация в вашем случае не была потеряна, даже если у вас нет ни малейших воспоминаний о том, как вам удалось вернуться сквозь горизонт черной дыры.

Вы помните, что стали набором из фундаментальных частиц. А потом – что оказались снаружи.

В промежутке произошел квантовый скачок или что-то другое.

Выяснение того, как именно это могло случиться, – именно то, что предполагает достичь приличная теория квантовой гравитации. И так как это то, что вы будете исследовать в ближайшее время, позвольте мне подчеркнуть тот факт, что с начала этой части книги вы вошли в чисто теоретический мир. Темная материя никогда не была создана в лаборатории, так же как и темная энергия, то же самое справедливо и для черных дыр: их испарение до сих пор не было обнаружено никаким экспериментом, прямо или косвенно. Иначе Хокинг получил бы Нобелевскую премию.

Испарение черной дыры, например, довольно трудно обнаружить.

Насколько трудно?

Посмотрим.

Возьмем Солнце.

Чтобы превратить его в черную дыру, вам нужно было бы сжать его до сферы шесть километров в ширину. Это эквивалентно примерно двум третям диаметра

Лондона*. Большинство черных дыр во Вселенной рождаются при гибели гигантских звезд, так что они должны быть больше Солнца (оно не является гигантской звездой). Теперь давайте предположим, что одна из этих черных дыр «солнечной массы» проглотила все поблизости и теперь тихо существует где-то вдали от всего. Ее температура излучения, температура Хокинга, должна составлять примерно одну десятимиллионную градуса выше абсолютного нуля (а абсолютный ноль равен около –273,15 °C).

Одна десятимиллионная доля градуса – не так много. Ее трудно измерить отдельно. Но это не главная проблема.

Основная проблема заключается в том, что температура Хокинга гораздо ниже, чем космическое микроволновое фоновое излучение температурой 2,7 °C, омывающее все в видимой Вселенной. В результате черные дыры солнечной массы не рассматриваются в настоящее время как испаряющиеся. По правде говоря, на сегодняшний день никто никогда не видел их в этом состоянии. Они есть и всегда были замаскированы остаточным реликтовым излучением эпохи Большого взрыва.

А так как чем тяжелее черная дыра, тем ниже ее температура, то хуже всего приходится крупным, сверхмассивным монстрам, которые сидят в центре большинства галактик Вселенной. Их температура Хокинга даже холоднее, чем у дыр с солнечной массой, не говоря уже о том, что они окружены чрезвычайно горячими кольцами падающей в них материи.

---

* В случае если вам интересно, как превратить в черную дыру не Солнце, а нашу планету, Землю, вам придется сжать все ее содержимое (включая вас) до размера помидора черри.

Следовательно, то, что могло бы принести Хокингу Нобелевскую премию, может находиться в микромире, так как крошечные черные дыры должны быть очень горячими.

К сожалению, тут все еще есть проблема: ученые достаточно уверенно говорят, что заметили гигантские черные дыры, но никогда не видели ни одной крошечной. Хотя это к делу не относится. Давайте предположим, что они есть. Можем ли мы на практике извлечь что-нибудь из них?

Чтобы выяснить это, позвольте мне сделать небольшое отступление от темы, которое прольет некоторый свет на то, что я раньше назвал стеной Планка.

В начале XX века один из самых впечатляющих ученых всех времен основал то, что мы сегодня называем квантовой физикой. Он был немец, как и Эйнштейн, и звали его Макс Планк. Он получил Нобелевскую премию по физике в 1918 году.

Из собственных открытий Планк понял, что существует масштаб, за пределами которого квантовые эффекты игнорировать нельзя. Возьмите большой объект, и все будет в порядке. К нему можно применить ньютоновское понимание природы, и независимо от того, что от него ожидается, он соответствует реальности, к которой мы привыкли в нашей повседневной жизни. Но стоит сжать этот объект до микроскопических размеров, и видение Ньютона начинает разваливаться. Ньютон, позвольте мне повториться, открыл способ описать мир в привычном людям масштабе. Это согласуется с нашим здравым смыслом. Для мегамира преобладает видение Эйнштейна. Для микромира – Планка. Там мы и должны рассматривать квантовый мир. И существует природная константа, позволяющая нам понять, где он начинается. Она называется *постоянной Планка.*

Постоянная Планка находится на равных с двумя другими универсальными природными константами, а именно со скоростью света и гравитационной постоянной, которая говорит нам, каким образом две массы притягиваются друг к другу.

Однажды Планк решил поиграть с этими константами и создал из них три вещи. Первая стала массой. Вторая – длиной. И еще одна – единицей времени.

Масса оказалась равной 21 микрограмму. 21-миллионная часть грамма. Ее называют *массой Планка.*

Длина составила приблизительно 10^{-35} метров. Это – *длина Планка.*

Время получилось равным около 10^{-44} секунды. Оно называется *временем Планка.*

Чему они соответствуют?

Они соответствуют масштабам, за пределами которых ни гравитация, ни квантовая физика не могут использоваться независимо друг от друга. Они являются порогами, за которыми для объяснения происходящего требуется квантовая гравитация, хотя ряд эффектов квантовой гравитации могут появиться до достижения этих масштабов.

Что это означает на практике?

Что ж, это означает, что масштабы Планка указывают размер самой маленькой возможной черной дыры.

Так что самая маленькая черная дыра, которую может представить себе сегодняшняя наука, весит около 21 микрограмма. Как ни странно, этот вес наш ум может принять. Но, похоже, он не впечатляет. Хотя он огромен, если втиснут в мельчайший объем пространства-времени: сферу шириной в длину Планка. Такая черная дыра испарится за... 10^{-44} секунды. Время Планка.

Предположим, что мы могли бы измерить такие крошечные и так быстро происходящие вещи. Тогда нам необходимо было бы создать черную дыру планковской массы для ее изучения. Но с нашими нынешними технологиями достаточно мощный ускоритель частиц для создания такой черной дыры при столкновении движущихся на высоких скоростях частиц должен быть размером с нашу Галактику. Само собой разумеется, что это выходит далеко за пределы наших возможностей, и я сомневаюсь, что кто-то готов приступить к сооружению такого устройства (кроме Хокинга, по понятным причинам). Хотя утешение может прийти из космического пространства, где могут быть обнаружены такие крошечные черные дыры, выплескивающие свою последнюю энергию. И только если пока еще неизвестному феномену захочется сообщить нам, где и что искать, тогда кому-то могло бы чрезвычайно повезти немедленно его обнаружить.

Хотя никто не сомневается, что излучение Хокинга существует. А это значит, что где-то там, в микромире, маячит новая реальность: квантовая реальность, содержащая в себе пространство и время собственной персоной.

И именно из-за нее, как вы сейчас увидите, в умах некоторых из самых блестящих ныне здравствующих ученых возникла самая необычная картина нашей Вселенной.

ЧАСТЬ 7 | ШАГ ЗА ПРЕДЕЛЫ ИЗВЕСТНОГО

ГЛАВА 1

ОБРАТНО К НАЧАЛУ НАЧАЛ

Как вы уже убедились, *видимая* Вселенная не бесконечна, и Земля вместе с вами находится в ее центре. Это – практический факт, и ключевое слово тут «видимая»: свет, достигающий вас с одного направления, приносит вести из прошлого, такого же отдаленного, как с любого другого направления, заставляя ваши космические окрестности выглядеть сферическими. Это не означает, что вся Вселенная имеет сферическую форму, хотя означает, что лишь *видимая* вами часть имеет ее. Самый древний свет, который достигает вас сегодня, покинул поверхность последнего рассеяния, стену в конце *видимой* Вселенной, около 13,8 миллиарда лет назад, когда Вселенная охладилась достаточно, чтобы стать прозрачной. Считается, что во время этого последнего рассеяния Вселенная имела возраст около 380 тысяч лет и температуру 3000 °С. После этого момента она расширилась и охладилась. До него она была меньше и горячее.

Таким образом, видимая Вселенная представляет собой сферу с центром на Земле, сферу, состоящую из всего прошлого, достигающего нас сегодня. Наружный край этого космического лука из слоев эпохи, край нашего наблюдаемого прошлого, является также первой видимой его частью, тем моментом истории нашей Вселенной, когда свет, не сдерживаемый материей, стал свободно распространяться. Вы были там. Вы видели эту стену. Вы даже ее пересекли. Но в ней есть что-то особенное. Что-то очень-очень странное, что вы не могли заметить тогда.

Вы помните, что обнаружили ваши друзья, одаренные телескопами за миллиарды долларов, глядя на ночное небо, – то, что заполняющее Вселенную излучение практически такое же, как и в остальных частях глубокого ночного неба, откуда оно берет свое начало. Это излучение, космическое микроволновое фоновое излучение, возвестило триумф теории Большого взрыва. Это было неоспоримое свидетельство, необходимое, чтобы доказать, что наша Вселенная была в прошлом меньше и во много раз горячее. Но ни друзья, ни вы не обратили внимания на тот факт, что излучение было слишком однородным, чтобы соответствовать тому, что ожидается от расширения нашей Вселенной. Как вы теперь видите, эта необыкновенная однородность является одной из причин того, почему ученые выдвинули идею эпохи космологической инфляции, которая имела место раньше – и вызвала – Большой взрыв, за 380 тысяч лет до того, как Вселенная стала прозрачной.

И как вы теперь тоже видите, она открывает путь к возможности не одного, а бесконечно многих больших взрывов.

Попросите всех по соседству выключить ночью свет и сядьте в шезлонг, чтобы посмотреть на небо. Ваши глаза наполнит свет глубокого космоса, космического микроволнового фонового излучения, несмотря на то, что оно слишком слабо, чтобы вы знали о нем. Глядя достаточно долго, с правильным оборудованием, вы регистрируете излучение и в конечном итоге получаете довольно однородную картину, везде показывающую температуру –270,42 °C, или 2,73 градуса выше абсолютного нуля. Теперь возьмите с собой шезлонг и переместитесь в диаметрально противоположное место Земли. Оно называется *антиподом*. Если вы стартовали откуда-то в Великобритании, то сейчас вы в середине Тихого океана. Никаких огней вокруг. Вы находитесь на плоту, в шезлонге, снова глядя в небо, собирая свет, льющийся на вас после того, как он пропутешествовал по всей Вселенной 13,8 миллиарда лет.

–270,42 °C, снова.

Точно такая же температура. Космическое микроволновое фоновое излучение.

Но для него нет абсолютно никакой причины оказаться везде одинаковым. На самом деле такая возможность должна быть исключена...

Реликтовое излучение, которое достигло вас в Великобритании, пришло с одного конца видимой Вселенной. То, что поймало вас в Тихом океане, – прямо с противоположного направления. Источники этого света настолько удалены друг от друга (два раза по 13,8 миллиарда световых лет), что, если только что-то странное не произошло на каком-то этапе, нет никакого способа на протяжении всей прошлой истории

Вселенной, что они могли когда-либо находиться в контакте.

Таким образом, они не должны иметь одинаковую температуру.

Чтобы понять, насколько странно то, что с ними происходит, возьмите кружку горячего кофе и принесите его в гостиную.

Сначала, если только вы не живете в печке, температура гостиной должна быть ниже, чем у кофе, но, если вы подождете достаточно долго, кружка и комната в конечном итоге сравняются в температуре. То есть достигнут температурного равновесия. Как вы уже много раз замечали на протяжении всей книги, судьба кофе всегда заканчивается тем, что он становится слишком холодным, чтобы быть вкусным.

Теперь возьмите кружку, положите ее в холодильник и закройте дверцу. Новое температурное равновесие также будет достигнуто спустя некоторое время. И даже холоднее первого.

Прогуляйтесь с кофе по какой-нибудь жаркой пустыне, и еще одно равновесие будет достигнуто. На этот раз более теплое.

Все это звучит вполне нормально. Ничего странного.

Теперь налейте себе еще одну кружку горячего кофе и снова поставьте его в гостиной. Очень маловероятно, чтобы он в конечном итоге имел такую же температуру, как и внутри морозильной камеры в Японии.

Два объекта или места, которые никогда не были и не будут в каком-либо контакте, предметы или места, даже не подозревающие о существовании друг друга, не имеют никаких оснований оказаться в итоге имеющими одинаковую температуру. Похоже на справедливое предположение, не так ли? Настолько справедливое, что должно применяться и к космическому пространству.

Чтобы две противоположные, антиподные части ночного неба достигли через 13,8 миллиарда лет раздельного существования абсолютно равной температуры –270,42 °C, они *должны* были контактировать, так или иначе, на каком-то этапе в прошлом. Но это не представляется возможным: принимая во внимание возраст Вселенной и скорость ее расширения, они слишком удалены друг от друга, чтобы когда-либо соприкасаться любым способом. Если только не произошло какое-то очень-очень странное явление.

Например, что-то, что могло бы двигаться быстрее света.

К сожалению, для сигнала (то есть всего, что может переносить какую-то информацию, независимо от ее формы, из одного места в другое) это невозможно. Мы не говорим здесь о квантовых процессах, так что сигналы, какой бы природы они ни были, не могут распространяться быстрее света. Это действительно запрещено.

Тем не менее температура космического микроволнового фонового излучения такая, какая есть: слишком похожа везде, чтобы быть совпадением. Как такое может быть?

Может оказаться, что пространство-время – сама Вселенная, говоря другими словами – росло быстрее, чем свет, на каком-то этапе в прошлом.

И это то, что вы видели, путешествуя назад во времени за пределы Большого взрыва, когда вы вошли в так называемую *эпоху инфляции*, когда Вселенная была заполнена инфлатонным полем.

В своей современной форме инфляционная модель ранней Вселенной была впервые предложена в 80-х годах прошлого века американским физиком-теоретиком Аланом Гутом, русским астрофизиком Алексеем Старобинским и русско-американским физиком-теоретиком Андреем Линде. Стандартная модель заключается в том, что давным-давно, еще до появления материи, света и всего, что мы знаем, за пределами видимой Вселенной, за пределами Большого взрыва, существовало поле, заполняющее Вселенную отталкивающей антигравитационной силой. Это поле было настолько необычайно мощным, что вызвало период ускоренного расширения, которое разносило друг от друга различные части ранней Вселенной со скоростью, намного превышавшей скорость света, что позволяет местам, которые сегодня кажутся слишком далекими друг от друга, на самом деле контактировать в прошлом*.

Именно поэтому появилась идея инфлатонного поля.

Но реально ли оно? Можем ли мы, как и в случае со всеми другими квантовыми полями, обнаружить некоторые из его фундаментальных частиц?

Если поле реально, то большинство его частиц должны были давным-давно исчезнуть (вызвав

---

* Кстати, это не представляет никакого противоречия с установленным Эйнштейном ограничением скорости света, потому что расширилось именно пространство-время, а не быстро прошедший по нему сигнал. Два объекта, отдаляющихся друг от друга со скоростью, превышающей скорость света, никогда больше не смогут вступить в контакт.

горячий Большой взрыв), но оно не могло стереться полностью. Так или иначе, инфлатонное поле все еще должно существовать вокруг, заполняя всю Вселенную, сохранившись в одной из своих обладающих наименьшей энергией форм, вакууме, который, как раз из-за отсутствия достаточного количества энергии вряд ли когда-либо возбудится достаточно, чтобы произвести на свет и показать нам свои частицы.

Инфлатоны, так называются его частицы, не обнаружены (пока). Тем не менее многие ученые убеждены в том, что какой-то сценарий инфляционной модели с ее инфлатонным полем должен довольно близко напоминать произошедшее на самом деле. И так как мне лично эта идея очень сильно нравится, то давайте отнесемся к ней серьезно и посмотрим, какой должна была бы быть история Вселенной, содержащей такое поле.

Инфлатонное поле первым проделало очень хорошую работу по разделению различных частей нашей видимой Вселенной так быстро, что с тех пор они никогда не вступали в контакт – и, вероятно, никогда больше не вступят, – хотя он и был в прошлом.

Затем последовал Большой взрыв, со всеми своими полями, частицами и переносчиками взаимодействий, возникших из колоссального объема энергии, выделенной распадающимся инфлатонным полем, которое впоследствии стало спокойным.

Затем началось расширение Вселенной. Нормальное расширение. Не сверхбыстрая инфляция.

Инфлатонное поле не исчезло полностью, но слишком значительная часть его энергии была использована для запуска Большого взрыва, и оно после не оказывало никакого влияния на что-либо вплоть до момента... 8 миллиардов лет спустя.

8 миллиардов лет после Большого взрыва, после 8 миллиардов лет устойчивого роста нашей Вселенной, материи, которую породило инфлатонное поле, оказалось достаточно для того, чтобы его вакуум вновь проснулся с драматическими последствиями: его антигравитационная сила вызвала ускоренное расширение Вселенной.

Экспериментальное обнаружение этого ускорения в 1998 году стало тем, за что Перлмуттер, Шмидт и Рисс в 2011 году были удостоены Нобелевской премии по физике.

Конечно, способ, которым инфлатонное поле влияет на поведение Вселенной в настоящее время, ничто по сравнению с тем, как оно разнесло все в разные стороны до Большого взрыва, во время *эпохи инфляции*. Тем не менее оно может отвечать за то, какое будущее ожидает нашу реальность.

Антиподные части Вселенной, как видно с Земли, теперь слишком далеко, чтобы когда-либо быть в контакте, но он случился *до* Большого взрыва. Поэтому у антиподных частей ночного неба есть все основания вести себя похожим образом.

Итак, не является ли это появление нового поля, инфлатонного поля, просто выходом из головоломки, хитрым трюком для объяснения того, почему диаметрально противоположные точки на ночном небе имеют одинаковую температуру, или же инфляция на самом деле существовала? И возможно ли это проверить?

Удивительно, но возможно.

ГЛАВА 2

МНОЖЕСТВО БОЛЬШИХ ВЗРЫВОВ

Некоторое время назад вы проводили эксперимент с котом. Котом Шредингера. Целью было найти метод, чтобы выразить странное микроскопическое квантовое поведение в макроскопической, наблюдаемой реальности. Ну хорошо, инфляция его тоже иллюстрирует. И никакой необходимости в коте тут нет.

Согласно хронологической шкале, как вы только что видели, эпоха инфляции происходила до Большого взрыва. Инфлатонное поле превратилось из того, что было чрезвычайно крошечной Вселенной, в нечто макроскопическое за невообразимо малое время*. Затем инфлатонное поле и его фундаментальные частицы (инфлатоны) распались в чистую энергию согласно уравнению $E = mc^2$. Выделилось огромное количество энергии, и Вселенная стала невероятно горячей. Именно так, как понимается теперь, начался (горячий) Большой взрыв (в рамках такого сценария), возбудив поля, которые позже стали тем, из чего возникли мы и все остальное, существующее сегодня.

В эпоху инфляции скорость расширения Вселенной была настолько необычайной, что все квантовые

* Если вы поклонник точных цифр, то космологическая инфляция, как предполагается, случилась где-то примерно между 0,000000000000000000000000000000000001 (10^{-36}) и что-то вроде 0,00000000000000000000000000000001 (10^{-32}) секунды после рождения пространства и времени. В течение этого времени инфлатонное поле заставило расти всю Вселенную с коэффициентом 100000000000000000000000000 (10^{26}).

флуктуации (колебания), которые могли случиться (а значит, случились), застыли одна за другой. Еще более необычно, что эти «замороженные» флуктуации можно увидеть сегодня в том достаточно точном изображении, полученном учеными из реликтового излучения.

Инфляция предрекла невероятную гладкость заполняющего Вселенную реликтового излучения. Но это одна из причин, почему инфляция была создана в первую очередь. То есть на самом деле не предсказание.

Но она также говорит, что должны наличествовать квантовые флуктуации, запечатленные на этом фоне излучения в виде крошечных разнонаправленных перепадов температур. Такие перепады называют *анизотропией*.

Это был неизвестный факт, и тем не менее такие флуктуации обнаружились: американские астрофизики Джордж Фицджеральд Смут и Джон Мазер разделили в 2006 году Нобелевскую премию по физике за экспериментальное обнаружение необыкновенной однородности реликтового излучения и содержащейся в нем анизотропии.

Эта анизотропия составляет порядка тысячной доли градуса по Цельсию, но она важна. Даже полагают, что она позже вызвала образование звезд и галактик.

Без нее Вселенная была бы однородной. Звезды никогда не смогли бы сформироваться.

Благодаря этим флуктуациям появились крошечные различия между разными местами нашей юной Вселенной, а затем гравитация сделала эти различия еще более выраженными, усилив их, создав звезды и все другие структуры космоса.

Итак, инфляция снова смешивает микромир с мегамиром, раз проходит весь путь от квантовых флуктуаций на самой ранней стадии развития Вселенной до рождения в ней структур, которые мы видим сегодня. Она даже намекает на то, чем может быть таинственная темная энергия, так как эта антигравитационная сила могла исходить из остаточной энергии вакуума инфлатонного поля.

Инфляция потенциально объясняет многое необъяснимое в космическом пространстве. Поэтому ее нужно рассматривать очень серьезно. И раз уж мы коснулись этой темы и я упомянул о довольно озадачивающих последствиях такого сценария, то вот они.

Как понимается сегодня, инфлатонное поле не может в действительности оставаться спокойным. Оно не может быть «одноразовым» полем, появившимся только однажды, при рождении Вселенной. На самом деле, как предполагается, оно вызвало не один Большой взрыв, а много. Бесконечное количество.

Как и все квантовые поля, инфлатонное поле должно подвергаться квантовым флуктуациям, позволяющим ему перепрыгивать в локальном масштабе из одного вакуумного состояния в другое. Обычно для виденных вами до сих пор полей такой процесс приводит к появлению частиц, которые в состоянии перепрыгивать откуда-нибудь куда-то еще или появляться из ниоткуда. Здесь, однако, это означает, что поле может создать небольшую вселенную из себя самого. Или две. Или много. Повсюду. И когда я говорю «повсюду», то имею в виду именно это, хотя временны́е промежутки могут (или не могут) быть огромными. Этот процесс называется *вечной инфляцией*. Он никогда не прекращается. Вселенные-пузыри появляются внутри уже существующих вселенных, где квантовый вакуум инфлатонного поля перескочил в другое состояние, другой вакуум. Они похожи на две капли масла, упавшие на поверхность озера. Они растут. И растут. И растут... И внутри этих капель растут другие капли.

Вселенные-пузыри внутри вселенных-пузырей внутри вселенных-пузырей.

Пример мультивселенной, но мультивселенной другого типа, чем виденная вами*. По такому сценарию вы и я жили бы в одном из таких пузырей вселенной, и там вполне могут быть пузыри, готовые появиться внутри нашего пространства-времени на каком-то этапе в далеком будущем. Так же как наша Вселенная, возможно, выскочила из еще одного пузыря, того, который в настоящее время гораздо больше и, возможно, немного поврежден или сдувается. Следовательно, потенциальная гибель нашей видимой Вселенной от переохлаждения в будущем может быть формой, необходимой для роста новых вселенных-пузырей...

Отлично.

Мы еще раз взглянем на эти забавные, неожиданно появляющиеся вселенные, когда вы будете путешествовать по ландшафту теории струн в конце книги. Между тем, вечная инфляция может (и должна) казаться вам совершенно сумасшедшей (как и мне, но мне это нравится), и тем не менее по сравнению с теорией струн, с которой вы собираетесь познакомиться,

---

* Первая из них состояла из всех частей нашей Вселенной за пределами наблюдаемой нами реальности, а вторая была многомировой интерпретацией квантовой механики Эверетта. А это третья: вселенные, рожденные внутри самих вселенных.

ничто никогда не покажется вам более нормальным, точно-точно... Вы должны даже рассматривать только что встреченные вами вселенные-пузыри как прелюдию к тому, что станет целью вашего последнего путешествия. Но, перед тем как попасть туда, прежде чем вернуться к видимой Вселенной и увидеть, где могут скрываться эти знаменитые струны, что они из себя представляют и что они означают для нашей реальности, давайте попробуем посмотреть, сможем ли мы заглянуть за пределы эпохи инфляции, используя полученные знания.

Для тех, кто спросит: «Как же возникла Вселенная?» – сценарий вечной инфляции может показаться не совсем удовлетворительным, ибо у него действительно нет никакого начала. Это – всегда пузыри.

Но могут быть и другие возможности.

Я не могу перечислять их здесь все. Упомяну лишь об одной. Исторически самой первой.

ГЛАВА 3

ВСЕЛЕННАЯ БЕЗ ГРАНИЦ

Эпоха инфляции существовала до Большого взрыва.

Согласно вечной инфляции, бесконечное количество вселенных всегда было, есть и будет рождаться, и нашей Вселенной просто случилось стать нашей. Теперь давайте просто представим себе *одну* вселенную, с *одним* «началом» (что бы оно ни означало) и с *одной* эпохой инфляции.

И давайте перемотаем время назад, начиная с Большого взрыва.

Вот Большой взрыв: *бум!*

А до него была инфляция. Взглянем на нее задом наперед, она – это драматический коллапс.

А до нее... и теперь у нас проблема.

Стена Планка, Планковская эпоха, где и когда пространство и время перестают иметь смысл.

Стена Планка находится на расстоянии около 380 тысяч лет до поверхности последнего рассеяния, поверхности в конце Вселенной, и, если нам позволено сделать такое предположение, где-то через время Планка после того, что мы могли бы назвать *нулевым моментом времени**. Но мы не позволим себе это сделать. Мы не можем достигнуть нулевого момента времени внутри нашей Вселенной. Мы не можем говорить о времени там, где (или когда) оно не существовало. Говорить о времени «перед» или «до» эпохи Планка не имеет никакого смысла. Для этого действительно необходима квантовая гравитация с неизвестным объемом новых концепций для замены пространства и времени квантовым нечто. Трудная задача, сродни поиску начальных условий существования нашей реальности. Трудная, но не невозможная. Стивен Хокинг и американский физик-теоретик Джеймс Хартл решали около 30 лет назад именно эту проблему. Они были первыми учеными, занявшимися ею. А теперь о том, чего они достигли.

---

* Если вы подзабыли и хотите услышать эту цифру снова, время Планка не такое уж и продолжительное: одна миллионная миллиардной миллиардной миллиардной миллиардной доли секунды.

Представьте свою мини-копию в новорожденной Вселенной. Вселенной, в которой пространство и время только начали обретать смысл. Она крошечная. Немного крупнее планковских размеров, но не большая. Вы находитесь внутри, и вы тоже крошечный.

И вы не можете видеть много.

Все, что происходит в масштабах, меньших длины Планка, находится за пределами пространства и времени и потому скрыто от вашего взгляда.

Вы там, мельче крошечных размеров, в необычайно молодой Вселенной и практически слепой... но подождите... разве это не напоминает вам ситуации, в которых вы оказывались раньше?

Посещая квантовый мир, разве вы не переключались по методике йогов, закрыв глаза, чтобы не взаимодействовать ни с чем и получить доступ к тому, что скрыто от глаз? При изучении внутренних частей атомов вам, чтобы догадаться, что происходит вокруг, на самом деле *пришлось* каким-то образом стать йогом. А чтобы понять обнаруженное таким образом, вы узнали, что в квантовом мире, когда природа и ее коты оставлены без контроля, все квантовые возможности происходят одновременно.

А это еще хуже.

Это вам не невидимые коты или частицы, это — прошлое всей нашей Вселенной, скрытое стеной, отмечающей само рождение известных нам пространства и времени. Эта стена, стена Планка, теперь везде вокруг вас, и то, что лежит за ее пределами, недоступно для ваших чувств.

Следовательно, согласно квантовому закону, стена Планка скрывает суперпозицию всех квантовых возможностей.

Возможностей чего? – можете спросить вы.

Ну хорошо, возможностей прошлого.

Там – молодая Вселенная сама по себе, в целом, скрытая от глаз стеной Планка, и такая молодая Вселенная обязана соблюдать там одно из золотых правил квантового мира: пока никто не смотрит, все возможности могут происходить – и происходят.

Хокинг применил эту идею к новорожденной Вселенной.

Но он не мог использовать время, которое мы знаем и используем каждый день. Никто не имеет права использовать его за пределами планковской системы измерения. Так что Хокинг превратил его в нечто другое, легче поддающееся манипуляциям, в так называемое *мнимое время*. С его помощью он затем рассмотрел все возможные истории прошлого Вселенной, все истории прошлого, которые никто не может видеть изнутри.

Идея пришла ему в голову в 80-х годах прошлого века.

Он только что открыл способы справляться с квантовыми черными дырами. Он узнал, что они серые, что они испускают частицы. Он узнал, что квантовая гравитация должна существовать. Тогда разум Хокинга направился за пределы Большого взрыва.

Вместе со своим коллегой, американским физиком-теоретиком Джеймсом Хартлом из Калифорнийского университета в Санта-Барбаре, он написал формулу, которая навсегда изменила для меня Вселенную, воспринимаемую человеческим разумом.

Хокинг и Хартл предположили, что все вселенные, которые привели к нашей нынешней Вселенной, должны появиться из ничего (действительно из ничего, математического ничто) некоторое конечное *мнимое* время назад.

И они учли все вселенные, имеющие это свойство.

И они рассмотрели их.

И их было много.

И ученые ввели для них золотое правило квантового мира: вместо того чтобы выбрать одну, чтобы в дальнейшем развить ее в нашу реальность, они учли их все. На бумаге это означает, что они добавили их все, со знаком плюс, и заявили, что их сумма есть то, чем являлась Вселенная во времена «до» стены Планка, где никто не мог смотреть на нее. Их математическая формула сегодня известна как *волновая функция Вселенной Хартла – Хокинга*, а начальное условие, гласящее, что все возможные, принимаемые во внимание вселенные являются произошедшими из ничего, называется *предположением об отсутствии границ*.

Вселенная, наша Вселенная, с их точки зрения, со всеми ее возможными состояниями в качестве юной Вселенной, не имела начала.

А затем она стала нашей, спустя некоторое конечное мнимое время, когда пространство и время обрели смысл.

То, что именно это означает, здесь действительно не имеет значения.

Сумасшествие в том, что они это сделали.

Они записали математическое начальное условие для всей Вселенной. Они математически решили проблему создания нашей Вселенной из ничего.

Теперь несколько слов в предостережение: это не конец истории. Проследить практически любые расчеты в придуманных математических рамках Хартла и Хокинга, к сожалению, ужасно трудно (если не сказать невозможно).

Тем не менее, просто записав их, они стали первыми людьми, выдавшими математическую формулу возникновения и последующей эволюции нашей реальности.

Немыслимая ранее веха для человечества.

Человечество пытается разгадать законы природы на протяжении тысяч лет.

Наше понимание этих законов за это время изменилось и улучшилось.

Сто лет назад Эйнштейн открыл новую концепцию гравитации, и все мы стали понимать, что прошлое можно обнаружить не только под ногами, производя археологические раскопки Земли, но и среди звезд. Примерно в то же время многие ученые начали обнаруживать странные квантовые законы, управляющие микромиром.

> СУЩЕСТВУЕТ МАТЕМАТИЧЕСКАЯ ФОРМУЛА, ИЗВЕСТНАЯ КАК *ВОЛНОВАЯ ФУНКЦИЯ ВСЕЛЕННОЙ ХАРТЛА — ХОКИНГА*, ПО КОТОРОЙ НАША ВСЕЛЕННАЯ НЕ ИМЕЛА НАЧАЛА И ВОЗНИКЛА ИЗ НИЧЕГО.

А потом, около 30 лет назад, воодушевленные результатами испарения черных дыр, Хартл и Хокинг смело начали соединять все воедино и разрабатывать математическую формулу происхождения всего.

Конечно, их ви́дение может оказаться в будущем глубоко ошибочным, и то же самое можно сказать и обо всех идеях, уводящих нас за пределы экспериментов, но это не имеет никакого значения. Важно то, что вопрос о происхождении нашей Вселенной вступил в новую эру, где математическая физика по крайней мере позволила получать информацию о предмете.

Хотя идея Хокинга о рассмотрении всех возможных вселенных с использованием другого (мнимого) времени не появилась ниоткуда. Она присутствует в работах некоторых из самых ярких умов XX века, а именно Поля Дирака и Ричарда Фейнмана, которые придумали такую концепцию для создания современных квантовых теорий поля.

По такому сценарию, видимая Вселенная по-прежнему является сферой радиусом около 13,8 миллиарда световых лет. Это самый большой размер, который мы можем исследовать. Тем не менее смешно думать, повторюсь, что, собирая излучение и сигналы, доходящие к нам из космоса, и продвигаясь все дальше и дальше в мегамир, человечество заканчивает тем, что заглядывает не только в прошлое, но и в микромир.

Наши предки этого не знали.

И, как вы теперь видите, противоположность вполне может быть правдой.

И вы снова собираетесь навесить микромир, но на этот раз зайдете дальше прежнего. Там, внизу, вы найдете окно, открывающееся в целом в новую реальность, реальность бо́льшую, чем все, о чем вы мечтали до сих пор. Даже больше пузырей внутри пузырей внутри пузырей вечной инфляции.

В большом вы обнаружили малое.

В малом вы теперь найдете огромное.

Но куда нужно смотреть?

ГЛАВА 4

НЕИЗВЕДАННАЯ ЧАСТЬ РЕАЛЬНОСТИ

Как вы теперь знаете, вся наша видимая Вселенная представляет собой сферу радиусом 13,8 миллиарда световых лет. С такой гигантской перспективы сначала видишь нити гигантских кластеров галактик, купающихся в газах и темной материи, и, что более важно, там имеются все квантовые поля. Их нельзя увидеть с такой огромной высоты, но их можно ощутить. Они – материя, составляющая видимую Вселенную. Они – поле Хиггса, дающее массу всему имеющему массу. Они – инфлатонное поле или темная энергия, противодействующая воздействию гравитации и удерживающая Вселенную от все более быстрого расширения.

И здесь также присутствует и сама гравитация, сдвигающая все ближе ко всему другому.

Вы наблюдаете за всем со стороны и начинаете приближать масштабы.

Теперь вы видите галактики с сотнями миллиардов звезд. Их сверхмассивные центральные черные дыры исторгают из себя струи высокоэнергетического света и материи. Вы видите присутствие темной материи. Видите, как она предотвращает разрыв галактик вследствие их собственного вращения.

Продолжайте приближение.

Вы находитесь в масштабе звезд, огромных шаров раскаленной плазмы, излучающих свет, который мы, люди, используем для исследования далекой Вселенной.

Следом идут планеты — сферические миры, слишком маленькие, чтобы когда-либо стать звездами.

Еще меньше астероиды, кометы, живые существа, скрываемые нашей планетой под ста километрами атмосферы.

А потом микробы, клетки, молекулы, атомы, электроны и фотоны, протоны и нейтроны, кварки и глюоны.

Продолжайте приближение.

Вы вернулись на территорию квантовых полей.

Гравитация уже здесь, вооруженная всеми квантовыми силами.

Вы продолжаете приближение. И потом останавливаетесь.

Вы помните, что пошло не так с квантовыми полями? Вы помните о перенормировке, уловке, которую используют исследующие квантовую физику теоретики, чтобы избавиться от портящих их труды бесконечностей? А помните, что попытки взглянуть на гравитацию как на квантовое поле совершенно провалились, потому что возникающие в этом случае бесконечности нельзя удалить любыми средствами, создавая коллапс пространства-времени во всей Вселенной? Именно от этих бесконечностей мы сейчас должны избавиться. За ними вы увидите окно, ведущее в грандиозную новую реальность, о которой я упомянул в конце предыдущей главы. Весьма скоро вы пройдете сквозь него. Но в первую очередь необходимо удалить эти надоедливые бесконечности.

Как мы собираемся это сделать? Что ж, давайте посмотрим. Что мы знаем о пространстве-времени? Мы знаем, что его описание с помощью физики начала двадцать первого века имеет свои границы. В мегамире это ограничение – какое-то место за Большим взрывом, за эпохой инфляции, когда Вселенная переживала эпоху Планка. Этот предел находится в 13,8 миллиарда световых лет от Земли в пространстве и времени.

В микромире существуют те же пределы. И так происходит везде.

Приблизьтесь к чему-нибудь, и на каком-то этапе вы должны достигнуть масштаба Планка.

Если только что-то не помешает вам сделать это.

Благодаря работе Хокинга о черных дырах мы знаем, что гравитация не ограждена от квантовых эффектов, что квантовая гравитация в какой-то форме существует, хотя мы не всегда понимаем, что она может означать для действительности в пределах ее территории.

Существует граница того, что мы можем исследовать как в мега-, так и в микромире, и она определяется масштабом Планка.

Достигал ли какой-либо эксперимент пределов размеров, энергии или времени в лабораторных условиях?

Нет. Ни один. Эти пределы обладают слишком малым размером, энергией, сверхскоростью. По состоянию на сегодняшний день это теоретический предел. А что еще хуже, существует и практический предел, которого никто на самом деле не может достичь.

Почему?

Потому что в процессе появится крошечная черная дыра планковского масштаба, о которой я уже упоминал в конце последней части. Чтобы исследовать реальность за пределами этой черной дыры, не останется иного выбора, кроме как попытаться отправить в нее все больше энергии, больше света со все более короткими длинами волн, надеясь, что он отскочит от чего-то, рассекретившего свое существование на наших глазах, но это не так. Свет будет поглощаться черной дырой, лишь увеличивая ее размеры и еще больше скрывая масштаб квантовой гравитации. Другими словами, современная наука считает, что то, что лежит за пределами масштаба Планка, не может быть исследовано.

Так что же делать?

Что ж, мы можем снова постараться поумничать.

Например, предположить, что ничто не мешает квантовой гравитации или какой-то новой физике зайти *за* масштаб Планка.

Использующие лучшие современные ускорители элементарных частиц и наблюдения за небом физики-теоретики уверены, что понимают, как ведет себя природа почти на всем пути от огромных, галактических масштабов вплоть до масштаба, в котором все квантовые поля сливаются в одно. Масштаб теории Великого объединения. Необходимая для него энергия составляет около 1% от планковской энергии. Очевидно, что это огромный объем. Он соответствует температуре около 100 миллиардов миллиардов миллиардов градусов. Но это *не* предел Планка.

Так вот, вы, вероятно, помните, что энергия связана с размером: чем выше энергия волны, тем короче расстояние между двумя последовательными гребнями. Так что одна сотая часть планковской энергии (1%) соответствует масштабу микромира. Размеру в 100 раз больше длины Планка.

Это означает, что есть нетронутая территория реальности, простирающаяся по меньшей мере в границах от одной до ста длин Планка*.

Из экспериментов ничего не известно о том, что там происходит.

Хороший способ представить себе, каково физику-теоретику получить такой экспериментальный зазор, это подумать о том, как будет выглядеть мир, если ваши глаза могут увидеть его только с разрешением, равным одному метру. Как правило, вы видите мир с таким высоким разрешением, что можете различить объекты гораздо тоньше человеческого волоса, но представьте себе, что вы будете не в состоянии обнаружить что-либо меньшее, чем метр длиной, высотой или шириной. Исследуя окружающую среду, вы не разглядите нигде ни одной детали. Вы бы даже не сможете видеть маленьких детей. Дети внезапно возникли бы перед вами, достигнув метра в высоту...

ЭНЕРГИЯ СВЯЗАНА С РАЗМЕРОМ: ЧЕМ ВЫШЕ ЭНЕРГИЯ ВОЛНЫ, ТЕМ КОРОЧЕ РАССТОЯНИЕ МЕЖДУ ДВУМЯ ПОСЛЕДОВАТЕЛЬНЫМИ ГРЕБНЯМИ.

Я не говорю, что там могут оказаться дети ростом в сто раз меньшим длины Планка, но мы не знаем, какая природа может там скрываться. И наша реальность *коренится* где-то в микромире. В том, из чего она создана. В том, из чего созданы *мы.* И поскольку ни один эксперимент никогда не исследовал эти масштабы, то

* В июне 2015 года энергия, достигнутая на Большом адронном коллайдере – ускорителе элементарных частиц близ Женевы, – побила все предыдущие рекорды и сократила неизвестный зазор почти в два раза. Но придется подождать год или два, чтобы услышать о возможных прорывах.

очень возможно, что пространство и время начинают отличаться от используемых нами где-то *до* масштаба Планка. Также возможно, что из-за этого природа гравитации, материи и света тоже начинает там меняться. Причем радикально.

Например, возможно, что все они становятся одним целым.

До сих пор вы видели в основном известное.

Потом рассмотрели, какие проблемы возникли из того, что известно.

Теперь вы собираетесь выйти далеко за пределы знаний.

И мы будем считать, что все это реально, чтобы вы могли путешествовать там, но имейте в виду, что это — чистая теория.

Тем не менее некоторые из самых ярких ученых нашего времени десятилетиями работали над тем, чтобы донести до вас эту картину.

ГЛАВА 5

ТЕОРИЯ СТРУН

Странная дымка синего электричества окружает силуэт вашего спутника-робота, как будто внутреннее возбуждение вырвалось из его электронных схем наружу. Вы оба плывете в космосе в окружении далеких галактик, недалеко от точки, где вы избежали полного исчезновения в черной дыре.

Вы видели все, что нужно было увидеть.

Вы полетали на сверхбыстром самолете.

Вы наблюдали вакуумную флуктуацию квантовых полей и познакомились с материей и светом.

Вы видели звезды, взрывающиеся для создания новых миров, видели белых карликов и черные дыры, которые вы, в свою очередь, видели испаряющимися, намекающими на существование неизвестной пока теории квантовой гравитации.

— Настало время продолжить исследования дальше, — говорит робот.

И тут же вы оба начинаете уменьшаться в размерах.

Вы видите пролетающие мимо частицы. Проносящийся свет. Вакуумные флуктуации всех известных полей. И продолжаете уменьшаться. Вы находитесь в масштабе великого объединения, где все три квантовых поля, как полагают, ведут себя как единое целое. Вы продолжаете уменьшаться. Вы уже далеко за пределами размера своей мини-копии. Вам приходится сжаться по отношению к окружающему вас в миллиарды миллиардов миллиардов раз, чтобы в конечном итоге достигнуть ширины человеческого волоса. Сначала, там внизу, вы ничего не видите. Но затем начинаете.

Перед вами что-то есть. Струна. Струна, сделанная из ничего. Даже не из пространства и времени. Когда вы смотрите на нее, у вас даже возникает ощущение, что этот самый колеблющийся объект заменяет оба эти понятия.

Вы еще не достигли масштаба Планка и не сможете. В теоретическом мире, в который вы сейчас вступаете, масштаба Планка не существует, хотя вы, возможно, думали иначе. Но это не означает, что то, что вы видели до сих пор наверху, было не верным. Это означает, что здесь, внизу, ни одной из используемых концепций нельзя доверять. За исключением квантовой теории. Но применимой к струнам, а не к частицам.

То, что колеблется прямо перед вами сейчас, может быть одним из самых фундаментальных элементов Вселенной. Это *квантовая струна.*

Есть шанс, что, исходя из ее существования, появится возможность объяснить все виденное вами раньше, включая гравитацию. Включая существование всей нашей Вселенной.

Квантовая струна перед вами вибрирует. Квантовым образом. Вы не можете точно определить ее края, но можете сказать, что они существуют, хотя все в этой струне движется очень-очень быстро.

Она прекрасна, вибрируя радостной энергией, и вы чувствуете ее притяжение. Не в силах остановиться, вы протягиваете вперед руку и, хотя струна, кажется, колеблется сама по себе, дергаете ее, как струну гитары.

Хотя струна и состоит из ничего, вы видите волну распространяющихся вибраций, подобных музыкальным гармониям. Самая большая стоячая волна на реальной гитаре дает основной тон. Остальные – высшие гармоники. Разглядывая струну, вы видите ее будто бы размытой... но без самой струны. Струна из ничего, фундаментальная струна, если хотите, способная колебаться. Вспомните, что, когда слову «квантовый» предшествует знакомое из повседневной речи слово, это признак того, что понятие ничего общего с ним не имеет. Так и здесь, «квантовая струна» не является струной вообще. Первые ее вибрации приводят к рождению не ноты, а света. Частицы света. Переносчика электромагнитного взаимодействия.

Все квантовые частицы, с которыми вы встречались раньше, все частицы, составляющие ваше тело и всю материю Вселенной, могут оказаться колебаниями таких открытых струн...

Что-то справа привлекает ваше внимание. Вы поворачиваете свою крошечную голову, чтобы увидеть вторую струну, уже другую. Она не похожа на гитарную струну, а больше напоминает замкнутую петлю. И тоже вибрирует. Квантовым образом, опять же. И ее первое возбуждение отвечает уже не за свет, а за гравитон. Переносчик гравитационного взаимодействия. Это проквантованная гравитация. Эта петля, эта замкнутая струна своим существованием говорит вам, что вы путешествуете по квантовой теории гравитации. Поместите такую замкнутую струну в любом придуманном вами месте, и ее вибрации будут давать тот же эффект, что и гравитация. И вы нигде не увидите сохраняющейся бесконечности. Бесконечности, мешавшие квантовой гравитации, исчезли. Во благо. Потому что вы избавились от взглядов, согласно которым вещи происходят в пространстве и времени. Имея похожие на точки частицы в гладком пространстве-времени, легко представить себе определенное место, где они могли бы столкнуться. И квантовая теория поля, несмотря на присущую ей странность, также говорит, что когда частицы взаимодействуют между собой, то это происходит в определенном положении в пространстве и времени. Со струнами это больше не так. У струн частицы — *это* их вибрации. Вибрации струн — *это* частицы. На всем протяжении своей длины и времени. Они производят импульсы. Когда они взаимодействуют между собой, это не происходит ни где-то конкретно, ни в любой точно указанный момент времени. Взаимодействие идет по всей струне. Больше не существует «бесконечно» малого. И это как раз то, что удаляет все бесконечности, встреченные вами раньше.

Эта петля, эта замкнутая струна, несет в себе гравитацию, так что она и есть гравитация. И у вас есть свет, исходящий от открытых струн. Следовательно, взятые вместе, они становятся теорией, объединяющей гравитацию и электромагнетизм... Таким образом, квантовые струны больше, чем просто квантовая теория гравитации. Квантовая теория гравитации «просто» имеет дело с гравитацией квантовым способом. Ее не заботят другие квантовые поля. Разглядываемые вами струны – вот что здесь работает.

Так как насчет других полей?

Могут ли эти струны быть Теорией всего, теорией, объединяющей гравитацию и *все* известные нам квантовые поля?

Для этого они также должны учитывать материю.

И где же она? Вы не видите ее присутствия. Так чем же эти струны такие особенные? В чем странность их существования? Почему теоретиков они так волнуют?

Вы вправе задаваться вопросом, хотя, имея эти две виденные вами струны, открытую и замкнутую, вы уже можете сказать многое, но многое – еще не все.

– Идем дальше, – объявляет робот, и вы оба начинаете уменьшаться еще больше.

Теперь открытая струна по сравнению с вами огромна. Внимательно рассматривая ее, вы начинаете видеть больше, чем на первый взгляд. То, что вы собираетесь предпринять, никогда не будет в состоянии сделать ни один человек, состоящий из материи.

Но прямо сейчас вы можете. Хотя помните: выходя за пределы известного, всегда чем-то нужно пожертвовать. И вам придется оставить здесь особое положение вашей Вселенной, которую вы могли считать уникальной. И не только.

На пути от Ньютона до Эйнштейна вам пришлось отказаться от идеи, что Вселенная статична, что она всегда была такой же, что гравитация — это сила. Вам понадобилось познакомиться с пространством-временем, с его тремя измерениями пространства и одним времени, всеми четырьмя, переплетенными в единое целое, огибающее материю и энергию. Чтобы перейти от Ньютона к квантовой физике, вы должны были отказаться от представления частиц в виде точек. Вам пришлось узнать о волнах, полях, неопределенности и прочих вещах. Теперь, чтобы перейти от гравитации и квантовых теорий поля к струнам, вы должны превратить все фундаментальное в теорию замкнутых и открытых струн.

Но это было бы легко. То, от чего вам также необходимо тут отказаться, так это от идеи, что реальность состоит всего из четырех измерений. Струны не могут жить в четырехмерном пространстве-времени. Они требуют больше места. Они живут в десятимерной вселенной.

По мере приближения к струне вместе с роботом вы начинаете замечать, что над всеми без исключения точками, которые, как вы думали, содержатся в нашей Вселенной, возникают шесть новых измерений пространства, составляющие их собственный мир. Предположительно, именно из этих маленьких дополнительных измерений происходит вся составляющая нас материя.

Если вам очень трудно представить себе четыре измерения, не говоря уже о десяти, не волнуйтесь. Все, что вам нужно знать, это то, что шесть из них — дополнительные расширения в разных направлениях от обычного влево-вправо, вверх-вниз, вперед-назад нашего трехмерного мира, и слишком уж крошечные, чтобы заставить вас почувствовать свое существование или путешествовать по ним в реальной жизни. Но робот и вы теперь сжались до таких размеров, что вы можете.

На что они похожи?

Ну, это невозможно описать. Их так много! Так много возможных способов добавить дополнительные измерения и получить струну... Так много способов обернуть эти дополнительные измерения вокруг самих себя, давая с каждой новой оберткой другое основание для реальности... Теоретические физики даже догадались, сколько возможностей там может быть, и число их достигло примерно 100 000. Все они потенциально способны привести к возникновению вселенной, хотя и не обязательно нашей Вселенной.

Огромное количество возможностей. Единица в сопровождении пятисот нулей. Вселенная, где родились вы и я, может быть, просто одна из них. Или множество могло быть нашими. Никто до сих пор не знает. Вполне может быть даже, что эти возможности *все* существуют на каком-то этапе, внутри пузырей, созданных вечной инфляцией, о которой вы только что слышали, но лишь немногие из них могут создать вселенную, где законы природы совместимы с известной нам формой жизни. Для того чтобы существовать в виде человека, должен был оказаться выбран конкретный набор форм дополнительных измерений, иначе законы природы не позволили бы этого. Как происходил такой отбор? Никто не знает, за исключением того, что их необходимо было выбрать, чтобы вы существовали здесь, в нашей Вселенной. Такой аргумент для выбора называется *антропным принципом.* Он утверждает, что из непостижимо многих возможных форм дополнительно взятых измерений нами должны приниматься во внимание только совместимые с существованием человека, иначе нас не было бы, чтобы говорить о них. Это привлекательная идея. И она становится все лучше. Вместо того чтобы все измерения оставались крошечными, одно или несколько из этих дополнительных измерений могут быть огромными.

– Пойдем со мной, – говорит робот, подавая трубой знак следовать за ним. – Мы можем никогда не увидеть это снова.

И происходит самая необычная вещь.

До сих пор вас всегда учили, что нельзя взглянуть на Вселенную снаружи. Поэтому говорить о ее краях или границах – нонсенс. Если Вселенная есть все, по определению, то не имеет смысла пытаться даже представить, как она может выглядеть сверху или снизу. И все же, двигаясь в направлении, которое не находится ни вверху, ни внизу, ни слева, ни справа, ни впереди, ни сзади, робот выводит вас из Вселенной. Ее края, как кажется теперь, действительно существуют. Но они лежат не в пределах размеров, которые могут воспринимать обычные органы чувств.

Вы снаружи.

Вы видите все.

Всю вашу Вселенную.

Из другого измерения. И вы видите, что открытые струны, эти шнурки, чьи вибрации приводят к появлению света, теперь вибрируют по-разному, в зависимости от скрытых размеров, в которых они существуют. И вы также видите, что концы всех этих открытых струн приклеены к нашей Вселенной, которую вы только что покинули, в то время как замкнутые в петлю струны, те, что вибрируют, подобно гравитации, могут свободно перемещаться наружу, выходя из Вселенной...

И, почувствовав что-то позади вас, вы оборачиваетесь и изумленно ахаете.

Там другая Вселенная.

Параллельная вашей, то есть нашей. И вы видите, как замкнутые струны перемещаются от одной к другой, показывая, что могут общаться с помощью гравитации. Это – четвертый тип параллельных вселенных, наиболее впечатляющий из всех. Такие объекты называются *бранами*, звучит похоже на мембраны, но без «мем-», чтобы показать, что они больше, чем лист, и имеют более двух пространственных измерений. То, что перед вами, является одной такой браной, другой Вселенной, но их может быть много. И они также могут быть самых разных размеров. И все они могут превращаться друг в друга и ведут себя как струны, когда изучающие их физики-математики изменяют способ, которым они все взаимодействуют между собой. Они могут быть либо отдельными объектами, либо разными аспектами одной и той же реальности, реальности, рассмотренной с разных точек зрения. И все это может быть еще и одним из аспектов большей реальности, независимо от того, что может означать в этом случае «реальность». И некоторые ученые во главе с блестящим аргентинским физиком-теоретиком Хуаном Малдасеной, даже показали, что все это можно было бы понимать без гравитации и каждую отдельную вселенную здесь можно было бы описать по тому, что происходит где-нибудь на ее границе...

Правда доходит до вашего сознания. Вы – за пределами Вселенной.

Везде и вокруг есть и другие вселенные с различными наборами измерений. И есть крошечные пространственные измерения, где струны обвиваются вокруг себя, внутри и вокруг этих вселенных, заставляя их вибрировать в материю и свет, которым запрещено выходить за свою брану, свою вселенную, вашу Вселенную. Их концы могут свободно перемещаться внутри измерений, в которых вы родились, но им не позволено покидать их.

С того места, где вы находитесь, видя замкнутые в петли струны, переходящие от одной браны к другой, вы понимаете, что какое-то количество энергии может быть в состоянии оставить вашу Вселенную. Вы даже видите то, что, по вашему мнению, может оказаться черными дырами, связывающими соседние браны через свернутое в трубку искаженное пространство-время при помощи гравитации каждой браны, притягивающей другие браны, и вам вдруг становится интересно, а вдруг в этих бранах могут жить другие люди... Могут ли черные дыры быть проходом между вашим миром и их? Может ли сингулярность, которой вы не достигли, открывать доступ в другую реальность? Может ли рождение нашей браны, нашего пространства-времени, быть связано со столкновениями с другими бранами, существовавшими раньше? Могут ли темная материя и темная энергия объясняться существованием бран?

МОГУТ ЛИ ЧЕРНЫЕ ДЫРЫ БЫТЬ ПРОХОДОМ МЕЖДУ МИРАМИ? МОЖЕТ ЛИ СИНГУЛЯРНОСТЬ ОТКРЫВАТЬ ДОСТУП В ДРУГУЮ РЕАЛЬНОСТЬ?

Направив взгляд назад к Вселенной, из которой вы только что вышли, внезапно вы замечаете, что что-то случилось с течением времени, и вы видите пузыри новых инфляционных вселенных, появляющихся повсюду в вашей Вселенной, в вашей бране, распространяясь внутри того, что было вашим миром, как капли масла на поверхности озера.

— Мы должны вернуться! — кричите вы.

Но вы одни.

Робота нигде больше не видно.

И вы проскальзываете внутрь ближайшей браны, надеясь, что она та, откуда вы пришли.

И начинаете расти.

Остальные браны снова стали невидимыми, и струны, которые могут создавать вашу реальность, исчезают вдали.

Теперь вокруг вас кварки и глюоны. Теперь протоны, а затем электроны, атомы. Молекулы. Пыль. Песок. Море.

Вы открываете глаза.

Вы на своем пустынном пляже.

На том же месте, откуда вы начали свое путешествие. Светят звезды.

Легкий ветерок доносит к вам ароматы экзотических цветов. Вокруг друзья.

Они улыбаются.

– Он проснулся! – говорит один из них. – Налейте ему выпить!

Вы в растерянности садитесь на песок.

Появляется стакан.

Вы щипаете себя. Больно.

Вы делаете глоток.

Смотрите на море, деревья, звезды.

Очертания.

Там, в ночном небе, появляются очертания. Лиц. Ньютона. Максвелла. Эйнштейна. Планка. Шредингера. Дирака. Фейнмана. Хокинга. Хофта. Вайнберга. Малдасены. Виттена. И многих других.

Все они улыбаются. Все смотрят на вас.

Вы хотите поговорить с ними, но вместо этого они поворачиваются, чтобы взглянуть на величие космического пространства.

А потом все они растворяются в звездах.

И сами звезды исчезают, а за ними и море.

Вы моргаете.

Вы снова дома, на диване.

Окно открыто.

Вы садитесь. Смотрите вокруг.

Ваш кофе все еще там, на столе.

Вы снова щипаете себя. Больно по-прежнему.

Вы отпиваете глоток, чтобы разбудить ваш разум.

Кофе и ваша гостиная достигли равновесия температуры.

Вы выплевываете холодный кофе.

– Я... Я в полном порядке, – говорите вы вслух, но тянетесь за телефоном и звоните двоюродной бабушке, просто чтобы убедиться в этом. И тогда вы снова моргаете.

ЭПИЛОГ

На протяжении всей истории философы – а теперь физики-теоретики – пытаются представить себе картину мира. Чтобы разгадать его законы, законы природы, чье существование очевидно для всех нас (но чей язык оставался скрытым в течение очень долгого времени), они представляют себя в невозможных физических или экспериментальных ситуациях. Такие опыты называются *мысленными экспериментами*. Экспериментами чистого разума.

Как раз такую последовательность *мысленных* экспериментов вы испытали в этой книге. Они позволили вам путешествовать с помощью только мысли по известной на сегодняшний день Вселенной и за ее пределами.

Шредингер использовал такой способ, чтобы показать, как должны появляться странные квантовые правила, когда они связаны с макроскопическими, повседневными событиями. Он закончил котом, оказавшимся ни живым, ни мертвым, но мертвым *и* живым одновременно. Казалось бы, странные вещи, но на поверку выяснилось, что правильные.

Эйнштейн также извлек много пользы из *мысленных* экспериментов. Он представлял себе, на что будет похожа реальность, если скорость света имеет фиксированный предел. Чтобы сделать это, он спустился до уровня фотона. При взгляде на мир оттуда в его мозге зародилась специальная теория относительности, в частности говорящая о том, что самолет, летящий с той же скоростью, что и ваш, в конечном итоге, окажется на 400 лет вперед в будущем. Впоследствии было доказано, что так оно и есть.

Интуиция, хотя и не основанная на здравом смысле, позволившая человечеству выживать до сих пор, является тем, что руководило открытиями более ста последних лет. Как сказано в знаменитом изречении Эйнштейна, «воображение важнее знаний».

Все лица, виденные вами на звездном небе сразу после пробуждения на пляже, были лицами гигантов мысли прошлого и настоящего. Разумеется, я не могу назвать всех, их слишком много, но это те люди, чье наследие продолжает делать наш мир лучше известным и более обширным с каждой минутой. Они создали историю человеческого рода. Страницу за страницей они написали книгу о том, что мы знаем на настоящий момент о нашей реальности. Большинство из них не известны широкой публике, но из-за этого не менее значимы.

Вспоминая, как началось ваше путешествие, вы, однако, можете понять, что не нашли способ спасти Землю от будущего взрыва Солнца. Вы даже не придумали метод защитить планету от всевозможных катастроф, которые могут произойти до этого момента. Но вы действительно открыли инструменты, позволяющие человеческому роду справиться и выжить. И поможет нам наш мозг. Наш разум. Наше воображение. Наука.

Вы видели, что там, в космосе, существует бесчисленное множество других планет, миров, которые в один прекрасный день могут вступить с нами в контакт.

Что касается сегодняшних знаний, невозможно переместиться из одной части Вселенной в другую в течение одной или даже тысячи жизней. Можете сделать это только в уме. Но всего несколько поколений назад нужно было потратить несколько месяцев, чтобы доплыть из Европы в Австралию. Сейчас требуется пережить только несколько часов полета. Мы не знаем, что сделают возможным технологии завтрашнего дня. Мы не знаем, что в один прекрасный день позволит нам осуществить общая теория относительности. Сегодня, как я уже упоминал, она дала нам GPS. Пока только GPS. Завтра она может позволить нам найти кратчайшие пути в пространстве-времени, так называемые *червоточины* или *кротовые норы*, которые могли бы связать два удаленных места без необходимости преодолевать слишком обширные разделяющие их пространства.

До сих пор мы, люди, смогли отправиться за облака, на Луну, мы послали роботов к границам Солнечной системы. То, что лежит за ее пределами, человечество видело, но не побывало там; и вы сами обследовали все известное и неизвестное серией *мысленных* экспериментов. Благодаря этим полетам мысли вы собрали воедино всю сумму знаний теоретической физики начала XXI века.

Что-то из того, что вы узнали на протяжении этих путешествий, может, однако, оказаться ложным. Темная материя, темная энергия, параллельные миры и реальности – все это идеи, от которых ученые могут в конечном итоге отказаться, но тем не менее они являются самыми мощными идеями нашего времени. Они соответствуют тому, как сегодня человечество пытается придать смысл нашей Вселенной. Через несколько веков все это может оказаться отброшено либо принято. Мы не знаем. Но жить сегодня означает быть окруженным этими необычными идеями.

Так что, прежде чем позволить вам взглянуть на все с собственной точки зрения, вот последний итог увиденного вами плюс немного в довесок.

Как вы знаете, Ньютон не открыл общей теории природы, так называемую и пока что неуловимую теорию всего, о которой я упоминал некоторое время назад и для которой теория струн может оказаться соперничающей. Теория Ньютона даже не объяснила странную орбиту Меркурия, не говоря уже о расширении пространства-времени. Так что, в известном смысле, его теория неверна. Тем не менее она блестяща. Ее можно даже назвать совершенной: мы знаем, где она работает, и мы знаем, где и почему она рушится. Нам разрешили использовать ее в (приблизительных) масштабах, которые могут быть охвачены нашим человеческим мозгом: где-то между мега- и микромиром, на не чрезмерно высоких скоростях, где вовлеченная в процесс энергия не слишком интенсивна. Воспринимаемый нами мир, эволюция мира, которая позволила нам открывать его с помощью органов чувств, содержится в допустимых пределах теории Ньютона. Там коренится наш здравый смысл. Но есть вещи, лежащие за его рамками. Мир сверхскоростей, микромир и мегамир вместе со сверхэнергиями. В этих мирах законы Ньютона не имеют смысла, а чувства не помогают, но все же, как ни удивительно, человечеству удалось разгадать законы природы, применимые там, где мы их не можем видеть. Квантовые теории поля используются в микромире, а общая теория относительности берет на себя мегамир*. В промежутке между этими двумя мирами Ньютон — король ситуации. Там, где теории Ньютона не работают, начинают обнаруживаться и ожидаться странные новые феномены, намекая на новые, загадочные реалии, граничащие с нашей собственной реальностью.

Обе теории — квантового поля и общей теории относительности — открыли наши глаза и умы для Вселенной гораздо более обширной, чем когда-либо мог представить себе любой из наших предков, но до сих пор эти теории тоже имеют ограничения. Однако, в отличие от теории Ньютона, никто не знает наверняка, что лежит за их пределами. В данной книге вы совершили путешествие по этим чрезвычайно успешным теориям и в последней части сделали робкий, пробный шаг дальше, за их границы. Вы вошли во Вселенную, чьи основные составляющие — струны и браны, Вселенную, созданную из многочисленных реальностей и возможностей, квантовых вакуумов, приводящих к странным законам во вселенных, не являющихся нашими собственными.

Экстраординарное видение Эйнштейна состояло в том, чтобы понять, что гравитация не то, чем считал ее Ньютон. Эйнштейн показал, что она имеет кривые и склоны. Гравитация, материя и энергия связаны очень простым способом: наша Вселенная имеет ткань, называемую пространство-время, кривые и формы которой обусловлены ее содержимым, тем,

* А мир сверхскоростей принадлежит обоим мирам.

что находится внутри. Эффект этих кривых на близлежащих объектах и свете и есть то, что мы называем и воспринимаем как гравитацию. Вот в чем заключается общая теория относительности. Ей сто лет. Чтобы выяснить локальную форму Вселенной за пределами звезды и то, как ее гравитация влияет на окружающие объекты, просто необходимо знать энергию, содержащуюся внутри звезды. Многие ученые делали эти расчеты, начиная с немецкого физика Карла Шварцшильда.

В 1915-м, в тот самый год, когда Эйнштейн опубликовал свою теорию, в то время когда только горстка людей во всем мире поняла, о чем идет речь, Шварцшильд выяснил точную геометрию пространства-времени снаружи звезды. Ему было в то время 43 года, он достиг успеха во время боевых действий на русско-немецком фронте во время Первой мировой войны. Он умер несколько месяцев спустя от подхваченной там болезни. Войны лишили человечество слишком многих людей, в том числе тех, кто, как Шварцшильд, мог бы помочь нам понять мир лучше и быстрее.

При следовании работе Шварцшильда стало возможным предположить, как движутся вокруг звезд объекты и свет. Он рассчитал правильную орбиту Меркурия и показал, что свет сам по себе должен отклоняться от Солнца. В 1919 году экспедиция под руководством британского астронома, сэра Артура Эддингтона, обнаружила такое (ранее незаметное) отклонение. Фотографии, сделанные во время полного солнечного затмения в том году, показали, что звезды вблизи Солнца находились не там, где они должны были. Вместо этого они появились именно там, где, как предсказывала теория Эйнштейна, им следовало очутиться после их отклонения из-за влияния Солнца на пространство-время. Свет сам по себе подвержен гравитации.

Вскоре после смерти Шварцшильда тот же механизм был применен к еще более крупным объектам, галактикам, и предрек, что странные космические миражи, дуги или арки света, плавающие в центре далекой Вселенной, существуют. Это были образы еще более отдаленных галактик, чей свет исказился на пути к нам. Галактики, соответственно, действовали как космические линзы, позволяя нам видеть сквозь них еще дальше, глубже в историю нашей Вселенной. Такие линзы и миражи были обнаружены через шестьдесят с лишним лет после публикации работы Эйнштейна, в 1979 году. Теперь их можно увидеть почти на каждом изображении глубокого космоса, полученного с помощью телескопов. Попутно они показывают, что геометрическая интерпретация гравитации Эйнштейна работает не только в непосредственной близости от Солнца, но и во всем космическом пространстве.

Общая теория относительности дала нам новое видение Вселенной.

Вы, я, все и всё окружены всей той информацией, достигающей нас сейчас, в этот момент, из прошлого. Мы располагаемся в центре нашей видимой реальности, и все в этой реальности подчиняется закону Эйнштейна, кроме внутреннего содержимого черных дыр. То же самое относится к нашему пониманию материи и света: вся видимая Вселенная управляется теми же законами, что применяются в наших космических окрестностях. Материя, из которой мы состоим, свет, отражающийся от нашей кожи, — все они подчиняются тем же квантовым законам, что и повсюду в видимой Вселенной.

Связывание законов дальних галактик с законами близлежащих галактик привело к открытию того, что наша Вселенная имеет историю, что в своем прошлом она пережила Большой взрыв, что прошлые космические эпохи можно прочитать по звездам вплоть до той точки, в которой свет полностью перестает распространяться. Этот момент, это место в прошлом Вселенной, когда пространство стало достаточно обширным, чтобы позволить свету свободно передвигаться, мы назвали поверхностью последнего рассеяния. Когда она исчезла, Вселенная имела температуру 3000 °C. До этого момента вся Вселенная была светонепроницаемой. После него она стала прозрачной. То, что сегодня осталось от излучаемой ей температуры, называется космическим микроволновым фоновым или реликтовым излучением. Оно несет в себе отпечатки того, что существовало раньше.

Помимо этого прошлого, наблюдение за ночным небом может привести лишь к косвенным умозаключениям о том, что было когда-то. Однажды мы сможем использовать не зависящие от света датчики, работающие, скажем, на гравитационных волнах, — и тогда мы получим возможность непосредственно принимать более отдаленные сигналы, но мы еще не на том уровне развития. До тех пор нам необходимо воссоздать условия, существовавшие когда-то повсеместно в чрезвычайно крошечном объеме, которым была ограничена наша Вселенная, чтобы понять, что произошло.

Начиная с 70-х годов прошлого века, ускорители элементарных частиц занимаются именно этим. И они привели нас к беспрецедентному уровню доверия теориям, используемым для исследования мира частиц и света. Квантовые теории поля дали нам реалистичную картину того, из чего была создана и существует Вселенная, вплоть до миллиардной миллиардной миллиардной доли секунды после предполагаемого рождения известных нам пространства и времени, рождения, существование которого и предсказала общая теория относительности Эйнштейна.

И с 70-х же годов нам известно, что общая теория относительности ограничена, что существуют пределы того, что она может достичь. В местах ее просчетов необходима новая теория — квантовая теория гравитации и многое другое. В чем будет состоять эта теория, мы пока не знаем*. Но знаем, что она должна быть. И испарение черных дыр — намек на ее существование.

Уменьшаясь в размерах, чтобы найти возможное местонахождение будущей теории, вы в конечном итоге попали в полностью новую реальность, реальность, состоящую из струн, бран и дополнительных измерений. Это был шаг в теорию струн, являющуюся, пожалуй, столь же популярной, как квантовая теория гравитации или теория всего, хотя от нее еще ожидаются прогнозы, которые могут быть проверены экспериментально.

Среди этих теорий струн и бран, иногда называемых *М-теорией*, робот закончил миссию экскурсовода

---

* И их даже может быть больше одной.

по пространству, времени и за их пределами, так как вы достигли места, куда бессильны проникнуть даже самые мощные изобретенные человечеством суперкомпьютеры. Туда способен попасть только человеческий разум. Теперь вы наконец-то можете выяснить все, что хотите знать о мире, где вы живете.

Едва ли есть сомнения в том, что грядут как теоретические, так и экспериментальные изобретения, которые выйдут за границы сегодняшних знаний, открыв новые окна во Вселенную, поразительна бóльшую, чем может представить себе любой из ныне живущих. Общая теория относительности и квантовая теория поля могут впоследствии стать такими же совершенными, как теория Ньютона, для этого необходимо узнать, почему и где они терпят поражение и какая главнее. Сейчас, однако, они ошибочны в том же смысле, как было и в случае с Ньютоном.

И благодаря этим ошибкам мы можем заглянуть в неизвестное.

Без Ньютона, не имея образца для сравнения, мы даже не заметили бы небольшого отклонения орбиты Меркурия.

Без несоответствия Меркурия расчетам Ньютона и без неспособности Ньютона объяснить, что происходит при очень быстром движении объектов, у нас не появилось бы гипотезы Эйнштейна о том, как ткань Вселенной взаимодействует с ее содержимым.

Без уравнений Эйнштейна мы, подобно нашим предкам, оставались бы в полном неведении того, что Вселенная имеет историю. Мы не построили бы картину того, каким образом Вселенная работает как единое целое.

Без этой картины мы бы не обнаружили темную материю. И темную энергию тоже.

Ошибки необходимы, чтобы найти правильный путь, чтобы двигаться вперед.

Я надеюсь, в следующий раз смотря на звезды и Луну, вы вспомните, как загадочна, обширна и прекрасна наша Вселенная, ибо, только расширяя наше коллективное знание, мечтая, охотясь за ее скрытыми красотами и тайнами, мы найдем путь к долгосрочному выживанию человеческого рода.

СЛОВА ПРИЗНАТЕЛЬНОСТИ

Написание книги – нелегкая задача. И пусть об этом реже упоминается, но все же очевидно, что написание книги также и весьма эгоистичный процесс.

Я безмерно благодарен Лорен, моему прекрасному чуду, созданному из сверкающей звездной пыли, за то, что она позволила мне так поступить, и за ее помощь на протяжении всего процесса.

Написание книги – это одно, но публикация – совсем другое дело. Мне многих нужно поблагодарить. В хронологическом порядке выражаю слова признательности следующим коллегам.

Филиппе Донован, редактору Smart Quill Editorial. Прочитав предложение моего скромного проекта (о написании «легко читаемой научно-популярной книги обо всем известном в нашей Вселенной от Большого взрыва до сегодняшнего дня»), она, вместо того чтобы спокойно отправить его в мусорную корзину, порекомендовала меня лучшему агенту.

Энтони Топпингу, лучшему агенту современности из литературного агентства Greene & Heaton. А также лучшему другу книги или автора, как я смею надеяться.

Джону Батлеру, который, я надеюсь, знает, как и я, насколько эта книга обязана ему своим появлением. Его взгляд на нее был творческим, вдохновенным, нежным, проницательным и, прежде всего, понимающим. Я рад, что у нас все еще осталось несколько нерешенных теоретических вопросов для дискуссий – в сопровождении приличного количества хорошего пива, как я надеюсь.

Кейт Рицци из литературного агентства Greene & Heaton, благодаря которой эта книга собирается облететь весь мир. И, возможно, даже выйти за его пределы. Кейт знает в этом толк.

Всем сотрудникам издательства Macmillan за их остроумие и энтузиазм. Без **Робина Харви**, **Николаса Блейка** и **Уилла Аткинса** эта книга никогда бы не стала читаться так легко, как сейчас, и я никогда не был бы столь горд этим.

Прежде чем я мог вручить копию этой книги моему бывшему научному руководителю, **Стивену Хокингу**, я должен был убедиться, что в тексте не осталось никаких ошибок. И я безмерно горд, что могу поблагодарить моих друзей-ученых, которые любезно согласились потратить свое драгоценное время на научное редактирование книги: огромное спасибо Дэвиду Тонгу, профессору теоретической физики Кембриджского университета (Великобритания); Джеймсу Спарксу, профессору математической физики Оксфордского университета (Великобритания); Эндрю Толи, доценту кафедры физики университета Кейс Вестерн Резерв (США); Кристиано Германи, научному сотруднику исследовательской группы Рамона-и-Кахаля Института космических наук Барселонского университета (Испания). Я в неоплатном долгу перед всеми вами.

Само собой разумеется, я единственный, кто виноват, если какая-то ошибка все-таки сумела прокрасться в опубликованную книгу.

Имея возможность вручить вам, уважаемый **Стивен Хокинг**, копию книги, я хочу использовать ее, чтобы выразить то, какой честью является для меня возможность поблагодарить вас: вы познакомили меня с чудесами теоретической физики. Всему, что я узнал о нашей реальности, я начал учиться у вас: вы научили меня, как размышлять о нашем прекрасном мире, мире, становящемся еще более прекрасным из-за существования в нем таких людей, как вы.

ОБ ИСТОЧНИКАХ

Для такой книги, как эта, трудно сказать точно, откуда взялось ее содержание. Я не из тех, кто открывает теории, но я сделал все возможное для их интерпретации.

Я предполагаю, что бóльшая часть материала уходит своими корнями в учебники для студентов старших курсов магистратуры и дискуссий, которые я имел со Стивеном Хокингом и другими выдающимися профессорами.

Тем не менее нет никаких сомнений в том, что мои знания также основываются на лекциях и докладах кафедры прикладной математики и теоретической физики Кембриджского университета или Калифорнийского технологического института в Пасадене и Института теоретической физики имени Кавли в Санта-Барбаре, где я имел обыкновение проводить около месяца каждый год со Стивеном и другими его аспирантами: Томасом Хертогом, Джеймсом Спарксом и Ойсином Мак Конэмна.

Я не могу перечислить все научные статьи, которые я читал на сайте arXiv во время написания «Вселенной в ваших руках»; их слишком много.

Но вот неполный список некоторых замечательных учебников, которые я часто просматривал. Осторожно: эти научно-популярные книги не так просты для чтения. Но они замечательные, и я хотел бы перечислить их здесь за то, что они были настолько для меня важны.

СПИСОК ЛИТЕРАТУРЫ

Euclidean Quantum Gravity, edited by Stephen W. Hawking, Gary W. Gibbons (World Scientific, 1993).

Quantum Gravity, by Carlos Rovelli (Cambridge University Press, 2007).

String Theory, vols 1 & 2, by Joseph Polchinsky (Cambridge University Press, 2000).

Биррелл Н., Девис П. Квантованные поля в искривленном пространстве-времени. – Новокузнецкий физико-математический институт, 1984

Вайнберг С. Квантовая теория поля. – М.: ФИЗМАТЛИТ, 2003.

Грин М., Шварц Дж., Виттен Э. Теория суперструн. – М.: Мир, 1990.

Зи Э. Квантовая теория поля в двух словах. – Ижевск: НИЦ «Регулярная и хаотическая динамика», 2009.

Мизнер Ч., Торн К., Уилер Дж. Гравитация. – М.: Мир, 1977.

Новиков И.Д., Фролов В.П. Физика черных дыр. – М.: Наука, 1986.

Пескин М., Шредер Д. Введение в квантовую теорию поля. – Ижевск: НИЦ «Регулярная и хаотическая динамика», 2001.

Уолд Р.М. Общая теория относительности. – М.: Российский университет дружбы народов, 2008.

Хокинг С., Дж. Эллис Дж. Крупномасштабная структура пространства-времени. – Н.: Новокузнецкий физико-математический институт, 1998.

Чандрасекар С. Математическая теория черных дыр. – М.: Мир, 1986.

ГЛОССАРИЙ

51 Пегаса b 57

A

ArXiv 448

B

Bell Laboratories 138

C

CHNOPS 216

E

E = mc2 9, 28, 29, 118, 119, 162, 163, 272, 278, 279, 282, 405

G

GPS 175, 436

I

IBM 203

K

Kepler 58
Kepler-186 f 58

N

New Horizons 35

P

Philae 34, 116

R

Rosetta 34

S

S2 41, 42, 44, 348
Source 2 41

V

Voyager 1 36

W

W-бозон 239, 271, 294

Z

Z-бозон 239, 271, 294

А

Адрон 273
Азот 26, 216
Альфа-частица 241
Альфер, Ральф 138
Андерсон, Карл Дэйвид 281
Анизотропия 406
Аннигиляция 280, 283

Антигравитация 362, 404, 407
Антикварк 281
Антиматерия 275, 278, 281, 282, 292, 351, 362
Антинейтрино 281
Антипод 399
Антифотон 281
Античастица 281
Антиэлектрон 279, 280
Антропный принцип 428
Арош, Серж 340
Аспе, Ален 262
Ас-Суфи, Абдуррахман 52
Астероид 23, 33, 35, 44
Атмосфера 21, 108
Атом 17, 25, 26, 29, 30, 31, 63, 90, 92, 94, 175, 182, 185, 188, 196, 205, 208, 209, 210, 211, 214, 215, 216, 218, 230, 232, 236, 238, 241, 243, 307
Атомное ядро 197, 218

Б

БАК 273, 293
Балик, Брюс 43
Белл, Джон Стюарт 262
Белый карлик 358, 360
Бесконечности 322, 323, 324, 326, 417
Бестопливный спутник 116
Бета-частица 241
Бинниг, Герд 203, 204, 205
Бозон Хиггса 274
Большое замерзание 366
Большое сжатие 365
Большой адронный коллайдер 273
Большой взрыв 68
Бор, Нильс 247
Борн, Макс 246
Брана 429, 431
Браун, Роберт 43
Бруно, Джордано 57, 124

В

Вайнберг, Стивен 248, 269
Вайнленд, Дэвид 340
Вакуум 251, 253, 263, 264, 267, 318, 322, 386, 403, 404, 408
Велтман, Мартинус 322
Венера 20, 32, 57, 72
Верхний кварк 227, 238
Вечная инфляция 407, 428

Видимая Вселенная 56, 65, 67, 89, 100, 103, 106, 126, 127, 128, 130, 137, 140, 141, 142, 177, 277, 289, 290, 292, 295, 360, 393, 397, 399, 402, 409
Видимый свет 85
Вильсон, Кеннет Геддес 323, 324
Вильчек, Фрэнк 225
Виртуальная частица 206
Виртуальный фотон 206, 221, 320, 321
Виттен, Эдвард 250, 261
Водород 25, 26, 27, 31, 63, 197, 199, 202, 204, 206, 207, 210, 211, 213, 214, 216, 221, 222, 227, 232, 330
Возбужденный электрон 207
Волна 207
Волновая функция Вселенной Хартла – Хокинга 413, 414
Время 16
Время Планка 395
Вселенная 9, 15, 17, 18, 36, 43, 53, 54, 59, 60, 61, 63, 64, 65, 66, 71, 76, 79, 80, 85, 86, 89, 98, 101, 102, 103, 104, 105, 125, 126, 127, 128, 130, 135, 139, 159, 168, 171, 176, 188, 192, 194, 201, 209, 219, 226, 233, 234, 246, 253, 261, 266, 269, 272, 274, 283, 284, 286, 288, 289, 291, 292, 293, 294, 296, 297, 301, 304, 307, 309, 311, 312, 314, 315, 317, 322, 343, 344, 362, 363, 364, 365, 370, 371, 379, 382, 391, 398, 401, 402, 403, 405, 412, 413, 414, 415, 416, 418, 426, 428, 429, 430, 431, 438, 441, 442, 443, 444, 448
Вселенные-пузыри 408
Второй космологический принцип 101

Г

Газовый гигант 33
Галактика 40, 47, 48, 51, 52, 60, 357, 381

Галактический год 348
Галилей, Галилео 55
Гамма-лучи 45, 85, 242, 283
Гамов, Георгий 138
Гейзенберг, Вернер 333, 334
Гелий 25, 27, 63, 241
Глэшоу, Шердон Ли 248
Глюон 224, 225, 226, 228, 229, 230, 234, 271, 272, 273, 294, 325, 417, 432
Горизонт событий черной дыры 316, 375, 378
Гравитационные волны 360
Гравитационный телескоп 360
Гравитация 26, 30, 44, 46, 75, 77, 78, 106, 111, 117, 118, 119, 120, 147, 167, 168, 173, 174, 175, 184, 187, 222, 240, 242, 267, 268, 271, 291, 292, 298, 300, 303, 309, 313, 317, 319, 322, 325, 327, 328, 346, 347, 371, 417, 419, 421, 422, 424, 425, 426, 429, 430, 431, 438, 440, 442
Гравитон 267
Гросс, Дэвид 225
Гут, Алан 402

Д

Дальнодействие 184
Двойная система 58
Дирак, Поль 278, 279, 280
Длина волны 83, 331
Длина Планка 395
ДНК 215, 242

Е

Европейский центр ядерных исследований (ЦЕРН) 220
Европейское космическое агентство 34, 116

З

Закон всемирного тяготения Ньютона 71, 311, 347, 362
Закон Хаббла 104, 105, 357
Замедление времени 156
Звезда 11, 65

Земля 17, 18, 19, 21, 22, 25, 27, 39, 49, 50, 56, 58, 66, 71, 74, 81, 82, 95, 99, 101, 102, 107, 130, 135, 145, 155, 157, 160, 161, 163, 165, 166, 194, 210, 215, 216, 243, 244, 286, 292, 294, 311, 350, 355, 356, 359, 372, 397
Золото 180
Зона жизни 38
Зона Златовласки 38
Зона обитаемости 38

И

Излучение 84
Излучение Хокинга 390, 391
Измерение пространства 426
Институт космических наук Барселонского университета 446
Институт теоретической физики имени Кавли 448
Интенсивность излучения 83
Инфлатон 403
Инфлатонное поле 296, 402, 403, 404, 405, 407, 416
Инфляционная модель Вселенной 296
Информационный парадокс черных дыр 391
Инфракрасное зрение 85
Инфракрасное излучение 85, 141
Ион 30, 217
Искривление времени 120, 121

К

Кавендишская лаборатория Кембриджского университета 227
Казимир, Хендрик 264
Калифорнийский технологический институт 448
Калифорнийский университет 412
Кант, Иммануил 53
Карликовая планета 35
Квант 324
Квантовая гравитация 297, 395

Квантовая струна 423
Квантовая теория поля 278, 345, 449
Квантовая физика 313, 394
Квантовая флуктуация вакуума 321
Квантовая частица 257, 278, 330, 340
Квантовое поле 226, 234, 324, 325, 326, 417
Квантовое поле сильного взаимодействия 224
Квантовое поле слабого ядерного взаимодействия 235
Квантовое туннелирование 200
Квантовое электромагнитное поле 280
Квантовый вакуум 408
Квантовый мир 187, 261
Квантовый скачок 199
Квантовый эффект 298, 313, 314, 330, 336, 386, 394
Кварк 224, 229, 321
Кварко-глюонный суп 274
Кело, Дидье 57
Кембриджский университет 19, 140, 278, 446, 448
Кислород 26, 27, 29, 213, 214, 215, 216
Китинг, Ричард 171, 172
Классический мир 330
Кластер галактик 60
Коллайдер 270
Коллапс квантовой волны 332
Кольца Сатурна 33
Комета 23, 35, 36
Коперник, Николай 55, 100
Космическое микроволновое фоновое излучение 140
Космогония 126
Космологическая постоянная 364
Космология 126
Кот Шредингера 341, 343
Красное смещение 97
Красный карлик 37, 350
Кратер 22, 23
Кротовые норы 436
Крупномасштабная структура Вселенной 60
Кюри, Мари 235

Л

Ламоро, Стив 265
Ланжевен, Поль 155, 158
Леметр, Жорж 127
Линде, Андрей 402
Линия поглощения 94
Лукасовский профессор математики 278
Луна 20, 21, 22, 23, 121, 187

М

Магнит 193
Магнитное поле 25
Мазер, Джон 406
Майор, Мишель 57
Макемаке 34
Максвелл, Джеймс Клерк 432
Малдасена, Хуан 430, 432
Марс 20, 22, 32, 72, 288
Масса 28, 31, 37, 45, 169, 176, 177, 225, 271, 273, 274, 279, 323, 360, 372, 393, 395
Масса Планка 395, 396
Масштаб Планка 418, 419, 421, 422
Материя 16
Мегамир 178, 394
Межпланетная станция 35
Мезон 229
Меркурий 32, 73, 75, 78
Местная группа 60
Микроволновое излучение 97, 141
Микроволновое фоновое излучение 289, 393, 398, 399
Микроволновый анизотропный зонд Уилкинсона 363
Микроволны 85
Микромир 147, 178, 246, 266, 281, 313, 319, 345, 346, 366, 371, 389, 407, 415, 437
Мир сверхскоростей 156, 178
Млечный Путь 20, 39, 46, 47, 48, 49, 50, 51, 53, 54, 58, 59, 61, 62, 66, 104, 122, 125, 234, 346, 348, 349, 350, 351, 352, 355, 358, 373
Мнимое время 412, 413
Молекула 214
М-теория 442

Мультивселенная 17, 316
Мысленный эксперимент 434

Н

НАСА 32, 35, 36, 58, 363
Начальные условия 302, 311, 312
Нейтрино 239, 240, 241, 252, 267, 273
Нейтрон 227, 229, 230, 231, 271, 292, 359, 417
Нептун 33
Неравенства Белла 262
Нижний кварк 227
Нобелевская премия 104, 274, 281, 329, 392, 394
Нобелевская премия по физике 92, 140, 225, 228, 280, 322, 324, 333, 341, 360, 394, 406
Нобелевская премия по химии 222
Нулевой момент времени 410
Ньютон, Исаак 19, 70, 71, 74, 75, 78, 107, 147, 165, 184, 278, 394, 437, 438

О

Облако Оорта 35
Общая теория относительности 79, 147, 344, 370
Околосветовая скорость 171
Оксфордский университет 446
Оорт, Ян 349, 350, 351
Орбиталь 91, 93, 95, 211
Осмий 359
Остаточное сильное ядерное взаимодействие 231

П

Параллельная вселенная 17, 316
Паули, Вольфганг 212, 213, 218, 219, 239
Пензиас, Арно 138, 140, 141
Пенроуз, Роджер 369, 371
Первый космологический принцип 82
Перенормировка 324

Переносчики взаимодействий 192, 206, 294
Перлмуттер, Сол 361, 363, 404
Плазма 13, 25, 30, 45, 82, 416
Планета 12, 37, 57, 73, 91, 155, 243, 249, 288
Планк, Макс 394, 395
Планковская длина 315
Планковская система единиц 315
Планковская эпоха 298, 410
Платон 245
Плутон 34
Плутоний 237, 241
Плутоний-239 237, 238
Поверхность последнего рассеяния 65, 441
Позитрон 281, 283
Поле сильного взаимодействия 226, 269
Поле слабого взаимодействия 272
Поле Хиггса 274, 416
Полицер, Дэвид 225
Полоний 235
Постоянная Планка 395
Пояс астероидов 33
Пояс Койпера 34
Принстонский университет 342
Принцип запрета 212
Принцип неопределенности Гейзенберга 333
Принцип Паули 212, 216, 218, 220
Проксима Центавра 36, 39, 48, 56, 350
Пространственно-временной континуум 120
Пространство 16
Пространство-время 120, 135, 138, 143, 144, 167, 168, 173, 174, 249, 291, 299, 322, 324, 326, 350, 357, 360, 364, 367, 368, 371, 380, 382, 401, 431, 438, 440
Протон 222, 223, 238
ПЭТ 283

Р

Радий 235
Радиоактивность 222, 235, 239, 241, 242, 243, 269

Радиоактивный распад 239, 241, 242, 337
Радиоволны 85, 331
Райнес, Фредерик 239
Райт, Томас 53
Расширение Вселенной 98, 126, 127, 141, 159, 296, 356, 361, 363, 364, 365, 403, 404
Реакция термоядерного синтеза 26
Реальный фотон 206
Резерфорд, Эрнест 222
Реликтовое излучение 140, 287, 393, 441
Релятивистское сокращение длины движущегося тела 162
Рентгеновское излучение 42
Рис, Мартин 76
Рисс, Адам 361, 363, 404
Рорер, Генрих 203, 204, 205
Руска, Эрнст 205

С

Саган, Карл 56
Салам, Абдус 248, 269
Сатурн 72
Сверхмассивная черная дыра 315
Сверхновая звезда 62
Сверхновая типа Ia 361
Сверхскопление 66
Сверхскопление галактик 60
Свет 87
Световые волны 84, 86, 360
Сера 216
Серебро 26, 236
Сила притяжения 32, 184, 229
Силовое поле 16
Сильное взаимодействие 223, 224
Сильное ядерное взаимодействие 225, 229, 325
Сингулярность 369
Сканирующий туннельный микроскоп 204
Скопление галактик 40, 53, 60, 66, 125
Скорость света 29, 81, 146, 165, 174, 402, 434
Слабое взаимодействие 267, 269
Слабое ядерное взаимодействие 234
Смут, Джордж Фицджеральд 406

Солнечная система 35, 50, 72
Солнце 14, 18, 20, 21, 24, 25, 27, 28, 29, 30, 31, 33, 34, 35, 37, 38, 39, 40, 48, 49, 55, 63, 65, 71, 72, 77, 82, 84, 88, 94, 122, 125, 233, 235, 289, 348, 349, 350, 392
Спаркс, Джеймс 446
Спектр 94
Спектр излучения 94
Спектр поглощения 94
Специальная теория относительности Эйнштейна 155, 173
Спутник 33, 55, 58, 175
Старобинский, Андрей 402
Стена Планка 298, 312, 413
Стрелец А* 43
Суперкластер 60, 61
Суперпозиция состояний 339

Т

Тейлор, Джозеф 360
Темная материя 350
Темная сторона Луны 21
Темная энергия 362, 365
Темные века 63
Температура Хокинга 389, 393
Температурное равновесие 400
Теоретическая физика 18, 70, 245
Теория Большого взрыва 64, 128
Теория Великого объединения 270
Теория всего 248, 316
Теория горячей Вселенной). 128
Теория гравитации 79, 147, 154, 346, 362, 369, 371
Теория квантовой гравитации 392
Теория струн 316
Тепловое излучение 138
Термоядерный синтез 26, 27
Ткань Вселенной 77, 120
Тонг, Дэвид 446
Третий космологический принцип 101
Туманность 215
Туманность Андромеды 51, 52, 53, 54, 66
Туннельный эффект 199
Т Хоофт, Герард 322

У

Углерод 26, 27, 216
Уилер, Джон Арчибальд 342
Уилсон, Роберт 138, 141
Ультрафиолетовое излучение 42, 85
Универсальное время 147, 154
Университет Кейс Вестерн Резерв 446
Уран 33, 72
Ускоритель частиц 270

Ф

Фейнман, Ричард 246, 328, 385
Филдсовская премия 250
Фосфор 216
Фотон 83, 140, 207, 321
Фотоэлектрический эффект 92
Фундаментальная частица 205, 206, 218

Х

Хаббл, Эдвин 52, 55, 104, 356, 357, 361, 364
Халс, Рассел 360
Харон 34
Хартл, Джеймс 412
Хаумея 34
Хафеле, Джозеф 171, 172, 173, 174
Херман, Роберт 138
Хиггс, Питер 274
Хойл, Фред 140
Хокинг, Стивен 79, 247, 278, 305, 329, 369, 388, 410

Ц

Цвикки, Фриц 351
Цефеиды 356, 361

Ч

Частица 256
Частота волны 83
Чедвик, Джеймс 227
Червоточины 436
Черная дыра 43, 314, 315, 372, 373, 376, 386, 387, 392, 393, 395, 396, 418

Ш

Шварцшильд, Карл 439, 440
Шмидт, Брайан 361, 363, 404
Шредингер, Эрвин 336, 340, 434

Э

Эверест 181
Эверетт III, Хью 342
Эддингтон, Артур 439
Эйнштейн, Альберт 79, 92, 105, 119, 120, 122, 136, 147, 154, 165, 171, 173, 184, 203, 246, 247, 347, 364, 365, 394, 414, 434, 439
Экзопланета 58
Электромагнетизм 242
Электромагнитное поле 192, 197, 205
Электромагнитное силовое поле 190
Электромагнитный заряд 193
Электрон 29, 30, 90, 91, 197, 199, 206, 209, 211, 213, 214, 216, 217, 218, 219, 223, 226, 227, 231, 238, 241, 242, 255, 279, 291, 319, 320, 321, 352
Электронная оболочка 231, 238
Электронный микроскоп 205
Электрон-позитронная пара 280
Электрослабое поле 248
Элементарная частица 266, 267, 300, 325, 327, 383
Эллиптическая орбита 74
Эмиссионный спектр 94
Энглер, Франсуа 274
Энергия 17, 24, 28, 42, 91, 93, 163, 201, 230, 258, 263, 278, 280, 293, 294, 321, 362, 426, 439
Эпик, Эрнст 52, 104
Эпоха инфляции 402, 405
Эффект Казимира 265, 386

Ю

Юкава, Хидэки 229
Юпитер 20, 57, 72, 252

Я

Ядро 25, 37, 90, 91, 196, 197, 206, 209, 210, 211, 214, 218, 228, 230, 231, 234, 237, 238, 239, 241, 272, 291, 292, 346, 348
Ядро планеты 27

Научно-популярное издание

БОЛЬШАЯ НАУКА

Кристоф Гальфар

ПРОСТАЯ СЛОЖНАЯ ВСЕЛЕННАЯ

Директор редакции *Е. Капьёв*
Ответственный редактор *Ю. Лаврова*
Младший редактор *Е. Минина*
Художественный редактор *П. Петров*

В коллаже на переплете использованы фотографии:
Alex Mit, AlexandrBognat / Shutterstock.com
Используется по лицензии от Shutterstock.com

ООО «Издательство «Э»
123308, Москва, ул. Зорге, д. 1. Тел.: 8 (495) 411-68-86.

Өндіруші: «Э» АҚБ Баспасы, 123308, Мәскеу, Ресей, Зорге көшесі, 1 үй.
Тел.: 8 (495) 411-68-86.
Тауар белгісі: «Э»
Қазақстан Республикасында дистрибьютор және өнім бойынша арыз-талаптарды қабылдаушының өкілі «РДЦ-Алматы» ЖШС, Алматы қ., Домбровский көш., 3«а», литер Б, офис 1.
Тел.: 8 (727) 251-59-89/90/91/92, факс: 8 (727) 251-58-12 вн. 107.
Өнімнің жарамдылық мерзімі шектелмеген. Сертификация туралы ақпарат сайтта Өндіруші «Э»

Оптовая торговля книгами Издательства «Э»:
142700, Московская обл., Ленинский р-н, г. Видное,
Белокаменное ш., д. 1, многоканальный тел.: 411-50-74.

По вопросам приобретения книг Издательства «Э» зарубежными оптовыми покупателями обращаться в отдел зарубежных продаж
International Sales: International wholesale customers should contact Foreign Sales Department for their orders.

По вопросам заказа книг корпоративным клиентам, в том числе в специальном оформлении, *обращаться по тел.: +7 (495) 411-68-59, доб. 2261.*

Сведения о подтверждении соответствия издания согласно законодательству РФ о техническом регулировании можно получить на сайте Издательства «Э»

Өндірген мемлекет: Ресей
Сертификация қарастырылмаған

Подписано в печать 08.12.2017. Формат 60x90 1/16.
Печать офсетная. Усл. печ. л. 29,0.
Тираж 3000 экз. Заказ 11421

Отпечатано с готовых файлов заказчика
в АО «Первая Образцовая типография»,
филиал **«УЛЬЯНОВСКИЙ ДОМ ПЕЧАТИ»**
432980, г. Ульяновск, ул. Гончарова, 14

ISBN 978-5-699-94902-1